7년 연속 합격자 배출

유도은
S+ 감정평가실무연습
2차 | 기출문제 2권   예시답안편

유도은 편저   동영상강의 www.pmg.co.kr

박문각

박문각 감정평가사

우선 본 교재를 활용하는 수험생들의 최종 합격을 진심으로 기원한다.

제35회 감정평가사 자격시험까지 감정평가사 시험이 35회 동안 누적되어 오면서 이제는 기출문제만으로도 방대한 양의 감정평가 이론 및 실무를 학습할 수 있게 되었다. 한편, 감정평가실무 기출문제는 계속해서 변화하는 감정평가 이론, 제도를 확인할 수 있고 출제 당시의 상황까지 바라볼 수 있는 중요한 자료라고 할 수 있다. 부동산 시장을 포함한 시장 경제가 끊임없이 변화하듯 감정평가사 시험의 범위도 끊임없이 변화하고 있는 상황에서 기출문제는 수험생들로 하여금 학습해야 할 범위를 가늠할 수 있게 하며 앞으로의 출제경향을 예상할 수 있는 중요한 자료가 된다.

과거 35년의 감정평가사 시험을 보면 감정평가실무 문제는 크게 몇 가지 양상으로 구분할 수 있다고 저자는 생각한다. 우선 제11회 이전 문제까지는 감정평가의 기본적인 개념을 통해서 물건을 평가하는 문제가 주로 나왔다. 또한 이 시기에는 최근에 비하여 보상평가의 비중이 다소 높았었다. 하지만 보상평가의 내용도 결국 3방식을 물어보는 문제가 많았다는 특징을 가지고 있다. 제12회 이후 몇 년 동안은 시험까지는 현업에서는 자주 활용하지 않는 개념이지만 이론적으로 중요시되는 부분들이 많이 문제로 출제되었다. 많은 수험생들은 이때의 시험의 난이도가 매우 높았다고 생각하는데, 이는 평소에 잘 다루지 않는 부분이 높은 배점으로 출제되는 점이 많았기 때문이다. 최근에도 시험문제의 유형은 조금씩 변하고 있지만 실무적으로 많이 행하는 평가를 기반으로 하여 문제가 나오고 있다. 물론 이론적인 논점을 문제화하는 경우도 있었다. 또 하나의 특징은 문제 안에 작은 논점들이 많이 있어 이 부분을 효율적으로 답하는 것이 중요해지는 시기라고 할 수 있다. 또한 문제의 형태나 패턴이 매년 바뀌어 수험생들은 다양한 형태의 시험에 익숙해질 필요성이 있겠다.

매년 기출문제가 출제되면 기출문제는 수험생들의 예상을 한 차원 넘어서는 문제들이 많이 나오곤 했다. 하지만 그렇다고 해서 준비가 어려운 것은 아니다. 수험생의 입장에서는 항상 기본에 충실한 공부를 했다면 복잡하고 어려운 문제가 출제되더라도 기본기를 응용하여 문제를 풀어낼 수 있다. 이런 능력을 기본서를 포함하여 종합문제와 기출문제 등 교재를 통해 숙달하기 바란다.

첫째, 금번 제13판에서는 2024년 기출문제인 제35회 기출문제까지 수록하였다.

둘째, 현재 시행되고 있는 법령을 기준으로 해설하였다. 하지만 기출문제가 출제되던 시기의 법령과 현행 법령의 차이가 상당하여 현행 법령에 따라 문제를 풀기 어려운 경우가 종종 있다. 이 경우에는 당시의 법령으로 해설하되, 현행법령과의 차이점을 별도로 표기하였으니 참조하기 바랍니다.

셋째, 교재 앞부분에 "연도별 기출문제 분석표"를 배치하여 그동안 어떤 논점들의 문제가 어떤 비중으로 출제되었는지를 한눈에 볼 수 있게 만들었다. 기출문제를 분석함에 있어 좋은 자료가 될 것으로 생각된다.

넷째, 제23회 시험부터는 합격자 발표와 동시에 출제위원의 강평자료가 공개되고 있다. 이 자료는 수험생의 입장에서 매우 중요한 자료라고 할 수 있다. 출제위원 강평자료는 해당 회차 예시답안 뒤에 배치하였으니 활용하기 바란다. 아쉬운 점은 2020년 시험부터는 출제위원 채점평이 공개되지 않는다고 한다.

다섯째, 기출문제 제12판 교재에서 발견된 소소한 오탈자 등은 모두 수정하였으며, 풀이방법이 둘 이상으로 해석될 수 있는 경우에는 최대한 "별해"를 통해 다른 풀이방법을 제공하고자 하였다.

저자는 매번 교재개정시 독자들에게 혼동을 줄 수 있는 오탈자, 계산오류 등을 최소화하기 위해 노력하였지만 뒤늦게 오탈자를 발견하는 경우가 종종 있다. 뒤늦은 인사지만 지면을 통해 그동안 본 교재를 통해 학습하면서 서로 토의하고 오탈자 등을 지적해준 합격생 및 수험생에게 감사의 인사를 전한다.

본 교재에 수록되어 있는 답안은 "정답"이 아니라 "예시답안"에 불과하다는 점을 수험생들은 알아야 한다. 독자가 스스로 푼 답안과 논리적인 하자는 없으나 다른 답안이 나올 수 있다는 것이다. 예시 답안과 관련한 궁금한 사항이 있으면 언제든지 질문을 해주길 바란다. 또한 앞으로 발생하는 수정 사항에 대해서는 "감정평가사 합격카페"를 통하여 적시성 있게 제공할 것을 약속한다.

다시 한 번 강조하지만 기출문제는 수십 권의 문제집보다 훨씬 주옥같은 자료라고 할 수 있다. 많은 수험생들이 본 교재를 통해 기출문제를 명확하게 이해하고 공부 방향을 잡을 수 있기를 바라며, 미래의 감정평가사인 독자들의 무궁한 발전을 기원한다.

봉천동 서울법학원 교수연구실에서
유도은

S수험서 진도 / 회차	제1, 2강 감정평가 실무의 개관 및 기초	제3강 토지 및 건물의 감정평가 (비교, 원가방식)	제4강 토지 및 건물의 감정평가 (수익방식)	제5강 구분소유권의 감정평가	제6강 임대료 및 임대차의 평가	제7강 감정평가 유형별 평가	제8, 9강 부동산 평가의 타당성분석, 최유효이용분석	제10강 목적별 감정평가	제11강 표준지 공시지가 등*	제12, 13, 14강 토지, 지장물, 영업권 등의 보상평가
1회(1990년)		①(3방식에 의한 토지평가) ③(토지, 건물 일체평가) ④(노선가식 평가)								②(영업의 휴·폐업보상)
2회(1991년)					③(아파트 임대료 평가)	②(비상장주식 평가)			④(표준지선정 원칙)	①(토지, 건물, 기계 보상평가)
3회(1992년)	⑤(공부서류)	②(토지평가)				④(도입기계 평가)				①(토지, 건물 보상평가) ③(영업휴의 평가)
4회(1993년)		①(토지, 건물평가) ③(토지평가-조성원가법)	④(순수익 산정)	②(층별 효용비율 등)						
5회(1994년)		①(토지, 건물평가) ③(수익환원법)		②(구분지상권 평가)				⑤(부동산 건설임)		④(공공구역 보상평가)
6회(1995년)						③(도입기계 평가)	②(타당성 분석)		①(택지비 평가) ④(표준지, 개별공시지가)	⑤(환매금액 결정)
7회(1996년)	④(면적)								①(표준지 평가)	②(도로, 영업권 보상) ③(별법행정청결정 등)
8회(1997년)	③(등고선)	②(토지, 건물평가)		④(지하 사용료)			④(타당성, 요구수익률)			①(토지, 건물 보상평가)
9회(1998년)		②(경비분석) ③(지분회수)		②(지하 사용료)				⑤(자산재평가)		①(토지, 건물 보상평가)
10회(1999년)		③(감가수정)					①(분석/임대분석-임대료법) ②(NPV, IRR) ⑤(Reits)			④(환매권)
11회(2000년)		③(토지평가)			④(임대료 평가)					①(농업손실보상) ⑤(영업보상 자료)

년도	(구분)							
12회(2001년)	5(물적불일치)			4(일단지)	1(타당성분석)	6(도시정비-국공유지)		2(토지, 지장물, 영업권 보상) / 3(어업보상)
13회(2002년)		1(토지, 건물평가)		2(광산, 광업권 평가) / 5(GB토지)		3(담보, 경매) / 6(경매)	4(투자수익률)	7(보상산례 참작)
14회(2003년)		1(토지, 건물평가)	5(아파트 가격형성요인)	4(영업권 평가)				2(토지, 지장물 보상) / 3(개발이익 배제)
15회(2004년)		1(토지, 건물평가)			2(평균분산 및 활률분석)			3(무허가건축물, 가설건축물 등) / 4(토지, 지장물, 영업권 보상)
16회(2005년)	5(개념)	2(토지, 건물평가)			1(최유효분석)	3(담보, 경 매, 처분 등)		4(농업손실보상)
17회(2006년)			3(적산법)	4(도입기계)	1(매입에 따른 현금흐름분석)	5(도시정비 – 관리처분) / 6(재사유)		5(토지, 건물 및 수익)
18회(2007년)		1(토지, 건물평가) / 2(토지, 건물평가)		4(비상장주식)				3(토지, 지장물 보상)
19회(2008년)		2(토지평가, 가격다원론) / 1(토지평가, 이행지) / 3(토지, 건물평가)		3(임목평가)		4(리스자산)	5(개발이익)	1(토지, 지장물, 영업권 보상)
20회(2009년)		1(토지평가, 가격다원론)			2(투자타당성)	4-2(공동정기치)	4-1(표준주택)	4-3(하천보상)
21회(2010년)		4(다가구 수익가치)			5(통계분석)	3(도시정비-관리처분)		2(잔여지, 영업보상)
22회(2011년)		1(토지, 건물평가)	4(위치별 효용비)	3(일조권)		2(도시정비-무상양수도) / 5(건설상당, 담보)		
23회(2012년)		1(수익방식, 타당성)		3(개발부담금) / 4-2(EBITDA)		2(담보감사)		4-1(개발이익배제)
24회(2013년)	1-1(골프장정비)	4(토지, 건물평가)			1-2(타당성 분석) / 2(매각방안, 도시정비)			3(미불용지)

GUIDE
감정평가실무 문제별 주요 논점 및 난이도

회차(연도)	주요 논점
25회(2014년)	[3] 토지, 건물평가 / [2] (환매권, 손해배상)
26회(2015년)	[1] 구분소유권 평가 (3방식병용) / [4] 경매평가 (제시외건물) / [2] 구분지상권 보상평가 (공중선로) / [3] 토지보상, 농업손실보상
27회(2016년)	[1] 토지, 건물의 3방식 병용 및 현금흐름분석 / [2] 임대권, 임차권 및 수익률 분석 / [3] 기계기구(전용 및 해체처분) 감정평가 / [4] 영업손실보상 감정평가
28회(2017년)	[4] 아파트의 감정평가 / [3] 자산별에 따른 토지임대료 / [2] 오염부동산의 감정평가 / [1] 미지급용지, 사실상 사도, 예정공도의 보상감정평가
29회(2018년)	[4] 조소득수법 / [2] 임대료 감정평가 / [3] 기계기구(매매인 바) 감정평가 / [1] 지하공간 사용에 따른 보상감정평가
30회(2019년)	[4] 사정보정치 산정 등 / [1] 특허권 및 영업권 감정평가 / [3] 개발계획의 타당성검토 / [2] 도시계획시설(공원)보상
31회(2020년)	[2] 할인율과 환원율의 결정 및 분석 / [1] 겸용건물 3방식 및 영업권평가 / [3] 사실상사도 및 예정공도의 감정평가 / [4] 일부편입 영업보상
32회(2021년)	[1] 토지, 건물의 3방식 병용 / [2] 자산별의 기대이율 / [4] 토지의 보상평가(개간비) / [4] 지장물(보상비) 보상평가
33회(2022년)	[2] 사정보정, 배분법 등 / [3] 장기임차권 감정평가 / [4] 권리금 감정평가 / [1] 토지, 지장물 등 보상평가
34회(2023년)	[3] 개발가능시기 분석 / [1] 소규모주택 정비사업 감정평가 / [4] 잔여지 보상평가
35회(2024년)	[1] 토지, 건물의 3방식(최유효이용 분석 포함) / [2] 최유효이용 미달 부동산의 감정평가 / [4] 영업권평가 (초과수익) / [3] 화자방식에 따른 면적분석 / [1] 토지, 지장물의 보상평가

※ 이탤릭체로 된 문제는 약술문제였음.

CONTENTS
이 책의 차례

PART 02 기출문제 예시답안편

CONTENTS
이 책의 차례

02

기출문제 **예시답안편**

제12회(2001년) ~ 제35회(2024년)

2001년 감정평가사 제12회

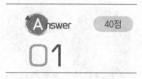

Answer 40점

01

I 평가개요

본건은 일반주거지역에 속하는 부동산에 대한 투자의 타당성 검토로서 기준시점을 2001.8.26으로 하는 시장가치를 구하고, 투자내역에 따른 현금수지를 분석하여 투자의 타당성을 검토한다.

II 대상 부동산 평가

I. 물건별 평가(개별평가)

1. 토지평가

1) 공시지가기준 평가

① 비교표준지 적부 : 일반주거지역의 상업용으로서 비교표준지로 선택

② 시점수정치(2001.1.1~8.26, 주거지역)

$$1.0274 \times 1.0152 \times (1 + 0.0152 \times 57/91) \fallingdotseq 1.0530$$

③ 지역요인 비교치 : 인근지역으로서 대등함.(1.000)

④ 개별요인 비교치 : $1.00 \times 0.89 = 0.890$

⑤ 그 밖의 요인보정치 결정

㉠ 평가선례의 선정

일반주거지역, 상업용으로서 본건과 비교가능성이 있는 사례 2를 선정한다.(사례 3은 평가목적 및 이용상황이 상이하다)

㉡ 평가선례의 토지가격

$$3,100,000,000 - 800,000^* \times 95/98 \times (1-4/50-0.05-0.05) \times 3,500$$
$$\fallingdotseq 874,286,000원(874,000원/㎡)$$

*) 건물가격은 보합세로 간주한다.(이하 동일)

ⓒ 그 밖의 요인비교치 결정

$$\frac{874,000 \times 1.0501^* \times 1.00 \times 1.13}{1,050,000 \times 1.0530} \fallingdotseq 0.938$$

*) 2001.1.10~8.26, 주거지역 : $(1 + 0.0274 \times 81/90) \times 1.0152 \times (1 + 0.0152 \times 57/91)$

∴ 상기와 같이 격차율이 산출되었는바, 그 밖의 요인비교치로서 0.95를 적용한다.

⑥ 공시지가 기준가액

$1,050,000 \times 1.0530 \times 1.000 \times 0.890 \times 0.95 \fallingdotseq 935,000$원/㎡

2) 거래사례비교법

① 사례의 선택 : 위치적·물적 유사성과 시점수정 등이 가능하며, 배분법의 적용이 가능한 사례 1을 선택한다.

② 사례토지가격 : $3,300,000,000 - \underset{건물^*}{2,400,000,000} \fallingdotseq 900,000,000$원$(1,130,000$원/㎡$)$

* 사례건물가격 : $800,000 \times 1.0000 \times 3,000$

③ 비준가액 : $1,130,000 \times \underset{사}{1.0} \times \underset{시^*}{1.0249} \times \underset{지}{1.000} \times \underset{개}{0.890} \fallingdotseq 1,030,000$원/㎡

* 시점(2001.4.1~8.26, 주거지역) $1.0152 \times (1 + 0.0152 \times 57/91)$

3) 토지가격 결정

「감정평가에 관한 규칙」에 의하여 공시지가기준법에 의하되 거래사례비교법에 따른 시산가액에 의하여 그 합리성이 지지되는 것으로 판단된다.$(935,000$원/㎡$)$

$(∴ 935,000 \times 1,000 \fallingdotseq 935,000,000$원$)$

2. 건물평가

1) 재조달원가(건물명 A가 본건 건물임)

$800,000 \times 1.0 \times 1.0000 \times 104/98 \fallingdotseq 848,000$원/㎡

2) 건물가격(만년감가)

$848,000 \times (1 - 5/50 - \underset{물리적 \quad 기능적}{0.03}) \fallingdotseq 737,000$원/㎡$(\times 3,000 = 2,211,000,000$원$)$

3. 물건별 평가액

$935,000,000 + 2,211,000,000 \fallingdotseq 3,146,000,000$원

Ⅱ. 일괄평가(수익환원법)

1. 순수익 산정

1) 연간지불임대료(인근표준적 수익기준)

$\{400 \times 10,000^* + 600 \times (7,000 + 5,000 \times 3)\} \times 12 \times 1.1 ≒ 227,040,000$원

*) 보증금, 월지불임대료, 관리비 수입은 임대면적당 수입으로 판단하였음.

2) 보증금 운용수익

$\{400 \times 100,000 + 600 \times (70,000 + 50,000 \times 3)\} \times 1.1 \times 0.1 ≒ 18,920,000$원

3) 관리비

$6,000 \times (400 + 600 \times 4) \times 12 ≒ 201,600,000$원

4) 대상유효조소득

$(227,040,000 + 18,920,000 + 201,600,000) \times 0.95 = 425,182,000$원

5) 영업경비

$201,600,000 \times 0.95 \times 0.83 ≒ 158,962,000$원

6) 순수익 산정

$425,182,000 - 158,962,000 ≒ 266,220,000$원

2. 대상 일체수익가액

$$\frac{266,220,000}{0.08} ≒ 3,327,750,000원$$

Ⅲ. 감정평가액 결정

「감정평가에 관한 규칙」에 의하여 개별평가액의 합계에 의하되 일괄평가액에 의하여 그 합리성이 지지되는 것으로 판단된다.(3,146,000,000원)

Ⅲ 타당성 분석

Ⅰ. 개요

본건 투자에 따른 현금유출과 현금유입의 현재가치를 비교하여 투자의 타당성을 검토한다.(순현재 가치법)

II. 현금유출의 현가

1. 처리방침

매입시점에 인근의 시장임대료로 임대하는바, 매입가액에서 받게 되는 보증금과 차입금을 제외한 만큼을 현금유출액으로 본다.[1]

2. 현금유출액 현가

(1) 매입시 보증금(인근 빌딩의 적정한 수준)

$[400 \times 100,000 + 600 \times 70,000 + (600 \times 3) \times 50,000] \times 1.1 = 189,200,000$원

(2) 현금유출액 현가

$3,146,000,000 - 189,200,000 - 1,200,000,000$(저당액) $≒ 1,756,800,000$원

III. 현금유입액 현가

1. 처리방침(현금유입 내역)

① 매기 세후현금흐름(ATCF)[2], ② 기말 복귀가치(반환하는 보증금 공제)의 합을 기준한다.

2. 매기 세후현금흐름(ATCF) 현가합

(1) 현금흐름의 기초

　　1) 1기 임대료 및 관리비 수입

　　　　① 1기 임대료

　　　　　　$[400 \times 10,000 + 600 \times (7,000 + 5,000 \times 3)] \times 12$월 $\times 1.1 = 227,040,000$원

　　　　② 1기 관리비

　　　　　　$6,000 \times (400 + 600 \times 4) \times 12 = 201,600,000$원

　　　　③ 소계 : 428,640,000원

　　2) 유효총수익 : $428,640,000 \times 0.95 = 407,208,000$원

　　3) 영업경비 : $201,600,000 \times 0.95 \times 0.83 ≒ 158,962,000$원

　　4) 순수익 : $407,208,000 - 158,962,000 = 248,246,000$원

　　5) DS : $1,200,000,000 \times 0.08 ≒ 96,000,000$원(원금상환 없음)

　　6) 감가상각비 : $848,000 \times 3,000 \times 1/50 = 50,880,000$원

---

1) 실제 부동산거래에서의 자기자본 투자금액은 부동산의 매입금액에서 인수하는 보증금과 차입금을 공제한 만큼이 순수하게 자기지분에 대한 유출액이 된다.(취득세 등 세금 제외)
2) 임대보증금은 현금유출을 공제하였기 때문에 별도의 운용수익이 발생하지 않는다.

7) 매기 임대료상승률 : 과거의 상승률을 연장적용함.

∴ $(102/100 - 1) \times 12/7 ≒ 0.0343$(연간 3.43% 증가)

(2) 매기 ATCF(단위 : 천원)[3]

	1	2	3	4	5
임대료수입*	227,040	234,827	242,882	251,213	259,830
관리비수입(고정)	201,600	201,600	201,600	201,600	201,600
가능총수익	428,640	436,427	444,482	452,813	461,430
유효총수익	407,208	414,606	422,258	430,172	438,359
운영경비	158,962	158,962	158,962	158,962	158,962
순수익	248,246	255,644	263,296	271,210	279,397
DS	96,000	96,000	96,000	96,000	96,000
BTCF	152,246	159,644	167,296	175,210	183,397
감가상각비	50,880	50,880	50,880	50,880	50,880
TAX**	20,273	21,753	23,283	24,866	26,503
ATCF	131,973	137,891	144,013	150,344	156,894
현가계수	0.9091	0.8264	0.7513	0.6830	0.6209
현가	119,975	113,960	108,199	102,687	97,419
현가합(10%)					542,240

* 임대료수익은 매기 3.43%씩 증가한다.
** Tax = (BTCF − 감가상각비) × 20%

4. 기말 복귀가치

(1) 총매도가액(내부추계법)

1) 6기의 NOI[4]

[189,200,000(보증금) × 0.1 + 259,830,000(5기 임대료 수입) × 1.0343 + 201,600,000(관리비 수입)] × 0.95 − 158,962,000(운영경비) ≒ 305,837,000원

2) 총매도가격 : (305,837,000 ÷ 0.08) × 0.95(매도비용) = 3,631,814,000원

(2) 지분 복귀가치

3,631,814,000 − 저당잔액(12억) − 보증(189,200,000)[5] ≒ 2,242,614,000원[현가 (10%, 5년) ≒ 1,392,487,000원]

---

3) 편의상 임대보증금의 증가분은 고려하지 않았다.
4) 매도가치를 구하는 과정으로서 완전소유권을 가정한(보증금 운용수익을 포함) 순수익을 산정한다.
5) 최초 투자시 보증금은 초기 투자금액에서 공제하였기 때문에 기말 매각시에도 반환(혹은 승계)을 조건으로 하여야 하므로 공제해야 한다.

Ⅳ. 타당성 분석

1. 현금유입 현가 : 542,240,000 + 1,392,487,000 ≒ 1,934,727,000원
2. 현금유출 현가 : 1,756,800,000원
3. 타당성 분석 : NPV가 0보다 큰바, 타당성이 인정된다.

 25점

02

Ⅰ. 물음 1

이의재결을 위한 보상평가의 가격시점은 수용재결일이므로 가격시점은 2001.7.1이다.

Ⅱ. 물음 2

해당 공공사업을 직접 목적으로 용도지역이 일반주거지역으로 변경되었으므로 용도지역은 변경 전 "자연녹지지역"을 기준하고 1989.1.24 이후 무허가건축물부지이므로 종전 이용상황인 "전"을 기준하여 비교가능성이 높은 121 표준지를 선정한다.

Ⅲ. 물음 3

택지개발예정지구지정고시일(1999.5.25)* 이 사업인정고시일로 의제되므로 사업인정고시일 전을 공시기준일로 하는 공시지가로서 해당 재결 당시 공시된 공시지가 중 해당 사업인정고시일에 가장 근접한 시점에 공시된 1999.1.1 공시지가를 선정한다.

* 현행 택지개발촉진법에서는 해석상 주민공고공람일이 2007.7.21 이전에 있으면 종전 법령을 적용토록 하고 있으나 본 문제에서는 개정된 법령을 기준으로 풀이하고 있으므로 참고하기 바람.

Ⅳ. 물음 4

1. 지가변동률 기준(S시 P구 녹지지역, 1999.1.1~2001.7.1)

$1.1020 \times 1.0483 \times 1.0073 \times 1.0137 \times (1 + 0.0137 \times 1/91) ≒ 1.17978$

2. 도매물가상승률(생산자물가지수) 기준($\frac{2001.6월지수}{1998.12월지수}$)

$\frac{123.1}{118.5} \fallingdotseq 1.03882$

3. 시점수정치 결정

해당 지가의 적정한 반영에 있어 타당성이 높다 할 수 있는 지가변동률을 기준한다.

∴ 1.17978

V. 물음 5

1. 지역요인 : 본건 토지는 비교표준지와 인근지역에 소재하므로 개별요인만 비교한다.

2. 개별요인 : $\frac{102}{100} \times \frac{98}{100} \times 1 \times 1 \times \frac{105}{100} \times 1 \fallingdotseq 1.050$
가　　접　　환　행　획　　기

VI. 물음 6

해당 공공사업으로 인한 지가하락 및 개발이익은 반영하지 아니하여야 하는바, 1999년* 공시지가에 해당 사업으로 인한 지가하락이 반영되었으므로 이를 그 밖의 요인으로 보정한다.

∴ 그 밖의 요인보정률 : $\frac{100}{90} \fallingdotseq 1.111$

* 문제의 제시에 따라 1999년도에도 택지개발예정지구지정 예정에 따른 지가하락이 반영되었다고 판단함.

VII. 물음 7

1. 토지단가 : $120,000 \times 1.17978 \times 1.050 \times 1.111 \fallingdotseq 165,200$원/㎡
　　　　　　　　　시　　　　　개　　　　그

2. 토지적정보상평가액 : $165,200 \times 1,200 = 198,240,000$원

VIII. 물음 8

1. 보상대상사유

토지보상법에서는 지장물인 건축물을 보상대상으로 함에 있어 건축허가의 유무에 따른 구분을 두고 있지 않을 뿐만 아니라 사업인정고시일(택지개발사업의 경우 주민공고공람일 기준) 이전에는 토지보전의무도 발생하지 아니하므로 사업인정고시일(택지개발사업의 경우 주민공고공람일 기준) 이전에 신축된 무허가건축물은 보상대상에 해당된다 할 것이다.

2. 적정보상평가액

1) 이전비

$6,000,000 + 2,000,000 + 1,500,000 + 33,000,000 - 10,000,000 + 4,000,000 + \underset{\text{추가설치비용}}{5,000,000}$

$= 41,500,000$원

2) 취득가격

$400,000 \times 150 \times 16/20 = 48,000,000$원

3) 보상액 결정

이전비가 취득가격 이내이므로 건물보상액을 41,500,000원으로 결정한다.

IX. 물음 9

1. 향나무

1) 이전비 : $\underset{\text{이}}{(9,000 + 2,000 + 1,000 + 25,000 + 2,000 + 8,000)} + \underset{\text{고}}{50,000 \times 0.1} = 52,000$원/주

2) 취득가격 : 50,000원/주

3) 결정 : 이전비가 취득비를 초과하므로 취득가격을 기준한다.

∴ $50,000 \times 50$주 $= 2,500,000$원

2. 단풍나무

1) 이전비 : $\underset{\text{이}}{(6,000 + 1,000 + 500 + 15,000 + 1,500 + 6,000)} + \underset{\text{고}}{45,000 \times 0.1} = 34,500$원/주

2) 취득가격 : 45,000원/주

3) 결정 : 이전비가 취득비 이내이므로 이전비를 기준한다.

∴ $34,500 \times 30$주 $= 1,035,000$원

X. 물음 10

1. 보상대상 검토

영업손실보상의 대상이 되는 영업은 사업인정고시일 등 이전부터 ① 적법한 장소에서 인적·물적시설을 갖추고 계속·반복적으로 하는 행위로서 ② 허가·신고를 요하는 경우에는 이를 이행하고 허가받거나 신고한 자가 허가 등을 받은 내용대로 영업을 행하여야 하는데, 본건은 식품위생법상 허가 또는 신고가 없을뿐더러 무허가건축물 내의 영업이므로 휴업보상대상에 해

당하지 않는다. 또한 1989년 1월 24일 이후 무허가건축물 내의 영업이므로 주거이전비(토지보상법 시행규칙 제52조)의 보상대상에도 해당하지 아니한다.

2. 무허가영업보상액

∴ 3,600,000 + 700,000 = 4,300,000원
　　　　이전비　　　 감손액

10점

03

I. 물음 1

1. 허가어업의 취소시 보상평가기준(토지보상법 제44조 및 수산업법 시행령 별표 4)

평년수익액 × 3년 + 어선·어구 등 시설물 잔존가액

* (주) 다만 어선, 어구, 그 밖의 요인시설물 등의 잔존가액은 피수용자의 보상청구가 있는 경우에만 평가한다.

2. 어선의 평가방법

원가법(복성식평가법)에 의하되 선체, 기관, 의장별로 구분하여 평가한다. 다만 원가법에 의한 평가가 적정하지 아니한 경우에는 거래사례비교법에 의할 수 있으며, 효용가치가 없는 것은 해체처분가격으로 평가한다.

3. 어선평가 기초자료

선적증서, 선박등록원부, 어업허가증, 검사증사본 등

II. 물음 2

1. 평년수익액

1) 평균연간어획량 : (114,000 + 110,000 + 112,000) ÷ 3 = 112,000kg
2) 평균연간판매단가 : (5,300 × 5 + 5,200 × 2 + 5,100 + 5,400 × 4) ÷ 12 = 5,300원/kg
3) 평년수익액 : 112,000 × 5,300 × (1 − 0.85) = 89,040,000원

2. 어선 등 잔존가액

1) 선체 : 4,500,000 × 0.773 = 3,478,000원/ton(× 79ton = 274,762,000원)

2) 기관 : 200,000 × 0.631 = 126,000원/HP(× 600HP = 75,600,000원)

3) 의장 : 250,000,000 × 0.541 = 135,250,000원

4) 어구 : 100,000,000 × 0.464 = 46,400,000원

5) 계 : 532,012,000원

3. 보상평가액

89,040,000 × 3년 + 532,012,000 = 799,132,000원

I. 일단지의 개념

일단지라 함은 용도상 불가분의 관계에 있는 2필지 이상의 일단의 토지를 말한다.

II. 일단지 판단기준

1. 개발사업시행예정지는 공시기준일 현재 관계법령에 의한 해당 사업계획의 승인이나 사업인정이 있기 전에는 일단지로 보지 아니한다.

2. 2필지 이상의 토지에 하나의 건축물(부속건축물 포함)이 건립되고 있거나, 건축 중에 있는 토지와 공시기준일 현재 나지상태이나 건축허가 등을 받고 공사를 착수한 때에는 토지소유자가 다른 경우에도 일단지로 본다.

3. 2필지 이상의 일단의 토지가 조경수목 재배지, 간이체육시설용지 등으로 이용되고 있는 경우로서 주위환경 등의 사정으로 보아 현재의 이용이 일시적인 이용상황으로 인정되는 경우에는 일단지로 보지 아니한다.

4. 일단으로 이용되고 있는 토지의 일부가 용도지역 등을 달리하는 등 가치가 명확히 구분되어 둘 이상의 표준지가 선정된 때에는 그 구분된 부분을 각각 일단지로 본다.

III. 일단지 평가방법

일단지 중에서 대표성 있는 1필지가 표준지로 선정된 때에는 그 일단지를 1필지로 보고 평가한다.

05

Ⅰ. 물적 불일치 의의

대상 부동산에 관한 기본적 사항의 확정내용과 실제의 내용이 일치하지 않는 경우를 말한다.

Ⅱ. 물적 불일치의 처리방법

1. **지적 불일치 경우** : 지적측량 결과 감량이 있으면 감량면적을 적용하고, 증량이 있으면 합리적 권리관계가 파악될 시는 증량면적, 권원이 불확실 시는 공부상 면적을 적용한다.
2. **지목 불일치 경우** : 현황의 지목에 따라 평가하되 그 내용을 평가보고서에 기재하여야 한다. 다만, 불법형질변경된 토지는 당초 지목평가액에서 원상회복비용을 감액한다.
3. **위치 불일치 경우** : 불일치가 현저하면 평가를 중지하며, 경미하면 해당 부분만을 평가에서 제외한다.
4. **정착물의 불일치 경우** : 공부상의 정착물이 실제 부존재시는 정착물을 평가대상에서 제외한다. 공부상 없는데 실제 존재시는 ① 토지소유자와 정착물의 소유자가 동일인이면 등기 등을 유도한 후 평가하고, ② 동일인이 아니면 토지평가액에서 정착물로 인한 점유제한의 정도를 감액한다. 다만, 동일인이 아니더라도 공동담보로 제공시는 정상평가한다.
5. **건물의 면적 및 구조의 불일치 경우** : 경미하면 그 사유를 보고서에 기재하고 평가하며, 심하면 평가를 중지한다.

06

Ⅰ. 개요

구법인 "도시재개발법 제57조"에서 도시재개발구역 내 국·공유지는 시행자 또는 점유자 및 사용자에게 타에 우선하여 매각할 수 있으며, 이 경우 매각가격은 사업시행고시가 있는 날을 기준으로 하여 평가하되, 사업시행고시가 있는 날부터 2년 이내에 매각계약이 체결되지 아니할 경우에 그 가격결정에 있어서는 국유재산법 및 지방재정법의 관계규정에 따르도록 하고 있었으나, 현행 "도시 및 주거환경정비법 제66조"에서는 사업시행인가고시가 있는 날부터 3년 이내에 매매계약을 체결하지 아니한 국·공유지를 국유재산법 또는 지방재정법이 정하는 바에 의한다고 규정하고 있다. 재개발구역 안의 국·공유지를 사업시행자인 재개발조합에 사업시행인가일로 3년 이내에 매각하는 경우에는 1995년 12월 26일자로 개정된 (구)"도시재개발법 부칙 제2조"에 의거 1996년 6월 30일 이후에 사업시행고시(사업시행인가고시)가 있는 경우와 1996년 6월 30일 이전에 사업시행고시(사업시행인가고시)가 있는 경우에 따라 그 평가기준이 달라진다.

II. 평가방법

1. 1996년 6월 30일 이후에 사업시행고시가 있는 재개발구역 안의 국·공유지

1996년 6월 30일 이후에 사업시행고시(사업시행인가고시)가 있는 재개발구역 안의 국·공유지의 매각가격은 사업시행인가고시가 있는 날을 기준으로 실제 이용상황을 기준으로 평가한다. 적용 공시지가는 사업시행인가고시일 이전 공시지가 중 가장 최근에 공시된 공시지가를 기준하며, 국·공유지가 도로 또는 구거부지 등으로서 비점유지인 경우에는 현황인 도로 또는 구거부지 등을 기준으로 평가한다. 예를 들어 재개발구역 안에 있는 공도로서 그 도로의 관리청이 공익사업으로 설치한 간선도로 등은 일반적으로 그 도로의 가격인 인근 토지의 가격에 화체되었다고 할 수 없으므로 해당 도로의 개설로 인한 개발이익을 직접적으로 받지 아니한 인근지역에 있는 표준지 공시지가를 기준으로 그 공도가 개설되기 전 토지에 대한 가격시점 현재의 토지가격에 도로의 개설에 통상 소요되는 비용상당액을 고려한 가격수준으로 평가하는 것이 타당하다 할 것이다.

2. 1996년 6월 29일 이전에 사업시행고시된 재개발사업구역 안에 있는 국·공유지

이 경우는 재개발사업이 "공익사업"에 해당하므로 국유재산법 시행령 제37조의2 또는 지방재정법 시행령 제96조 제7항의 규정에 따라 토지보상법의 관계규정에 따라 평가한다. 따라서 매각계약체결 당시의 일반적이고 객관적인 토지의 이용상황에 따라 평가하되, 해당 공익사업(재개발사업)의 시행에 따른 공법상 제한사항이나 개발이익이 있는 경우에는 이를 고려하지 아니하여야 한다. 물론 이때 사업시행고시가 사업인정고시의제가 되므로 적용 공시지가는 사업시행고시 이전에 공시된 공시지가 중 가격시점(계약체결 당시)에 가장 가까운 시점에 공시된 공시지가를 기준하여야 할 것이다.

2002년 감정평가사 제13회

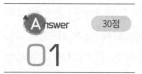

Answer 30점

01

I. 물음 1

1. 개요

확인자료란 대상물건의 물적 확인 및 권리상태의 확인에 필요한 제 자료로서 물적 사항과 법적 사항을 조사하여 확인할 수 있는 자료들로는 다음과 같은 것들이 있다.

2. 확인자료

가. 등기사항전부증명서(토지, 건물, 집합건물) : 대상물건의 법적 권리상태를 확인할 수 있는 자료로서 소유자, 제한물건, 가등기 여부, 권리자, 채권최고액, 지상권자 등을 파악할 수 있다.

나. 토지(임야)대장등본 : 토지의 물적 상황을 확인할 수 있는 자료로서 소재지, 지번, 지목, 면적 등을 파악할 수 있다.

다. 건축물대장등본 : 건물의 물적 상황을 확인할 수 있는 자료로서 소재지, 지번, 구조, 용도, 면적, 일단지 판단 등의 자료가 된다.

라. 지적도(임야도) : 토지의 형상이나 인근상황, 접면도로를 확인할 수 있는 자료가 된다.

마. 토지이용계획확인서 : 토지의 공법적 상황을 확인할 수 있는 자료로서 용도지역·지구, 도시계획시설저촉 여부 등을 조사할 수 있다.

바. 그 밖의 요인자료 : 설계도면, 매매계약서, 임대계약서, 환지예정지증명원, 건축허가서, 기계기구목록 등이 있다.

II. 물음 2

1. 비교표준지의 선정원칙

1) 용도지역·지구·구역 등 공법상 제한이 같거나 유사할 것

2) 실제 이용상황 등이 같거나 유사할 것

3) 주위환경 등이 같거나 유사할 것

4) 해당 또는 인접 시·군·구(자치구가 아닌 구를 포함한다) 안의 인근지역에 위치하며, 지리적으로 가능한 한 가까이 있을 것

5) 그 밖의 요인
① 가장 적합한 공시지가 표준지를 하나 선정함이 원칙이다.
② 공시기준일 이후 용도, 형질변경시는 제외할 수 있다.
③ 공법상 제한은 받지 아니한 상태로 공시된 표준지를 선정한다.

2. 대상토지의 비교표준지 선정이유

상기의 선정원칙에 따라 선정하되, 용도지역 및 이용상황이 동일하고 제반 비교가능성이 높은 표준지 2를 선정한다.

III. 물음 3(기준시점 : 2002.8.25)

1. 토지가격 산정

가. 공시지가 기준가액

$$3,000,000 \times 1.07566 \times 1.000 \times 1.000 \times 1.00 \fallingdotseq 3,230,000원/㎡$$
시*1   지(인근)   개*2   그*3

* 1) 시점수정(주거지역, 2002.1.1~8.25) $1.0254 \times 1.03 \times (1 + 0.03 \times 56/91)$
* 2) 개별요인비교 1(도로) × 1(형상) × 1(지세)
* 3) 그 밖의 요인비교치는 대등한 것으로 본다.

나. 비준가액

1) 사례의 적부 판정 : 위치적·물적 유사성이 있으며 사정보정, 시점수정이 가능하여 사례로 선정한다.

2) 사례토지가격 산정

① 사례건물가격

$$720,000 \times 1.0 \times 0.96154 \times 1.000 \times 0.968 \fallingdotseq 670,000원/㎡(\times 8,100$$
사   시*   개   잔**

$$= 5,427,000,000원)$$

* 시점 : 125/130

* * 잔가율(정액법, 만년감가기준, 이하 동일함.) : $0.75 \times \dfrac{49}{50} + 0.25 \times \dfrac{14}{15}$

② 사례토지가격

$$11,205,000,000 - 5,427,000,000 \fallingdotseq 5,778,000,000원(2,920,000원/㎡)$$

3) 비준가액

$2,920,000 \times 1.0 \times 1.04902 \times 0.980 \times 1.100 ≒ 3,300,000$원/㎡

                     *1   *2   *3

* 1) 시점수정(주거지역, 2002.4.1~8.25) : $1.03 \times (1 + 0.03 \times 56/91)$
* 2) 지역요인비교 100/102
* 3) 개별요인비교 $1 \times 1.1 \times 1$

다. 수익가액

1) 사례의 적부 판정 : 위치적·물적 유사성이 있으며 최근 사례로 비교가능성이 있어 사례로 선정한다.

2) 사례순수익 산정(상각 전)

① 총수익 : $100,000,000 + 85,000,000 \times 12 + 15,000,000 \times 12 = 1,300,000,000$원

              보   지   주

② 총비용 : $50,000,000 + 80,000,000 + 20,000,000 + 20,000,000 = 170,000,000$원

           유   제   손   대

    * 필요제경비와 관련 없는 비용은 제외함.

③ 순수익 : $1,300,000,000 - 170,000,000 = 1,130,000,000$원

3) 사례토지귀속순수익 산정

① 사례건물가격

$720,000 \times 1.0 \times 1.0000 \times 0.970 \times 0.842^* ≒ 588,000$원/㎡($\times 9,200 = 5,409,600,000$원)

    * 잔가율 : $0.75 \times \dfrac{45}{50} + 0.25 \times \dfrac{10}{15}$

② 사례건물귀속상각 전 순수익

$5,409,600,000 \times \{0.12 + (0.75 \times \dfrac{1}{50} + 0.25 \times \dfrac{1}{15})\} ≒ 820,456,000$원

③ 사례토지귀속순수익* : $1,130,000,000 - 820,456,000 ≒ 309,544,000$원 (147,000원/㎡)

    * 상각 후 순수익을 구하여 상각 후 환원이율을 적용해도 무방하다.

4) 수익가액 산정

① 대상토지 기대순수익 산정

$147,000 \times 1.0 \times 1.0000 \times 1.176 \times 1.716 ≒ 297,000$원/㎡

                   시(최근)   *1   *2

    * 1) 지역요인비교 $\dfrac{100}{85}$
    * 2) 개별요인비교 $1.2 \times 1.1 \times 1.3$

② 수익가액 산정

$$297,000 \div 0.1 = 2,970,000원/㎡$$

라. 토지가격의 결정

「감정평가에 관한 규칙」제14조에 의거하여 공시지가기준법에 의하되, 거래사례비교법 및 수익가액에 의한 시산가액에 의하여 그 합리성이 지지되는 것으로 판단된다.(3,230,000원/㎡) ∴ $3,230,000 \times 2,000 = 6,460,000,000원$

2. 건물가격의 산정

가. 산정방법 결정 : 본건의 총공사비는 사정이 개입되어 적정치 못하므로 표준적인 건설사례를 기준한다.

나. 재조달원가 산정 : $720,000 \times 1.0 \times 1.0000 \times 0.980 = 705,000원/㎡$

다. 적산가액 산정

$$705,000 \times (0.75 \times \frac{45}{50} + 0.25 \times \frac{10}{15}) = 593,000원/㎡(\times 11,200 = 6,641,600,000원)$$

3. 대상 부동산의 가격

$$6,460,000,000 + 6,641,600,000 = 13,101,600,000원$$

15점

⏐. 물음 1

1. 광산평가(「감정평가에 관한 규칙」제19조)

가. 상각 전 순수익(연수익) 산정

1) 사업수익

$$50,000 \times 12 \times 5,000 = 3,000,000,000원$$

2) 소요경비(감가상각비 제외)

$$\underset{채}{500,000,000} + \underset{선}{350,000,000} + \underset{일}{3,000,000,000 \times 0.1} + \underset{운}{150,000,000} = 1,300,000,000원$$

3) 상각 전 순수익

$$3,000,000,000 - 1,300,000,000 ≒ 1,700,000,000원$$

나. 가행연수 산정

$$\frac{5,500,000 \times 0.7 + 8,000,000 \times 0.42}{50,000 \times 12} ≒ 12년(절사)$$

다. 광산평가액

$$\frac{1,700,000,000}{0.16^{*1} + \dfrac{0.1}{1.1^{12} - 1}} - 1,450,000,000 ≒ 6,771,961,000원$$

　* 1) 상각 후 환원이율로 본다.

2. 광업권 평가(「감정평가에 관한 규칙」 제23조)

$$6,771,961,000 - 3,300,000,000^* ≒ 3,471,961,000원$$

　* 자산별 가격은 가격시점 현재 평가액으로 본다.

II. 물음 2

1. 사전조사사항

가. 광업등록원부에 의한 "광업권"에 관한 다음 각 목에 관한 사항 등을 사전조사한다.
소재지·광종·광구·면적, 등록번호, 등록연·월·일, 존속기간, 광업권의 권리관계, 부대조건, 연혁 등, 그 밖의 필요한 사항 등

나. 광업등기사항전부증명서에 의거 "광업재단"에 관한 다음 각 목에 관한 사항
토지·건물, 시설의 종류·용도·용량·성능·규격, 토지사용권의 목적·기간·면적 등, 그 밖의 필요한 사항 등

다. 그 밖의 요인 "탐광계획 및 탐광실적"에 관한 사항, "채광계획 및 채광실적"에 관한 사항, "광물생산보고서"에 관한 사항 등

2. 현장조사사항

가. 입지조건 : 교통·수송·용수·동력·노동력·갱목상태 등에 관한 사항

나. 지질 및 광상 : 암층·구조·노두 및 광상의 형태, 품위, 매장량 등에 관한 사항

다. 채광 : 채굴·지주·배수·통기·운반방법 등에 관한 사항

라. 광석처리 : 선광의 수단·제련의 방법 등에 관한 사항

마. 광산설비 : 시설의 성능·용량·수량 등에 관한 사항

바. 광물의 시장성 : 매광조건·수요관계·운반비·가격 등에 관한 사항 등

Ⅲ. 물음 3

1. 개요

환원이율이란 수익과 가치의 비율을 의미하고, 축적이율이란 회수되는 감가상각액을 내용연수 만료시까지 확실히 축적하는 것을 목적으로 안정성 있는 곳에 투자했을 경우 얻을 수 있는 수익률이다. 두 개념의 차이는 다음과 같다.

2. 두 개념의 비교

가. 환원이율은 자본수익률과 자본회수율의 합인데, 축적이율은 자본회수율을 결정하는 방법인 Hoskold법의 이율이다.

나. 환원이율은 수익가액을 환원하는 데 적용되는 이율이나, 축적이율은 자본의 회수를 반영하기 위한 이율이다.

다. 환원이율은 상각 전과 상각 후로 구분되는데 상각 전 환원이율은 자본회수를 포함한 개념이고 상각 후 환원이율은 부동산의 위험성을 반영한 자본수익률임에 반해, 축적이율은 안전한 곳에 투자했을 때 얻을 수 있는 안전율(무위험률)이라는 점 등에서 차이가 있다.

 20점

Ⅰ. 물음 1

1. 담보가격 산정

가. 대상물건 확정

본건은 담보평가로 현황도로부분 50㎡와 토지일부 10㎡는 단독효용성이 희박하므로 평가 외하고 300㎡를 기준으로 하여 평가한다. (기준시점 2001.3.31)

나. 공시지가 기준가격

1) 표준지 선정 : 용도지역(미지정)이 동일하고 이용상황이 유사한 표준지 2를 선정한다.

2) 평가액 : 18,000 × 1.0000 × 1.000 × 1.111 × 1.00 ≒ 20,000원/㎡
   시 *1   지(인근)   개*2   그*3

* 1) 시점수정(녹지지역, 2001.1.1~2001.3.31) 1.0000
* 2) 개별요인비교 100/90
* 3) 그 밖의 요인비교치는 대등한 것으로 본다.

다. 비준가액

1) 사례선정

위치적·물적 유사성이 있으며 사정보정이 가능한 사례 1을 선정한다.(24,000원/㎡)

2) 평가액 : $24,000 \times 0.826 \times 1.0000 \times 1.000 \times 1.111 ≒ 22,000원/㎡$

$$\underset{\text{사}^{*1}}{\qquad} \underset{\text{시}^{*2}}{\qquad} \underset{\text{지}}{\qquad} \underset{\text{개}}{\qquad}$$

* 1) 사정보정 $\dfrac{100}{100+21}$

* 2) 시점수정(녹지지역, 2001.2.1~2001.3.31)

라. 담보감정평가가격 결정

「감정평가에 관한 규칙」 제14조에 의거하여 공시지가기준가액으로 결정하되, 거래사례비교법에 의하여 그 합리성이 지지되는 것으로 판단된다.(20,000원/㎡)

∴ $20,000 \times 300 ≒ 6,000,000원$

2. 담보감정평가시 적정성 검토방법

가. 개요

담보감정평가란 금융기관 등이 대출에 대한 담보취득을 목적으로 담보대상물건의 상태나 사실관계를 조사·확인하여 그 진위·선악·적부 등을 판정하고 해당 물건의 경제적 가치를 판단하는 것을 말하는데 담보로 부적격한 물건을 담보취득하거나 과대하게 담보가격을 산정할 경우에는 은행의 부실로 연결되므로 담보평가의 적정성이 그 중요성을 갖는다.

나. 담보감정평가시 적정성 검토방법

1) 담보물건은 담보목적을 실현할 수 있는 일정한 요건을 갖추고 있어야 하는데 경제적 가치뿐만 아니라, 담보의 취득·관리, 환가처분 등의 절차에 있어서 하자가 없는 물건이어야 한다. 그 요건으로는 적법성, 안전성, 확실성, 유동성, 관리의 용이성, 등기능력 등이 있다.

2) 담보취득이 금지되는 학교재산이나 행정·보존재산인지에 대한 확인을 요하며 담보취득시 주무관청의 허가를 요하는 공익법인의 기본재산이나 의료법인, 사회복지법인의 기본재산 등이 아닌지에 대한 검토도 요한다.

3) 담보물건은 등기부에 기재된 물건과 현황물건의 동일성의 확인을 요한다. 동일성 확인방법으로는 등기사항전부증명서 표제부의 등기사항과 실제 물건현황을 대조하여 확인해야 하며, 불일치시에는 불일치의 원인을 규명하여야 한다. 경미하여 동일성에 문제가 없다거나 담보로서의 하자가 없다고 판단되는 경우에만 평가가 진행되어야 하며, 곤란한 경우에는 평가중지를 하여야 한다.

4) 그 밖의 제시 외 건물의 처리나, 법정지상권의 발생 유무, 종물과 부합물의 판단, 권리관계, 임대차 내용 등을 정확히 조사하여 담보물건으로서의 적정성을 검토하여야 한다.

5) 그리고 담보감정평가서가 발송되기 전에는 다음 사항을 미리 확인하여야 한다.
- 공부내용과 현황의 일치 여부
- 적용 공시지가 표준지 선정의 적정성
- 평가가격 산출과정의 적정성
- 건물 등의 재조달원가 및 내용연수 산정 등의 적정성
- 감정평가서 필수적 기재사항 누락 여부
- 감정평가수수료 산정의 적정성
- 그 밖의 필요한 사항

II. 물음 2

1. 일괄경매조건인 경우 경매가격 산정

가. 대상물건 확정

단독효용가치 희박부분 10㎡는 등기정리가 완료되었으므로 평가제외하고 현황도로부분은 분할 후 보상예정인 토지로서 이미 보상가액이 책정된 상황인바, 보상가액에 준하여 평가해야 하며, 본 평가에서는 보상단가를 기준한다. 따라서 가격시점 현재 121번지 토지인 300㎡와 보상예정부분(50㎡)을 평가하되, 일괄평가조건이므로 제시 외 건물은 평가한다. (기준시점 : 2002.3.31)

나. 토지평가

1) 공시지가 선정 : 용도지역(자연녹지)이 동일하고 이용상황이 유사하며 면적 및 도로조건 등에서 유사성이 있어 비교가능성이 높은 표준지 3을 선정한다.
2) 평가액 산정 : $22,000 \times 1.0200^* \times 1.000 \times 1.000 ≒ 22,000원/㎡$
   * 시점수정(녹지지역, 2002.1.1~2002.3.31)
3) 토지가격 결정 : 본건은 부지조성을 위해 3,000,000원이 투입되어 현황 잡종지의 상태이므로 이를 반영하여 다음과 같이 토지가격을 결정한다.
   ∴ $22,000 + 3,000,000 ÷ 300 ≒ 32,000원/㎡(9,600,000원)$
4) 토지평가액 : $9,600,000 + 8,500 \times 50 ≒ 10,025,000원$

다. 제시 외 건물가격 산정

$$(150,000 + 30,000) \times 1.0 \times 1.0000 \times 1.000 \times 1.000 ≒ 180,000원/㎡(\times 30 = 5,400,000원)$$
$$\qquad\quad 사 \qquad 시 \qquad 개 \qquad 잔^*$$
   * 감가상각은 정액법, 만년감가기준

라. 경매평가액

$10,025,000 + 5,400,000 ≒ 15,425,000원$

2. 제시 외 건물이 타인 소유인 경우 경매가격 산정

　가. 대상물건 확정

　　본건은 토지대장등본상 121번지를 기준하여 평가하고 법정지상권 설정토지의 적정면적을 설정하여 구분평가한다.

　나. 법정지상권 설정면적

　　$30 \div 0.6 = 50\text{m}^2$

　다. 경매가격 산정

　　1) 법정지상권 설정토지 외 : $32{,}000 \times 250 ≒ 8{,}000{,}000$원

　　2) 법정지상권 설정토지 : $32{,}000 \times 0.7 \times 50 ≒ 1{,}120{,}000$원

　　3) 경매가격 : $8{,}000{,}000 + 1{,}120{,}000 + (8{,}500 \times 50) ≒ 9{,}545{,}000$원

Answer 15점

04

Ⅰ. 평가개요

제시된 자료를 참고하여 각각의 투자수익률을 산정한 후 투자의사결정을 한다.

Ⅱ. A안 수익률 산정

1. 순영업소득

$$(5{,}000 \times 100 \times 0.9 \times 12 \times \underset{\text{공실}}{\underline{\frac{100 + 80 + 70}{80}}} \times \underset{\text{주차장}}{0.97} + 3{,}000{,}000) \times 1.02 \times \underset{\text{운영경비}}{(1 - 0.4)} ≒ 11{,}854{,}000\text{원}$$

2. 부동산가치

150,000,000원

3. 수익률 산정

$$\frac{11{,}854{,}000}{150{,}000{,}000} \times 100\% + 2\%(\text{자본수익률}) ≒ 9.90\%$$

Ⅲ. B안 수익률 산정

1. 순영업소득

$10,500,000 \times 1.04 = 10,920,000$원

2. 부동산가치

가. 토지가치

$300,000 \times 1.0200 \times 100 ≒ 30,600,000$원

나. 건물가치

구분	x	y	xy	x^2
1	3	580,000	1,740,000	9
2	10	500,000	5,000,000	100
3	7	520,000	3,640,000	49
4	5	560,000	2,800,000	25
5	0	600,000	0	0
Σ	25	2,760,000	13,180,000	183

$$a ≒ \frac{2,760,000 \times 183 - 25 \times 13,180,000}{5 \times 183 - 25^2} ≒ 605,448$$

$$b ≒ \frac{5 \times 13,180,000 - 25 \times 2,760,000}{5 \times 183 - 25^2} ≒ -10,690$$

$$\therefore y\,(건물가치) ≒ (605,448 - 10,690 \times 1) \times 200 ≒ 118,952,000원$$

다. 부동산가치

$30,600,000 + 118,952,000 ≒ 149,552,000$

3. 수익률 산정

$$\frac{10,920,000}{149,552,000} \times 100\% + 4\% ≒ 11.30\%$$

Ⅳ. 투자의사결정

투자수익률이 높은 B부동산에 투자하는 것이 유리하다.

Ⅰ. 개요

개발제한구역은 일반적 제한으로 그 제한을 받는 상태를 기준으로 평가하여야 하며 구체적인 평가방법은 다음과 같다.

Ⅱ. 개발제한구역 지정 당시부터 "대"인 토지로 개발제한구역의 지정 및 관리에 관한 특별조치법 시행령6) 제24조 규정에 의한 개발제한구역건축물관리대장에 등재된 건축물이 없는 토지(G·B 특별조치법 제17조 제3항에 의한 매수대상토지는 제외)

1. 형질변경절차 등의 이행을 요하지 않는 나지상태의 토지

1) 원칙 : 인근지역 건축물이 없는 표준지를 기준으로 평가한다.

2) 예외 : 인근지역의 건축물이 있는 토지의 표준지 또는 유사지역의 건축물이 없는 토지의 표준지를 기준으로 하되, 가격격차율* 수준을 개별요인 비교시 반영(차이가 없다면 반영하지 않는다)한다.

> $*$ 개발제한구역 안에서의 건축물의 규모·높이·건폐율·용적률·용도변경 등의 제한, 토지의 분할 및 형질변경 등의 제한, 유통공급시설(수도·전기·가스공급설비·통신시설·공동구 등) 등 도시기반시설의 미비

2. 농경지 등 다른 용도로 이용되고 있어 형질변경절차 등을 요하는 경우

건축물이 없는 표준지를 기준으로 한 평가가격에서 형질변경 등 대지조성에 통상 필요한 비용 상당액 등을 감안하여 평가한다.

3. 인근지역에 있는 "대"의 표준적인 획지면적을 뚜렷이 초과하거나 지상건축물의 용도·규모 및 부속건축물의 상황과 관계법령에 따른 용도지역별 건폐율·용적률 상한 그 밖에 공법상 제한사항 등으로 보아 그 면적이 뚜렷이 과다한 것으로 인정되는 경우에는 그 초과하는 부분에 대하여는 "Ⅱ"의 규정을 준용할 수 있다.

Ⅲ. 건축물이 있는 토지

1. 인근의 건축물이 있는 표준지를 기준하여 면적사정(토보침 제18조 제3항 준용)을 하여야 한다. 적정부분(건축물이 있는 토지)과 초과부분(건축물이 없는 토지)으로 구분평가가 가능하다.

2. 유사지역의 건축물이 있는 표준지 또는 인근의 건축물이 없는 표준지를 기준하되, 가격격차율 수준을 개별요인 비교시 반영한다.

---

6) 이하 해답에서는 "G·B 특별조치법"이라 약칭한다.

Ⅳ. G·B 특별조치법에 의한 매수대상토지

1. 매수청구일에 가장 근접한 시점의 표준지를 기준으로 적정가격을 평가한다.
2. 이용상황 : 종전토지의 상황을 기준하되, 평가의뢰자가 제시하는 경우에는 그 제시기준에 따라 평가하고 제시기준이 없으면 개발제한구역지정 이전 공부상 지목을 기준으로 평가할 수 있다.
3. 공부상 지목이 "대", 평가의뢰자가 지정 이전의 실제용도를 "대"로 본 다른 지목의 토지인근의 건축물이 없는 토지로서 실제용도가 "대"인 표준지를 선정하여 평가한다.

Answer 5점

06

1. 개요

경매평가란 부동산경매가 적정가격에 의하여 실시되도록 하기 위하여 매수신고의 기준액으로 되는 최저경매가격을 결정하는 평가로 경매평가시에는 다음과 같은 내용을 "감정평가액 산출근거 및 그 결정에 관한 의견"에 기재하여야 한다.

2. 기재할 사항

가. 일괄평가, 구분평가, 부분평가를 실시하였을 경우 그 내용

나. 평가에서 제외하였을 경우에는 그 평가제외사유

다. 대상물건의 장래성, 환가성, 취급상 유의점 등에 관한 감정평가인의 의견

라. 감정평가에 관한 법령 이외의 법령을 적용평가할 경우 그 근거법령 및 산출근거

마. 토지와 건물을 일체로 일괄하여 비준가액으로 결정하였을 경우 그 결정내용

바. 사후관리를 받는 품목의 법원 촉탁평가시는 현행 관세율을 적용, 관세를 추징할 것을 전제로 평가하였다는 요지

사. 관찰감가법을 적용할 경우 경년감가가 부적정하다는 사유 및 관찰감가 내용

아. 그 밖의 평가가액 산출근거 및 그 결정에 관한 의견

Answer 5점

07

1. 보상선례 등을 적용하여 그 밖의 보정률을 산출하는 방법

보상선례를 참작하는 경우에는 그 평가기준 등의 적정성을 검토하여야 한다. 또한 보상선례만으로 그 밖의 요인비교치를 도출하기보다는 인근 유사토지 거래가격을 분석하여 보상선례기준의 그 밖의 요인비교치의 적정성을 검증하는 절차를 거치는 것이 타당할 것이다. 그 밖의 요인보정률을 산출하는 방법은 아래와 같다.

① 대상토지기준 산정방식

$$\frac{(사례기준\ 대상토지\ 평가)\ 사례가격\ \times\ 시점수정\ \times\ 지역요인\ \times\ 개별요인}{(공시지가기준\ 대상토지\ 평가)\ 공시지가\ \times\ 시점수정\ \times\ 지역요인\ \times\ 개별요인} \fallingdotseq 격차율(산출치)$$

② 비교표준지기준 산정방식

$$\frac{(사례기준\ 표준지\ 평가)\ 사례가격\ \times\ 시점수정\ \times\ 지역요인\ \times\ 개별요인}{(표준지\ 공시지가\ 시점수정)\ 공시지가\ \times\ 시점수정} \fallingdotseq 격차율(산출치)$$

지양해야 할 방법(방법 1)	권장방법(방법 2)
하나의 보상사례 등을 기준으로 격차율을 산정하여 결정하는 방법	보상사례 등을 기준으로 격차율을 산정하고 실거래가 분석 등을 통해 그 밖의 요인보정치를 결정하는 방법
1. 그 밖의 요인보정 　가. 그 밖의 요인보정의 필요성 　나. 격차율 산정 　다. 그 밖의 요인보정치 결정	1. 그 밖의 요인보정 　가. 그 밖의 요인보정의 필요성 　나. 격차율 산정 　다. <u>실거래가 분석 등을 통한 검증</u> 　라. 그 밖의 요인보정치 결정

※ 일부 하급심에서 방법 1이 표준지의 공시지가를 기준으로 해당 토지를 감정평가하도록 정한 관련법령에 위반되어 위법하다고 판시[7]하고 있는 바, 방법 2를 거쳐 그 밖의 요인보정을 할 필요가 있다.[8]

---

7) 서울고법 2015.12.10. 2014나2021821 판결, 창원지법 2007.10.25. 2005구합3604 판결
8) 한국감정평가사협회 업무연락(2016.8.1), 그 밖의 요인보정치 결정 및 표시방법과 시점수정방법 관련 알림

2. 보상선례의 참작

① 실제 보상액(보상평가액을 상회하는 보상액의 경우는 제외) 또는 감정평가액의 산술평균액을 의미한다.

② 보상선례 선정기준

(ㄱ) 용도지역·지구·구역 등 공법상 제한사항이 같거나 유사할 것

(ㄴ) 실제 이용상황 등이 같거나 유사할 것

(ㄷ) 주위환경 등이 같거나 유사할 것

(ㄹ) 적용 공시지가의 선택기준과 같은 기준에 따를 것(해당 공익사업의 시행에 따른 가격의 변동이 반영되어 있지 아니하다고 인정될 것)

※ 해당 공익사업의 보상선례는 선정하지 아니하며, 보상이 완료되지 않은 경우에도 보상선례로 선정하지 않아야 한다.

2003년 감정평가사 제14회

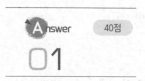

Answer 40점

01

Ⅰ 평가개요

본건은 기준시점(의뢰일기준) 2003년 8월 31일을 기준한 시장가치 산정 및 매입타당성 분석이다.

Ⅱ 물음 1(시장가치 산정)

Ⅰ. 원가방식(개별평가)

1. 토지평가

가. 공시지가 기준평가

1) 비교표준지 선정 : 용도지역, 이용상황 등에서 동일성이 있는 표준지 (1)을 선정한다.

2) 평가액 : $3,800,000 \times 1.06325 \times 1.000 \times 0.900 \times 1.000 ≒ 3,636,000원/㎡$
   $\quad\quad\quad\quad\quad\quad\quad\quad\quad$시*$\quad\quad$지$\quad\quad$개$\quad\quad$그

   * 시점수정(2003.1.1~2003.8.31, 상업지역기준) $1.025 \times 1.022 \times (1 + 0.022 \times 62/91)$

나. 거래사례비교법

1) 사례의 선택 : 본건 토지와 위치적·물적 유사성이 있으며 사정보정, 시점수정이 가능한 사례 (가)를 선택한다.

2) 사례거래가격 : $2,100,000,000 + (50,000,000 - 20,000,000) ≒ 2,130,000,000원$
   $(3,670,000원/㎡)$

3) 대상토지비준가액 : $3,670,000 \times 100/105 \times 1.22362 \times 100/102 \times 0.900 ≒ 3,774,000원/㎡$
   $\quad\quad\quad\quad\quad\quad\quad\quad\quad\quad$사$\quad\quad\quad$시*$\quad\quad\quad$지$\quad\quad$개

   * 시점수정(2002.4.1~2003.8.31) $\quad 1.0326 \times 1.0791 \times 1.0328 \times 1.025 \times 1.022 \times (1 + 0.022 \times 62/91)$

다. 수익환원법(토지잔여법)

1) 사례의 선택

토지잔여법의 적용이 가능하며 제반 비교요인에 있어 비교가능성이 높다 판단되는 임대사례 (다)를 기준한다.

2) 사례순수익 산정(상각 후, 부동산 전체, 2002.1.1 기준)

$430,000,000 \times (1 - 0.2) = 344,000,000$원

3) 사례토지귀속순수익

① 사례건물가격

$$(2,500,000 \times 121/400) \times 1.000 \times 137/141 \times 1.000 \times (1 - \frac{1}{50})$$

평 → ㎡ 사 시 개 감가

$\fallingdotseq 720,000$원/㎡$(\times 2,700 = 1,944,000,000$원)

② 사례토지귀속순수익

$344,000,000 - (1,944,000,000 \times 0.1) \fallingdotseq 149,600,000$원$(272,000$원/㎡)

4) 대상토지기대순수익

$272,000 \times 1.000 \times 127/110 \times 100/110 \times 0.900 \fallingdotseq 257,000$원/㎡

사 시 지 개

5) 대상토지수익가액

$$\frac{257,000}{0.08} \fallingdotseq 3,210,000$$원/㎡

라. 토지가격 결정

「감정평가에 관한 규칙」 제14조에 의거 공시지가기준법에 의하되, 다른 시산가액에 의하여 그 합리성이 지지되는 것으로 판단한다.(3,636,000원/㎡)

∴ $3,636,000 \times 600 \fallingdotseq 2,181,600,000$원

2. 건물평가

가. 재조달원가 산정

1) 개요 : 직접법은 사정보정이 불가하여 객관적이고 적정한 간접법으로 산정한다.

2) 재조달원가 산정 : $(2,500,000 \times 121/400) \times 1.000 \times 1.0000 \times 0.980 = 741,000$원/㎡

사 시 개

나. 감가수정 및 적산가액

$741,000 \times (1 - 5/50) \fallingdotseq 666,000$원/㎡$(\times 3,200 = 2,131,200,000$원)

3. 평가액의 결정

가. 토지 : 2,181,600,000원(약 50%)

나. 건물 : 2,131,000,000원(약 50%)

다. 시장가치 : 4,312,600,000원

Ⅱ. 비교방식(일괄거래사례비교법)

1. 사례선택

본건 부동산과 위치적·물적 유사성이 있고 사정보정, 시점수정이 가능한 토지·건물의 일괄 거래사례인 사례 (나)를 선택한다.

2. 대상비준가액

$$4,150,000,000 \times \underset{사}{1.000} \times \underset{시}{1.1000} \times \underset{지}{100/105} \times \underset{개^*}{100/105} \fallingdotseq 4,140,000,000원$$

* 개별요인이 수량(면적 등)을 포함하므로 면적비교는 하지 않는다.

Ⅲ. 수익방식(일괄수익환원법)

1. 순수익(상각 후, 부동산 전체, 가격시점기준)

가. 총수익

$$384,000,000 + 50,000,000 = 434,000,000원$$

나. 필요제경비

$$\underset{유}{8,000,000} + \underset{제}{2,500,000} + \underset{보}{1,000,000} + \underset{대}{10,000,000} + \underset{감}{(2,371,200,000 \times 1/50)} = 68,924,000원$$

다. 상각 후 순수익

$$434,000,000 - 68,924,000 = 365,076,000원$$

2. 종합환원이율(물리적 투자결합법)

$$0.50 \times 0.08 + 0.50 \times 0.1 \fallingdotseq 0.09$$

※ 본건의 토지 및 건물의 가격구성비를 표준적인 가격구성비로 본다.

3. 대상수익가액

$$\frac{365,076,000}{0.09} \fallingdotseq 4,056,000,000원$$

IV. 평가액 결정

「감정평가에 관한 규칙」에 의하여 개별평가가 원칙이므로, 개별평가액을 기준으로 결정하되, 일괄평가금액에 의하여 그 합리성이 지지되는 것으로 판단된다.(4,312,600,000원)

Ⅲ 물음 2(금융조건을 고려한 대상 부동산가치의 산정)

1. 현금지불액

$3,900,000,000 - (4,312,600,000 \times 0.6) \fallingdotseq 1,312,440,000$원

2. 저당금액

$\underset{\text{MC}}{(4,312,600,000 \times 0.6) \times 0.0726} \times \underset{\text{PVAF}}{8.0551} \fallingdotseq 1,513,205,000$원

3. 금융조건을 고려한 대상 부동산가치(매입자금의 현재가치)

$1,312,440,000 + 1,513,205,000 \fallingdotseq 2,825,645,000$원

Ⅳ 물음 3(매입타당성 검토)

대상 부동산의 시장가치는 4,312,600,000원인 데 비해 금융조건을 고려한 대상 부동산의 매입가능액은 2,825,645,000원이므로 매입하는 것이 타당하다.

Answer 35점

02

I. 평가개요

본건은 토지와 물건에 대한 보상평가로 가격시점은 현장조사 완료일자인 2003년 8월 28일을 기준한다.

II. 토지보상평가

1. 적용 공시지가 및 비교표준지의 선정

가. 적용 공시지가

실시계획인가일을 사업인정고시의제로 보아 사업인정고시일 전의 공시지가로서, 해당 사업인정고시일에 가장 가까운 시점에 공시된 2003년 1월 1일 공시지가를 선정한다.

나. 비교표준지의 선정

1) 선정기준 : 용도지역이 동일하며, 이용상황, 주위환경 및 공법상 제한 등이 유사하고 인근지역에 소재하는 등 제반 비교요인의 비교가능성이 높은 표준지를 선정한다.(대상지역은 환경보전가치가 높아 개발제한구역의 해제가능성이 낮으므로 개발제한구역 내 표준지를 선정한다)

2) 토지 1, 2, 3 : 상기 선정기준에 따라 이용상황 "전"이며 비교가능성이 높은 표준지 (나)를 선정한다.

3) 토지 4 : 상기 선정기준에 따라 이용상황 "주거나지"이며 비교가능성이 높은 표준지 (가)를 선정한다.

4) 토지 5 : 새마을사업으로 편입된 도로부지로서 공익성을 반영하여 공도부지의 평가를 적용하여, 주변의 표준적인 이용상황인 "전"을 기준하여 비교가능성이 높은 표준지 (나)를 선정한다.[9]

---

9) 새마을도로는 현재 사실상의 사도부지의 감정평가방법을 준용하고 있으나(대판 2006.5.12, 2005다31736), 출제 당시 미지급용지(또는 공도부지)의 감정평가방법을 준용하고 있었고, 제시된 자료가 편입 당시의 개별요인 자료가 제시되어 출제 당시의 판단에 따라 공도부지의 감정평가방법을 준용하였음.

2. 시점수정

　가. 지가변동률(2003.1.1~2003.8.28, 녹지지역기준) : 1.0314 × (1+0.0195 × 59/91) ≒ 1.0444

　나. 생산자물가상승률(2003.7/2002.12) : $\dfrac{128.8}{126.4}$ ≒ 1.0190

　다. 시점수정률 결정 : 해당 지가변동을 가장 잘 반영하고 있는 용도지역별 지가변동률을 기준하여 적용한다.(∴ 1.0444, 이하 동일)

3. 지역요인 비교치 : 인근지역으로서 대등함.(1.000)

4. 개별요인 비교치

　가. 토지 1 : 1.050

　나. 토지 2 : 1.00 × 1.00 × 1.00 × 1.02* = 1.020

　　* 지목보정 : 통상 전답 간의 지목격차는 보정하지 않으나 본 문제에서는 전과 답의 지목에 대한 격차가 제시된 바, 이를 따라서 지목격차를 보정하도록 한다.(획지조건)

　다. 토지 3 : 1.00 × 1.05 × 1.15* × 1.02 ≒ 1.230

　　*허가비용 5,000원/㎡은 개별요인(15% 증액보정)에 포함된 것으로 봄.

　라. 토지 4 : 1.000

　마. 토지 5 : 1.00 × 1.00 × 0.90 × 1.02 ≒ 0.920

5. 그 밖의 요인보정치(토지 1 기준)

　가. 개요 : 용도지역·지구·구역 등 공법상 제한사항이 같거나 유사하며, 실제 이용상황이 같거나 유사하고 주위환경이 유사한 표준지로서 인근지역에 위치하여 지리적으로 가까운 보상선례를 선정하며, 적용 공시지가 선택기준에 따른다.

　나. 보상선례기준

$$\dfrac{7,500,000 \times 1.000 \times 1.2015^* \times 0.90 \times 0.95 \times 1/100}{58,000 \times 1.0444 \times 1.00 \times 1.05} ≒ 1.21$$

　　* 시점수정(2002.7.1~2003.8.28) 1.1504 × 1.0314 × (1 + 0.0195 × 59/91)

　다. 거래사례기준

$$\dfrac{91,200,000 \times 1.000 \times 1.0324^* \times 1.00 \times 0.97 \times 1/1,200}{58,000 \times 1.0444 \times 1.00 \times 1.05} ≒ 1.20$$

　　* 시점수정(2003.4.1~2003.8.28) 1.0195 × (1+0.0195 × 59/91)

　라. 그 밖의 요인보정률 결정 : 거래사례 및 보상선례를 기준한 격차율이 유사한바, 그 밖의 요인보정으로서 20%를 상향 보정한다.(1.20)

6. 토지보상평가액 결정

가. 토지 1

$58,000 \times 1.0444 \times 1.00 \times 1.050 \times 1.20 \fallingdotseq 76,300$원/㎡($\times 300 = 22,890,000$원)

시　　　지　　　개　　　그*

나. 토지 2[10)]

1) 나지상정가격 : $58,000 \times 1.0444 \times 1.00 \times 1.020 \times 1.20 \fallingdotseq 74,100$원/㎡

2) 구분지상권 보정률 : $(0.10 \times 4/5) + 0.16 + 0.04 = 0.28$

3) 보상액 산정 : $74,100 \times 150 - (74,100 \times 0.28 \times 80) \fallingdotseq 9,455,160$원

다. 토지 3

$58,000 \times 1.0444 \times 1.00 \times 1.230 \times 1.20 \fallingdotseq 89,400$원/㎡($\times 120 \fallingdotseq 10,728,000$원)

라. 토지 4

1) 단가 산정 : $150,000 \times 1.0444 \times 1.000 \times 1.000 \times 1.20^* - 12,000 \fallingdotseq 176,000$원/㎡
   * 그 밖의 요인비교치는 전·답과 같은 것으로 가정한다.

2) 보상액 산정 : 편입토지와 잔여지 전체에 대한 근저당권이므로 이는 공탁대상이나, 편입토지에 대한 적정한 채권잔액 산정이 곤란하여 보상액 산정에서는 고려하지 아니하되, 비고란에 해당 사항을 병기한다.

   $\therefore 176,000 \times 100 \fallingdotseq 17,600,000$원

마. 토지 5

$58,000 \times 1.0444 \times 1.00 \times 0.92 \times 1.20 \fallingdotseq 66,900$원/㎡($\times 40 = 2,676,000$원)

Ⅲ. 물건보상평가

1. 물건 1, 2

가. 개요 : 이전이 가능하므로 이전비와 잔여부분의 보수비로 산정한다.

나. 물건 1 : $5,000 \times 30 + 50,000 = 200,000$원

다. 물건 2 : $5,000 \times 30 + 50,000 = 200,000$원

2. 물건 3

가. 개요 : 무허가건축물이나, 사업인정고시 전 신축한 무허가건물이므로 보상대상에 해당되며 이전은 가능하나, 이전시 잔여부분의 보수가 불가능하므로 전체 물건의 가격한도 내에서 전체 이전비로 보상한다.

---

10) 해당 지상 위의 송전선로에 대해서는 구분지상권 등기가 되어 있는 것으로 본다.

나. 전체 취득가격 : $180,000 \times (1 - 5/20) = 135,000$원/㎡($\times 97.5 = 13,163,000$원)

다. 전체 이전비 : $2,700,000 + 500,000 + (10,500,000 - 1,000,000) + 1,800,000$

※

$= 14,500,000$원

※ 재건축비에서 대상물건의 유용성을 동일하게 유지하는 비용으로 판단되는 보충자재비($1,500,000$원)는 이전비에 포함하며, 시설개선비($1,000,000$원)는 제외한다.

라. 보상액 : 취득가격이 이전비보다 작은 바, 취득가격인 $13,163,000$원으로 결정한다.

Ⅰ. 개요

개발이익이란 공공사업의 계획 또는 시행이 공고 또는 고시되거나 공공사업의 시행 그 밖의 공공사업의 시행에 따른 절차로서 행하여진 토지이용계획의 설정·변경·해제 등으로 인하여 토지소유자가 자기의 노력에 관계없이 지가가 상승되어 뚜렷하게 받은 이익으로서 정상지가상승분을 초과하여 증가된 부분을 말하는데, 「토지보상법」 제67조 제2항에서는 해당 공익사업으로 인하여 토지 등의 가격에 변동이 있는 때에는 이를 고려하지 아니한다고 규정하여 보상평가시 개발이익을 배제하도록 하고 있으며 구체적인 배제방법은 다음과 같다.

Ⅱ. 개발이익 배제방법

1. 적용공시지가의 선정

1) 사업인정 전의 협의에 의한 취득인 경우(「토지보상법」 제70조 제3항)

해당 토지의 가격시점 당시 공시된 공시지가 중 가격시점에 가장 가까운 시점에 공시된 공시지가로 한다. 다만, 공익사업의 계획 또는 시행이 공고 또는 고시됨으로 인하여 취득하여야 할 토지의 가격이 변동되었다고 인정되는 경우에는 해당 공고일 또는 고시일 전의 시점을 공시기준일로 하는 공시지가로서, 해당 토지의 가격시점 당시 공시된 공시지가 중 해당 공익사업의 공고일 또는 고시일에 가장 가까운 시점에 공시된 공시지가로 한다.

2) 사업인정 후의 취득인 경우(「토지보상법」제70조 제4항)

사업인정고시가 있게 되면 해당 사업으로 인한 지가의 변동이 공시지가에 반영되므로 사업인정고시가 있고 적용 공시지가를 선정하는 경우에는 사업인정고시일 전의 시점을 공시기준일로 하는 공시지가로서, 해당 토지에 관한 협의의 성립 또는 재결 당시 공시된 공시지가 중 해당 사업인정고시일에 가장 가까운 시점에 공시된 공시지가로 한다.

2. 지가변동률 적용(「토지보상법 시행령」제37조)

지가변동률은 원칙적으로 「부동산 거래신고 등에 관한 법률 시행령」제17조의 규정에 의하여 국토교통부장관이 조사·발표하는 지가변동률로서 비교표준지가 소재하는 시·군 또는 구(자치구가 아닌 구를 포함한다)의 지가변동률을 적용하나, 비교표준지가 소재하는 시·군 또는 구의 지가가 해당 공익사업으로 인하여 변동된 경우에는 해당 공익사업과 관계없는 인근 시·군 또는 구의 지가변동률을 적용하여 개발이익을 배제하여야 한다.

3. 그 밖의 요인의 보정(「토지보상평가지침」제16조 제2항)

그 밖의 요인이란 지가변동률·생산자물가상승률·지역요인 및 개별요인의 비교 외에 지가변동에 영향을 미치는 요인으로 지역요인 또는 개별요인의 비교시에 반영되지 아니한 것을 말하는데, 비교표준지의 적용 공시지가에 해당 공익사업과 직접 관련된 개발이익이 이미 반영되어 있는 경우에는 그 밖의 요인보정을 통해 개발이익을 배제할 수 있다.

 10점

04

I. 평가개요

본건은 ○○주식회사의 2003년 12월 31일 기준한 영업권의 가치평가로 초과수익환원법에 의하여 평가한다.

II. 초과수익 산정

1. 영업이익

$$6,861,000,000 - 2,900,000,000 - 1,157,000,000 = 2,804,000,000원$$
매출   매입원가   판관비

2. 정상영업이익

　1) 처리방법

　　정상영업이익은 유사 규모의 투하자본을 가진 기업의 투하자본대비 영업이익을 의미하는 것으로 본다.

　2) 유형자산(영업자산)의 가치

　　$380,000,000 + 530,000,000 + (1,100,000,000 - 210,000,000) + 2,000,000,000 + 8,500,000,000 + (6,500,000,000 - 650,000,000) + (3,500,000,000 - 1,876,000,000)$
　　$= 19,774,000,000$원

　3) 투하자본 : $19,774,000,000 - 1,950,000,000 = 17,824,000,000$원

　4) 정상영업이익 : $17,824,000,000 \times 0.1 = 1,782,400,000$원

3. 초과수익 : $2,804,000,000 - 1,782,400,000 = 1,021,600,000$원

III. 영업권 평가액

$$1,021,600,000 \times \frac{1.09^3 - 1}{0.09 \times 1.09^3} ≒ 2,586,000,000원$$

Answer 5점

05

1. 개요

　부동산의 가격은 가격형성요인의 상호 영향을 통해 결정되며, 이러한 가격형성요인은 부동산의 물건별로 이용상황별로 달라지는바, 아파트와 같은 집합건물에 있어서는 수평적인 것뿐만 아니라 수직적인 이용에 따른 즉 층별, 향별, 위치별로 요인이 달라지므로 감정평가시 이에 대한 충분한 검토가 요구된다.

2. 가격격차의 발생요인

　아파트의 층·향·위치 등의 차이에 따른 가격격차의 발생요인으로는 일조 및 채광의 정도, 조망 및 압박감 등과 소음의 영향, 방의 배치, 프라이버시, 선호도 등이 있다.

2004년 감정평가사 제15회

 40점

01

I. 평가개요

본건은 복합부동산 평가의 일반거래목적 감정평가로 가격조사 완료일자인 2004년 9월 1일을 기준시점으로 평가한다.

II. 물음 1

1. 토지평가

가. 공시지가기준 평가

1) 비교표준지 선정

인근지역에 소재하는 표준지로서 용도지역 및 이용상황이 동일하고 토지의 특성에 있어 비교가능성이 높은 표준지 5를 선정한다.

2) 평가액 산정

$2,500,000 \times 1.0346 \times 1.000 \times 1.123 \times 1.0 ≒ 2,900,000$원/㎡

        시*1   지(인근)   개*2   그

* 1) 시점수정(2004.1.1~2004.9.1, 상업지역) $1.0136 \times 1.0122 \times (1 + 0.0122 \times 63/91)$
* 2) 개별요인 1.04(도)×1.08(형)×1.00(지)

나. 거래사례비교법

1) 사례 선정

인근지역에 위치하는 사례로서 위치적·물적 유사성과 사정보정, 시점수정이 가능한 사례 1을 선정한다.

2) 사례시장가치 산정

$1,830,000,000 + (400,000,000 \times 0.161 \times 5.747) ≒ 2,200,107,000$원(2,930,000원/㎡)

* 철거비는 매도인 부담이므로 제외한다.

3) 평가액 산정

$$2,930,000 \times 1.0 \times 1.0125 \times 1.000 \times 1.080 ≒ 3,200,000원/㎡$$
$$\text{사} \qquad \text{시*} \qquad \text{지} \qquad \text{개}$$

* (2004.6.1~2004.9.1 상업지역) $(1 + 0.0122 \times 30/91) \times (1 + 0.0122 \times 63/91)$

다. 원가법

1) 준공시점 토지가격 산정

① 토지매입비용

$$(2,000,000 \times 700 + 50,000 \times 240 - 5,000,000) \times (1 + 0.0171 \times 153/365)^*$$
$$\times 1.08 ≒ 1,530,452,000원(2,190,000원/㎡)$$

* 철거비는 예상비용을, 토지금리는 착공시까지 지가변동률을 기준한다.

② 조성공사비 등

$$450,000,000 \times 1/4 \times (1.08 + 1.06 + 1.04 + 1.02) + 450,000,000 \times 0.1 + 450,000,000$$
$$\times 1.1 \times 0.08 ≒ 557,100,000원(796,000원/㎡)$$

③ 준공시점 토지가격

2,986,000원/㎡

2) 평가액 산정

$$2,986,000 \times 1.0 \times 1.0346 \times 1.000 \times 1.060 ≒ 3,270,000원/㎡$$

라. 토지가격 결정

「감정평가에 관한 규칙」에 의하여 공시지가기준법을 기준하되, 거래사례비교법 및 원가법에 의한 시산가액에 의하여 그 합리성이 지지되는 것으로 판단된다.(2,900,000원/㎡ × 820 = 2,378,000,000원)

2. 건물평가

가. 원가법

1) 지상부분 : $2,500,000 \times \dfrac{121}{400} \times \dfrac{48}{50} ≒ 726,000원/㎡(\times574\times5 = 2,083,620,000원)$

2) 지하부분 : $2,500,000 \times \dfrac{121}{400} \times 0.7 \times \dfrac{48}{50} ≒ 508,000원/㎡(\times287 = 145,796,000원)$

3) 평가액 : 2,229,416,000원

나. 거래사례비교법

1) 사례선정

제반 건물의 비교가 가능하다고 판단되는 사례 2를 선정한다.

2) 사례토지가격

① 사례 선정

거래사례의 인근지역에 소재하고 비교가능한 사례 3을 선택한다.(3,010,000원/㎡)

② 사례토지가격 산정

$3,010,000 \times 1.0 \times 1.0325 \times 1.000 \times 0.970 \fallingdotseq 3,010,000$원/㎡$(\times 900$

        *1   *2

$= 2,709,000,000$원)

*1) (2002.8.1~2003.10.5) $(1 + 0.0171 \times 153/365) \times (1 + 0.0330 \times 278/365)$

*2) $0.96 \times 1.01 \times 1.00$

3) 사례건물가격

$4,800,000,000 \times \dfrac{100}{95} - 2,709,000,000 \fallingdotseq 2,343,632,000$원$(676,000$원/㎡$)$

4) 평가액 산정

$676,000 \times 1.0 \times 1.0466 \times \dfrac{48}{49} \times \dfrac{100}{97} \fallingdotseq 714,000$원/㎡$(\times 3,157 = 2,254,098,000$원$)$

      사   시* 잔   개

$*\left(\dfrac{04.9.1}{03.10.5}, \text{ 건축비지수, 월기준}\right) \dfrac{117+3\times2/6}{109+5\times9/12}$

다. 수익환원법

1) 임대사례 복합부동산가격 산정

① 상각 전 순수익 산정

 (ㄱ) 가능총수익

  $3,000,000,000 \times 0.1 + 660,000,000 \times 0.402 = 565,320,000$원

 (ㄴ) 영업경비(감가상각비 제외)

  − 손해보험료 : $30,000,000 \times 0.388 - 30,000,000 \times 0.4 \times 1.125 \times 0.308$

   $\fallingdotseq 7,482,000$원

  − 영업경비 : $7,482,000 + 20,000,000 + 2,500,000 \times 12$월 $+ 50,000,000$

   $= 107,482,000$원

 (ㄷ) 상각 전 순수익 : $565,320,000 - 107,482,000 = 457,838,000$원

② 자본회수기간 산정

$\dfrac{9.9+9.7+10.3+10.0+10.2+9.6}{6} \fallingdotseq 9.95$

③ 사례 부동산의 가격 산정

$457,838,000 \times 9.95 \fallingdotseq 4,555,488,000$원

* 자본회수기간을 이용하여 환원이율을 산정하고 이를 순수익에 적용하는 직접환원법도 가능하다.

2) 임대사례토지가격 산정

① 사례 선정

임대사례의 인근지역에 소재하고 비교가능한 사례 4를 선정한다.(2,130,000원/㎡)

② 임대사례토지가격 산정

$2,130,000 \times 1.0 \times 1.1055^* \times 1.000 \times 0.920 ≒ 1,990,000$원/㎡

$(\times 920 = 1,830,800,000$원$)$

* $(2004.5.10{\sim}2004.9.1)\ (1 + 0.0122 \times 52/91) \times (1 + 0.0122 \times 63/91)$

3) 임대사례건물가격 산정

$4,555,488,000 - 1,830,800,000 ≒ 2,724,688,000$원$(801,000$원/㎡$)$

4) 평가액 산정

$$801,000 \times 1.0 \times 1.0000 \times \underset{시(최근)}{\frac{48}{48}} \times \frac{100}{105} ≒ 763,000원/㎡(\times 3,157 = 2,408,791,000원)$$

라. 건물가격 결정

「감정평가에 관한 규칙」에 의하여 건물의 평가는 원가법에 의하되, 거래사례비교법 및 수익환원법에 의한 시산가액과 그 합리성이 지지되는 것으로 판단된다.

따라서 2,229,416,000원으로 결정한다.

3. 복합부동산가격

가. 토지가격 : 2,378,000,000원

나. 건물가격 : 2,229,416,000원

다. 복합부동산가격 : 4,607,416,000원

III. 물음 2

1. 순영업소득(상각 전 순수익) 산정

가. 전체 유효총수익

$$165,000 \times \frac{100 + 60 + 42 + 38 + 36}{38} \times 574 \times (1 - 0.03) ≒ 667,257,000원$$

나. 영업경비

1) 4층의 영업경비

① 제외항목

지출내역 중 부가물설치비는 자본적 지출, 수도료, 전기료, 연료비는 부가사용료 및 공익비실비, 소유자급여는 건물관리자급여를 별도 지급하며, 소득세 및 저당이자는 영업경비가 아니므로 제외하고 손해보험료는 소멸성만 고려한다.

② 4층의 영업경비

$$500,000 + 1,500,000 + (1,300,000 + 1,000,000) \times 12 = 29,600,000원$$

2) 건물 전체의 영업경비 : $29,600,000 \times 5개층(면적 동일, 지하층은 공용) = 148,000,000원$

다. 순영업소득 산정 : $667,257,000 - 148,000,000 = 519,257,000원$

2. 복귀가치 산정(6년 말 순영업소득 기준)

$$\frac{519,257,000 \times 1.05^4 \times 1.02}{0.12} = 5,364,861,000원$$

3. DCF에 의한 수익가액 산정

$$519,257,000 \times \frac{1-(1.05/1.08)^5}{0.08-0.05} + 5,364,861,000 \times \frac{1}{1.08^5} = 5,925,307,000원$$

Ⅳ. 물음 3

1. 시산가액 결정

「감정평가에 관한 규칙」에 의하여 개별평가에 의한 금액으로 결정하며, 수익환원법은 전체 건물의 임대내역 부재, 경비항목 중 영업경비와 무관한 항목 등의 사정개입 등에 의하여 괴리가 될 수 있다.(4,607,416,000원)

2. 일괄평가에 확대 적용할 수 있는 산정기법 및 유의사항

일괄평가기법으로는 거래사례비교법, 수익환원법 등이 있으나, 일괄평가에 있어서는 가격에 영향을 미치는 제요인이 이용상황별로 상이하다는 점, 개별평가와 달리 일괄평가시에는 거래사례 가격에 토지와 건물 이외의 자산이 포함된다는 점, 수익가액 또한 토지와 건물 이외의 비부동산이나, 무형자산 등의 기여가 포함되어 있다는 점에서 순수한 토지, 건물의 가격인지에 대한 검토를 요한다 하겠다. 또한 현행 관련법령상 토지와 건물을 별도의 부동산으로 보는 우리의 법제상 일괄평가 후 토지와 건물가격에 대한 배분문제 등에 있어 어려움이 있으며, 배분시 특히 건부감가나 건부증가의 처리문제에도 유의하여야 할 것이다.

Answer 25점

02

I. 물음 1(12점)

1. 지분환원율 산정

	비관적인 경우	일반적인 경우	낙관적인 경우
NOI	266,800,000[*1]	308,884,000	345,800,000
(−)DS	255,000,000	255,000,000	255,000,000
BTCF	11,800,000	53,884,000	90,800,000
지분환원율	0.0262[*2]	0.1197	0.2018
확률(%)	25	50	25
가중평균지분환원율	0.0262 × 0.25 + 0.1197 × 0.50 + 0.2018 × 0.25 ≒ 0.1169		

[*1] $500,000,000 \times (1-0.08) \times (1-0.42)$

[*2] $\dfrac{11,800,000}{450,000,000}$

2. 표준편차 산정

1) 분산

$0.25 \times (0.0262 - 0.1169)^2 + 0.5 \times (0.1197 - 0.1169)^2 + 0.25 \times (0.2018 - 0.1169)^2$
$≒ 0.0039$

2) 표준편차

$\sqrt{0.0039} ≒ 0.0625$

II. 물음 2(5점)

부동산 또한 다른 투자안과 마찬가지로 위험과 수익을 비교하여 투자안을 결정하게 된다. 즉, 표준편차가 동일한 경우(위험이 동일한 경우)에는 지분환원율(수익률)이 높은 투자안에, 지분환원율이 동일한 경우에는 표준편차가 낮은 투자안에 투자하게 된다는 것이다. 위의 세 부동산에 있어서는 A와 B의 경우 지분환원율은 유사하나, 표준편차가 낮은 B에 투자하는 것이 유리하고, A와 C에 있어서는 표준편차는 유사하나, 지분환원율이 높은 C에 투자하는 것이 유리한다. 그리고 B와 C에 있어서는 지분환원율과 표준편차가 상충하여 어느 투자안이 유리한지 비교하기 어렵다.

III. 물음 3(4점)

1. 부동산 A의 변화된 지분환원율과 표준편차

1) 지분환원율

$0.0262 \times 0.10 + 0.1197 \times 0.60 + 0.2018 \times 0.30 ≒ 0.1350$

2) 분산

$0.10 \times (0.0262 - 0.1350)^2 + 0.60 \times (0.1197 - 0.1350)^2 + 0.30 \times (0.2018 - 0.1350)^2$
$≒ 0.0027$

3) 표준편차

$\sqrt{0.0027} ≒ 0.0520$

2. 투자자 선택의 변화

시장환경의 변화에 따라 투자 A안의 지분환원율이 상승하고 표준편차가 낮아졌다. 이로 인해 합리적인 투자자라면 A와 C 중 A를 선택하게 될 것이다. 다만, A와 B, B와 C에 있어서는 각각 지분환원율과 표준편차가 상충하여 어느 투자안이 유리한지 비교하기 어렵다는 것은 변화가 없다.

IV. 물음 4(4점)

1. 지분환원율

$0.25 \times 0.017 + 0.50 \times 0.109 + 0.25 \times 0.189 ≒ 0.1060$

2. 표준편차

1) 분산

$0.25 \times (0.0170 - 0.1060)^2 + 0.5 \times (0.1090 - 0.1060)^2 + 0.25 \times (0.1890 - 0.1060)^2$
$≒ 0.0037$

2) 표준편차

$\sqrt{0.0037} = 0.0608$

3. 투자대안의 비교검토

부동산 A의 수익지표인 지분환원율이 부동산 D에 비해 높고 위험의 지표인 표준편차 또한 부동산 A가 낮으므로 합리적인 투자자라면 A안에 투자할 것이다.

03 Answer (20점)

I. 물음 1(10점)

1. 무허가건축물의 판단기준

건축법상 건축물을 건축하려면 허가·신고, 사용승인(준공)이 필요하다. 이때 허가·신고를 하지 아니하고 건축한 건축물과 허가·신고는 득하였으나, 사용승인을 필하지 아니한 경우에 무허가건축물이 된다. 다만, 해당 사업으로 사용승인을 필하지 못한 경우에는 적법한 건물이므로 무허가건축물에 포함되지 아니함에 유의하여야 한다.

2. 무허가건축물 및 그 부지의 처리방법

1) 무허가건축물

1989년 1월 24일 이전에 신축된 무허가건축물(개발제한구역 내인 경우에는 개발제한구역지정 고시일 이전)은 적법한 건축물에 준하여 보상하며, 1989년 1월 24일 이전에 신축되었으나 개발제한구역지정고시일 이후인 경우와 1989년 1월 24일 이후 및 사업인정고시일 이전에 신축된 무허가건축물은 무허가건축물로서 보상한다.(93두10896) 그리고 사업인정고시일 이후 신축한 무허가건축물은 토지보전의무 위반에 따라 보상대상에서 제외된다. 다만, 주거용 건축물이 아닌 위법건축물로서 위법의 정도가 큰 경우에는 사업인정고시일 이전에 신축되었다 하더라도 보상대상이 되지 않는다는 대법원 판결이 있음에 유의하여야 한다.

2) 무허가건축물 부지

대지가 아닌 토지에 무허가건축물이 소재하는 토지에 대한 문제로서 무허가건축물이 1989년 1월 24일 이전에 신축된 경우에는 현황평가하나, 이후에 신축된 경우에는 종전 이용상황, 즉 무허가건축물이 신축되기 이전의 이용상황을 기준으로 평가한다. 다만, 그 무허가건축물의 면적이 적정하지 아니한 경우에는 적정한 면적만을 현황 "대"를 기준하여 평가하며, 농지법상 농지보전부담금이나 산지관리법상 대체산림자원조성비 부과대상인 토지 등은 이를 개별요인 비교시에 고려하여 평가하여야 한다는 것에 유의하여야 한다.

3. 무허가건축물에서의 영업보상 처리방법

1) 영업의 개념

영업이란 개별법상 인·허가 등을 요하는 경우에는 인·허가 등을 득하고 일정한 장소에서 인적·물적시설을 구비하고 계속적으로 영리행위를 하는 것을 의미하며, 이때 영업손실보상은 사업인정고시 등이 있기 이전부터 영업을 영위하던 중 해당 공익사업에 의해 손실을 입는 경우를 의미한다.

2) 무허가건축물에서의 영업보상 문제

무허가건축물에서의 영업손실보상은 무허가건축물이 1989년 1월 24일 이전에 신축된 경우에는 적법한 건축물로 의제되어 영업의 적부에 따라 손실보상대상 여부가 판단되고 1989년 1월 24일 이후에 신축된 경우에는 원칙적으로 영업손실보상대상에서 제외되나, 다만 1989년 1월 24일 이후 신축된 무허가건축물이라도 임차인이 영업하는 경우에는 그 임차인이 사업인정고시일 등 1년 전부터 부가가치세법에 따른 사업자등록을 행하고 있는 경우에 한해 1천만원을 상한(시설이전비 및 감손액 별도)으로 영업손실보상을 한다.

4. 무허가건축물과 관련된 생활보상 처리방법

생활보상의 범위를 넓게 보는 견해에 따를 때 건축물과 관련된 생활보상으로는 주로 주거용 건축물과 관련된 것들로 주거이전비(소유자, 세입자), 이주대책 또는 이주정착금, 최저보상액과 비준가액의 고려문제, 재편입가산보상 등이 관련이 있다 할 수 있다. 이러한 생활보상과 관련하여 무허가건축물이 1989년 1월 24일 이전(개발제한구역 내인 경우에는 개발제한구역지정고시일 이전)에 신축된 경우에는 적법한 경우와 달리 규정하고 있지 아니하나, 이후 신축된 경우에는 주거용 건축물에 대한 보상시 비준가액을 고려하여야 한다는 것 외에 모두 보상대상에서 제외되도록 규정하고 있다. 다만, 구법인 공공용지 취득 및 손실보상에 관한 특례법 시행 당시에는 1989년 1월 24일 이전에 신축된 무허가건축물에 대하여 재편입가산보상에 해당하지 않는 것으로 해석하기도 하였으나, 현행 토지보상법 시행규칙에서는 재편입가산보상에 대하여도 보상대상임을 부칙에 명문화하고 있다.

II. 물음 2(5점, 가설건축물 및 그 부지에 대한 처리의견)

1. 가설건축물의 개념

가설건축물이란 도시계획시설 또는 도시계획시설예정지에 있어 시장·군수·구청장의 허가를 받거나, 재해복구·흥행·전람회·공사용으로 시장·군수·구청장에 신고하여 건축한 존치기간 3년 이내, 3층 이하, 철근콘크리트조 또는 철골철근콘크리트조가 아닌 건축물 등을 의미한다.

2. 가설건축물의 처리의견

가설건축물은 건축법상 허가대상과 신고대상이 있는바, 허가대상 가설건축물은 도시계획시설부지에 있어 도시계획사업이 시행될 때까지 그 토지를 이용하기 위해 허가해주는 건축물로 이는 국토계획법 제64조 제3항에 근거하여 소유자부담으로 원상회복을 하여야 하므로, 보상대상이 아님이 명백하나, 그 이외의 가설건축물에 대하여는 보상대상임이 명백하고 특히 무허가건축물에 대하여도 보상대상이라고 보고 있는 대법원 판례를 보더라도 이는 타당하다 할 것이다.

3. 가설건축물 부지

도시계획사업이 시행될 때까지 그 토지를 이용하기 위해 허가해주는 가설건축물 부지에 대하여
는 가설건축물 건축 당시 이용상황을 기준으로 보상하여야 하나, 그 이외의 가설건축물 부지에
대하여는 토지보상평가기준의 대원칙인 현황기준 평가에 근거하여 현재의 이용상황을 기준으
로 평가하여 보상하여야 할 것이다.

III. 물음 3(5점, 불법형질변경토지의 판단기준 및 평가방법)

1. 불법형질변경토지의 개념

토지의 형질변경이라 함은 절토·성토 또는 정지 등으로 토지의 형상을 변경하는 행위와 공유
수면의 매립을 의미하며, 불법형질변경이란 관계법령에 의하여 허가를 받거나 신고를 하고 형
질변경하여야 하는 토지에 대하여 허가나 신고를 하지 아니하고 형질변경된 토지를 의미한다.

2. 불법형질변경토지의 판단기준

1) 편입시점

불법형질변경토지는 형질변경의 행위시점은 의미가 없으며, 불법형질변경토지라 하더라도
1995년 1월 7일 이전에 공익사업시행지구에 편입된 경우에는 현황평가하며, 이후에 편입된
경우에 불법형질변경이 되기 전을 기준으로 평가하여야 한다. 이때 편입이란 보상계획의 공고와
사업인정고시를 의미할 것이며, 둘 모두가 시행되는 경우에는 선행행위가 있는 시점을 기준한다.

2) 불법형질변경으로 보지 않는 경우(현황기준)

허가 및 승인사항이 아니거나, 형질변경 당시에는 허가 또는 승인사항이 아니었으나, 현재
는 허가 또는 승인사항인 경우, 당초 불법으로 형질변경하였으나, 사후에 허가나 승인을 받
은 경우, 당초 적법하였으나, 지목변경신청을 해태하여 공부상 지목과 현실 지목이 다른 경
우, 해당 공익사업으로 인해 허가가 취소된 경우 등이 이에 해당한다고 할 것이다.

3) 불법형질변경된 토지로 보는 경우(종전 이용상황기준)

불법형질변경 후 원상회복조치를 받은 경우나, 1995년 1월 7일 이전에 편입되었으나 그 후
에 불법형질변경이 이뤄진 경우, 당초 적법하게 형질변경허가를 받았으나 그 허가조건에 위
배하여 허가가 취소된 경우 등이 있을 것이다. 다만, 농지법상 농지(전·답·과수원) 간에는
그 형질변경에 대한 제한을 두고 있지 아니하므로 농지 간의 형질변경은 불법형질변경이라
할 수 없을 것이다.

3. 평가방법

불법형질변경토지는 공익사업에 편입된 시점이 1995년 1월 7일을 기준으로, 이전에 편입된
토지는 현황을 기준으로, 이후에 편입된 토지는 불법형질변경이 되기 전을 기준으로 평가하여

야 한다. 또한 불법형질변경토지를 현황을 기준으로 평가하는 경우에도 그 현실적인 이용상황이 건축물이 없는 나지상태의 토지인 경우에는 공부상 지목을 기준으로 하되, 형질변경으로 성토 등이 된 상황을 고려하여 평가하여야 한다.

Ⅳ. 기타 의견

무허가건축물 부지와 불법형질변경토지 간에 있어 무허가건축물 부지가 보다 큰 불법행위를 하였음에도 건축물의 불법행위시점을 기준으로 적법의제 여부를 판단하는 데 반해, 불법형질변경토지는 편입시점을 기준으로 한다는 점에서 형평성의 문제가 있다 할 수 있으며, 대법원에서는 인정하지 않고 있으나, 불법형질변경토지의 보상규정은 법률불소급의 원칙에 위배한 것이 아니냐는 비판이 있다. 또한 무허가건축물과 가설건축물에 있어서도 적법하지 아니한 무허가건축물에 대하여는 사업인정고시일 이전에 신축되었다면 보상대상이나, 적법한 가설건축물의 경우(도시계획시설과 관련하여 허가대상인 경우는 제외)에는 그 보상규정이 명확치 아니하여 보상대상에 대한 논란이 있음도 분명 형평성에 문제가 있다는 비판을 면키 어려울 것이다.

Answer   15점

04

Ⅰ. 평가개요

토지 및 물건에 대한 보상평가로 가격시점은 2004년 8월 29일이다.

Ⅱ. 물음 1

1. 적용 공시지가 선택

사업인정고시의제일이 도시계획실시계획고시일인바, 토지보상법 제70조 제4항에 근거하여 2004년 1월 1일자 공시지가를 적용한다.

2. 비교표준지 선정

1989년 1월 24일 이전에 신축된 무허가건축물 부지로 면적사정을 요하나, 별도의 면적구분자료가 제시되지 아니하여 대법원 판례에 따라 건물면적인 80㎡는 현황 "대"를 기준으로 평가하고 이외의 270㎡는 종전 이용상황인 "전"을 기준으로 평가한다.[11] 따라서 현황 "대"부분은 용도지역이 동일하고 이용상황이 상업용인 표준지 D를 비교표준지로 선정하고(C : 이용상황 상이), "전"부분은 용도지역 및 이용상황이 유사한 표준지 A를 비교표준지로 선정(B : 이용상황 상이)하되, 현황 "대"부분의 지목에 따른 감가는 별도 제시자료가 없으므로 고려하지 않는다.

3. "대"부분 평가

1) 시점수정(2004.1.1~2004.8.29)

$1.0198 \times 1.0230 \times (1 + 0.0230 \times 60/91) ≒ 1.05908$

녹지지역 지가변동률을 적용하되, 생산자물가지수는 제시되지 아니하여 고려하지 않는다.

2) 지역요인비교(인근)

1.000

3) 개별요인비교

$1.00 \times 1.05 ≒ 1.050$

4) 그 밖의 요인비교(비교표준지 기준 격차율)

최근 보상선례로 해당 사업과 관련이 없으므로 정당보상을 위해 적용한다.

$$\frac{1,250,000 \times 1.07931^* \times 1.000 \times 1.180}{1,100,000 \times 1.05908} ≒ 1.367 \ (\therefore \ 그 \ 밖의 \ 요인비교치로서 \ 1.35를 \ 적용함)$$

* 시점수정(2003.5.7~2004.8.29)

$(1 + 0.0104 \times 55/91) \times 1.0071 \times 1.0056 \times 1.0198 \times 1.0230 \times (1 + 0.0230 \times 60/91)$

5) 평가액 산정

$1,100,000 \times 1.05908 \times 1.000 \times 1.050 \times 1.35 ≒ 1,650,000원/㎡$

4. "전"부분 평가

$320,000 \times 1.05908 \times 1.000 \times (1.25 \times 1.25) \times 1.35^* ≒ 715,000원/㎡$

* 그 밖의 요인비교치는 대지와 같은 것으로 본다.

5. 토지보상평가액

$1,650,000 \times 80 + 715,000 \times 270 ≒ 325,050,000원$

---

11) 현행 토지보상평가지침에서는 제18조(지목 및 면적사정)을 통하여 이와 같이 면적이 구분되지 아니하였으나 구분평가를 해야 할 필요가 있는 경우에는 평가의뢰자에게 그 내용을 조회한 후 제시목록을 다시 제출받아 평가하는 것을 원칙으로 한다고 규정하고 있으므로, 이 문제에서도 해당 사항을 평가의뢰자에게 제출하여 면적을 구분하여 평가하여야 할 것이나, 판례의 사항에 대한 학습차원상에서 면적의 구분을 하고 있다. 한편, 평가의뢰자가 면적을 구분한 수정목록에 대한 제시가 없는 때에는 당초 제시목록을 기준으로 평가하되, 비고란에 현실적인 이용상황을 기준으로 한 평가가격을 따로 기재하도록 하고 있다.

III. 물음 2

1. 개요

1989년 1월 24일 이전에 신축된 무허가건축물이므로 적법한 건축물로 의제되어 적법한 건축물과 같이 보상한다.

2. 이전비 산정

$45,000,000 \times 0.45 \fallingdotseq 20,250,000$원

3. 취득가격 산정

$$39,000,000 \times 1.0 \times 1.0000 \times \underset{잔}{\frac{24}{40}} \times \underset{개}{\frac{100}{98}} \times \underset{면}{\frac{80}{100}} \fallingdotseq 19,102,000원$$
$$\underset{사}{\quad}\quad\underset{시(최근)}{\quad}$$

4. 건축물 보상평가

이전비가 취득가격을 초과하므로 취득가격을 기준하여 19,102,000원으로 보상액을 결정한다.

IV. 물음 3

1. 개요

1989년 1월 24일 이전에 건축한 무허가건축물 내 영업이므로 영업손실보상대상으로서 휴업기간은 4개월로 본다.

2. 휴업기간 중 영업이익

1) 월매출액 추정

① 매출액기준(최근 3년간 평균)

$(159,446,000 + 172,075,000 + 180,246,000) \div 3 \fallingdotseq 170,589,000$원(월 $14,200,000$원)

② 동종업종기준 : 월 16,000,000원

③ 월매출액 결정

객관적인 매출액 자료인 과세표준매출액을 기준하되, 동종업종기준액과 유사하여 합리성이 인정된다.(월 14,200,000원)

2) 영업이익률 결정

표준소득률은 과세를 위한 간이경비율인바, 현실적인 영업이익률인 10%를 적용한다.

3) 휴업기간 중 영업이익[12]

14,200,000 × 0.1 × 4개월 = 5,680,000원

3. 고정적 경비 및 이전비 등

$$1,200,000 + 850,000 + 5,000,000 \times 0.1 + 350,000 + 200,000 \times \frac{4}{12} ≒ 2,967,000원$$

* 진열대증설비는 시설개선비이므로 배제한다.

* 간판은 현지의 시장가치가 제시되지 않아(장부가액과 시장가치는 다를 수 있음) 이전비를 기준하였다.

4. 영업장소 이전 후 발생하는 영업이익 감소액 : 5,680,000 × 0.2 = 1,136,000원

5. 영업손실보상액 : 5,680,000 + 2,967,000 + 1,136,000 ≒ 9,783,000원

---

[12] 휴업기간 동안의 영업이익은 개인영업의 경우 4개월간 3인가구 도시근로자 가계지출비를 그 하한으로 하지만 본 문제에서 제시되지 않아 이를 고려하지 않았다.

2005년 감정평가사 제16회

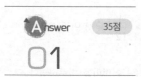

Answer 35점

01

I. 평가개요

본건은 복합부동산에 대한 개발방안의 타당성 분석과 시장가격 산정으로 기준시점은 2005년 8월 1일이다.

II. 물음 1(개발방안의 타당성 분석)

1. 최유효이용

가. 최유효이용의 개념

최유효이용이란 객관적으로 보아 양식과 통상의 이용능력을 가진 사람이 대상토지를 합법 적이고 합리적이며 최고·최선의 방법으로 이용하는 것을 말한다. 따라서 최유효이용이란 합법적·합리적이어야 하고 최고·최선의 이용이어야 한다. 여기서 합법적 이용의 판단은 법적 타당성을, 합리적 이용의 판단은 사회적 타당성 및 물리적 타당성을 요하며, 이러한 이용 중 최고의 경제적 타당성이 있는 이용이 최유효이용이 된다.

나. 분석방법

토지와 복합부동산에 대한 분석으로 구분할 수 있는바, 본건은 현재 건부감가가 발생하는 부동산에 대한 분석으로 현재의 이용과 자본적 지출을 하였을 경우의 현금흐름을 비교분석 하여 복합부동산의 가치가 가장 높은 이용이 최유효이용이 된다.

2. 물리적·사회적·법적 타당성 분석(최선의 이용분석)

가. 분석기준

1) 물리적 타당성 : 연암이 주를 이루는 지역이므로 지하 2층, 지상 10층까지 건축할 수 있다.
2) 사회적 타당성 : 인근지역 상황은 상업지대로 주거지로서의 기능이 상실되어 주거용보다 는 상업용으로의 이용이 사회적으로 타당하다.
3) 법적 타당성 : 인근지역은 일반상업지역으로 대지의 최소면적 150㎡, 건축물의 최고높 이 30m(8층 이하), 건폐율 70%(바닥면적 350㎡ 이하), 용적률 600%(연면적 3,000㎡ 이내) 이내여야 하고 층고는 3.5m를 기준한다.

나. 타당성 분석

1) 방안 1 : 물리적·사회적(상업용)·법적(대지의 최소면적 이상, 건축물의 높이 30m 이하, 건폐율, 용적률 적합) 타당성이 있으므로 최선의 이용범주에 해당한다.

2) 방안 2 : 물리적·사회적 타당성은 있으나, 4개동의 신축 후 대지귀속면적분할은 대지의 최소면적 150㎡ 위반(87.5/0.7 = 125㎡)으로 법적 타당성이 없으므로 제외한다.

3) 방안 3 : 물리적·법적 타당성은 있으나, 인근지역 상황에서 주거지로서의 기능이 상실된 지역에 소형아파트(주거용)의 공급은 사회적 타당성이 없으므로 제외한다.

4) 방안 4 : 물리적·사회적·법적(대지의 최소면적 이상, 건축물의 높이 30m 이하, 건폐율, 용적률 적합) 타당성이 있으므로 최선의 이용범주에 해당한다.

5) 방안 5 : 사회적 타당성은 있으나, 물리적 타당성(지하 3층)이 없고, 법적으로도 9층 (31.5m)은 최고높이 위반으로 타당성이 없으므로 제외한다.

3. 경제적 타당성 분석

가. 방안 1

1) 개발 후 부동산가치

① 순임대료의 현재가치

$$(1,000,000,000 \times 0.12 + 24,000,000 \times 12) \times (1 - 0.30) \times \frac{1.1^5 - 1}{0.1 \times 1.1^5} \times$$

$$\frac{1}{(1 + 0.1/12)^{10}} \fallingdotseq 996,429,000원$$

② 매각금액의 현재가치

$$350,000,000 \times 1.05^{10\,*} \times \frac{1}{1.1^5 \times (1 + 0.1/12)^{10}} + 2,100,000,000 \times$$

$$\frac{1}{1.1^5 \times (1 + 0.1/12)^{10}} \fallingdotseq 1,525,896,000원$$

* 2011.6.1 매각 당시 2010.6.1 만기인 채권을 양도하므로 2010.6.1 당시 원리금 합계를 매각시점의 가치로 본다.

③ 개발 후 부동산가치 : 996,429,000 + 1,525,896,000 ≒ 2,522,325,000원

2) 자본적 지출(건축비 및 철거비)

$$(280 + 340 \times 6) \times 750,000 \times \frac{1}{(1 + 0.1/12)^{10}} + 60,000 \times 450 \times \frac{1}{(1 + 0.1/12)^2}$$

$$\fallingdotseq 1,627,986,000원$$

3) 개발방안의 부동산가치 : 2,522,325,000 − 1,627,986,000 ≒ 894,339,000원

나. 방안 4

    1) 개발 후 부동산가치

      ① 순임대료의 현재가치

$$(12,000,000 \times 1.01 \times 12 + 2,000,000,000 \times 0.1) \times (1 - 0.25) \times$$

$$\frac{1.1^5 - 1}{0.1 \times 1.1^5} \times \frac{1}{1.1 \times (1 + 0.1/12)^2} \fallingdotseq 878,137,000원$$

      ② 매각금액의 현재가치 : $2,400,000,000 \times \dfrac{1}{1.1^6 \times (1 + 0.1/12)^2} \fallingdotseq 1,332,438,000원$

      ③ 개발 후 부동산가치 : $878,137,000 + 1,332,438,000 \fallingdotseq 2,210,575,000원$

    2) 자본적 지출

      ① 건축비

$$(300 \times 2 + 180 + 320 \times 6) \times 480,000 \times \frac{1}{1.1 \times (1 + 0.1/12)^2} \times \{ \frac{0.08 \times 1.08^{10}}{1.08^{10} - 1}$$

$$\times \frac{1.1^5 - 1}{0.1 \times 1.1^5} + (1 - \frac{1.08^5 - 1}{1.08^{10} - 1}) \times \frac{1}{1.1^5} \} \fallingdotseq 1,082,780,000원$$

      ② 철거비 및 대형 광고스크린 설치비용

$$60,000 \times 450 \times \frac{1}{(1 + 0.1/12)^2} + 200,000,000 \times \frac{1}{1.1 \times (1 + 0.1/12)^2} \fallingdotseq$$

$$205,381,000원$$

      ③ 자본적 지출 : $1,082,780,000 + 205,381,000 \fallingdotseq 1,288,161,000원$

    3) 개발방안의 부동산가치 : $2,210,575,000 - 1,288,161,000 \fallingdotseq 922,414,000원$

4. 경제적 타당성 분석(최유효이용 판정)

    방안 1과 방안 4가 모두 경제적 타당성 있으며, 최고의 가치를 창출하는 방안 4가 최고최선이용으로 판정된다.

III. 물음 2(현재상태의 대상 부동산 가격과 시장가격 결정)

1. 개별평가

    (1) 토지평가

      1) 공시지가기준법

        ① 비교표준지 선정 : 용도지역·이용상황(현황 "주상용"기준)이 동일하고 공법상 제한 및 주위환경에 있어 비교가능성이 높은 표준지 4를 선정한다.(표준지 1은 이용상황과

도시계획시설 저촉, 표준지 2는 용도지역, 표준지 3, 5는 면적에서 비교가능성이
없어 제외한다)

② 시점수정치(2005.1.1~2005.8.1, 상업) : $1.01980 \times (1 + 0.00075 \times 1/31) \fallingdotseq 1.01982$

③ 지역요인 비교치 : 인근지역으로서 대등함.(1.000)

④ 개별요인 비교치 : $1.08 \times 0.95 \times 1.00 \fallingdotseq 1.026$

⑤ 그 밖의 요인비교치 : 대등한 것으로 봄.(1.00)

⑥ 토지평가액

$1,300,000 \times 1.01982 \times 1.000 \times 1.026 \times 1.000 \fallingdotseq 1,360,000$원/㎡

2) 거래사례기준법

① 사례의 선정 : 위치적·물적 유사성이 있으며, 시점수정, 사정보정이 가능하고 건부감
가가 반영되어 거래된 사례 (2)를 선정한다.

② 사례토지가격 : $900,000,000 \times 0.75 = 675,000,000$원(@1,300,000)

③ 시점수정치(2005.6.5~2005.8.1, 상업)

$(1 + 0.00126 \times 26/30) \times 1.00075 \times (1 + 0.00075 \times 1/31) \fallingdotseq 1.00187$

④ 지역요인 비교치 : 인근지역으로서 대등함.(1.000)

⑤ 개별요인 비교치 : $1.00 \times 0.95/1.03 \times 1.00 \fallingdotseq 0.922$

⑥ 비준가액

$1,300,000 \times 1.000 \times 1.00187 \times 1.000 \times 0.922 \fallingdotseq 1,200,000$원/㎡

3) 토지가격의 결정

「감정평가에 관한 규칙」 제14조에 근거하여 공시지가기준법으로 결정하되, 거래사례비
교법에 의하여 합리성이 인정된다. 1,360,000원/㎡($\times 500 = 680,000,000$원)

(2) 건물평가(정액법, 잔가율 0 기준) : $660,000 \times \dfrac{35}{45} \fallingdotseq 513,000$원/㎡
($\times 450 = 230,850,000$원)

(3) 평가액 산정 : $680,000,000 + 230,850,000 \fallingdotseq 910,850,000$원

2. **일괄평가**(수익환원법)

(1) 임대자료의 선정 : 현황평가시 건부감가를 반영하여야 하는바, 본건 임대사례를 기준한다.

(2) 순수익 산정 : $(800,000,000 \times 0.12 + 5,500,000 \times 12) \times (1 - 0.24) \fallingdotseq 123,120,000$원
* 위탁관리 중에 있으므로 소유자급여는 제외한다.

(3) 수익가액 산정 : $\dfrac{123,120,000}{0.15} \fallingdotseq 820,800,000$원

3. 현재상태의 부동산가치 결정[13]

개별평가액 합으로 결정하되, 수익환원법에 의한 시산가액은 본건이 최유효이용에 미달하여 낮게 산출된 것으로 판단됨.(910,850,000원)

4. 개발방안과 비교하여 결정한 시장가격

개발방안을 기준한 가격과 현재상태의 가격(기회비용)을 비교해본 결과 개발방안 4에 따라 개발하는 것이 타당한 것으로 분석되므로 대상 부동산의 시장가격은 개발방안 4를 기준한 922,414,000원으로 결정한다.

---

13) 상기 평가방법 이외에 개별평가액을 합산하지 않고(산정하더라도 시산조정에서 제외시키고) 대상과 개별적인 조건이 유사한 거래사례 2를 일괄로 비준하고, 일체수익가액을 시산조정하여 가격을 결정할 수도 있다. (별해 참조)

> 별해
>
> Ⅲ. 물음 2(현재상태의 대상 부동산의 가격과 시장가격 결정)
>
> 1. 개요
>
> 현재상태의 대상 부동산의 가격산정시에는 본건 복합부동산이 최유효이용에 미달하는 상태이므로 제합사용의 원칙에 유의하여 건부감가를 고려하여 평가한다.
>
> 2. 현재상태의 대상 부동산의 가격
>
> (1) 물건별 평가액
>
> 1) 나지상태토지평가(표준지 공시지가 기준)(표준지 #1 선택, 거래사례 #1로 합리성 검토)
>
> 2) 건물평가(원가법)
>
> (2) 일체평가액
>
> 1) 일체비준가액(거래사례 #2 선택, 일체품 등 비교치 대등함을 가정)
>
> 2) 일체수익가액(현상태 순수익 기준)
>
> (3) 평가액 결정 : 물건별 평가는 건부감가의 반영 등 제합사용의 원칙에 위배되는바, 일체평가액을 기준으로 시산조정함.
>
> 3. 시장가격 결정 : 개발방안 4(최유효이용 하의 토지가치 − 철거비 ; 922,414,000원)와 현재상태의 대상 부동산의 가격을 비교하여 큰 가격으로 결정함.

Answer 02 30점

Ⅰ. 평가개요

본건은 복합부동산의 일반거래목적(현물출자를 위한)의 감정평가로 기준시점은 2005년 6월 30일이다.

Ⅱ. 물음 1(지역요인분석과 비교표준지 선정)

1. 지역요인분석

1) 개요 : 각 동별로 개발시기 및 생애주기가 상이하여 소득과 경비에서 차이가 있고 공실률 또한 차이가 발생하고 있으므로 순수익을 기준으로 지역요인 비교치를 산정한다.

2) 지역요인 비교치 산정

구분	L동	M동	N동(대상)	O동	P동
순수익(원/㎡)	66,500	74,240	77,000	80,840	101,300
지역요인 비교치*	86.4	96.4	100	105.0	131.6

* N동(대상)을 기준(100)으로 각 동의 비교치를 산정한다.

2. 비교표준지 선정

인근지역에 소재하는 용도지역(준주거)·실제이용상황이 동일하고 공법상 제한 및 주위환경 등에서 비교가능성이 높은 표준지를 선정하되, 본건에 있어서는 지역의 개발시기 및 생애주기의 상이에 따른 임대료의 차이가 발생하고 있는바, PGI, 공실률, 영업경비 등에서 유사성이 있는 M, O동을 유사지역으로 확정하고 지역요인 보정가능한 표준지 2를 선정한다.

Ⅲ. 물음 2(건물평가를 위한 경제적 내용연수 확정)

1. 사례 선정

건물의 경제적 내용연수를 확정하기 위한 거래사례는 물적 유사성과 시점수정, 사정보정이 가능하여야 하는바, 이러한 요건에 있어 적정하다고 판단되는 사례 A, B, D를 선정한다. (사례 C는 철골조이므로 물적 유사성이 없어 제외함)

2. 사례건물가격 산정

1) 사례 A

① 사례토지가격 산정 : 인근지역에 소재하는 표준지 1을 기준

$$610,000 \times 1.02518 \times 1.000 \times \frac{0.94}{0.98} ≒ 600,000원/㎡ \ (504,000,000원)$$

* 시점수정(2005.1.1~4.30) 1.00342 × 1.00468 × 1.00564 × 1.01122

② 사례건물가격 산정

$$(1,360,000,000 + 35,000,000) - 504,000,000 ≒ 891,000,000원$$

2) 사례 B

① 사례토지가격 산정 : 인근지역에 소재하는 표준지 2를 기준

$$640,000 \times 1.01380 \times 1.000 \times \frac{1.05}{0.95} \times \frac{0.98}{0.94} ≒ 748,000원/㎡ (486,200,000원)$$

* 시점수정(2006.1.1~3.31) 1.00342 × 1.00468 × 1.00564

② 사례거래가격

$$700,000,000 + 225,490,000 \times \left(1 - \frac{(1+0.072/12)^{60}-1}{(1+0.072/12)^{120}-1}\right) \times$$

$$\frac{0.078/12 \times (1+0.078/12)^{60}}{(1+0.078/12)^{60}-1} \times \frac{1.01^{60}-1}{0.01 \times 1.01^{60}} ≒ 820,447,000원$$

③ 사례건물가격 : $820,447,000 - 486,200,000 = 334,247,000원$

3) 사례 D

① 사례토지가격 산정 : 인근지역에 소재하는 표준지 4를 기준

$$650,000 \times 1.02784 \times 1.000 \times \frac{1.00}{0.95} \times \frac{1.00}{0.89} ≒ 790,000원/㎡(572,750,000원)$$

* 시점수정(2006.1.1~5.31) 1.00342 × 1.00468 × 1.00564 × 1.01122 × 1.00260

② 사례건물가격 산정

$$(1,250,000,000 + 120,000,000) - 572,750,000 ≒ 797,250,000원$$

3. 경제적 내용연수 확정

1) 사례재조달원가 산정

① 사례 A : $534,000 \times 1.3122 \times 1,589 ≒ 1,113,436,000원$

② 사례 B : $234,000 \times 2.7928 \times 1,100 ≒ 718,867,000원$

③ 사례 D : $518,000 \times 1.3333 \times 1,357 ≒ 937,211,000원$

2) 경제적 내용연수 확정

구분	사례 A	사례 B	사례 D
재조달원가	1,113,436,000	718,867,000	937,211,000
건물가격	891,000,000	334,247,000	797,250,000
감가누계액	222,436,000	384,633,000	139,961,000
거래시점 경과연수	8	17	6
연간감가액	27,804,500	22,625,471	23,326,833
내용연수	40	32	40

건물의 D시내에서 지역격차 없이 거래가 이루어지고 있으므로 사례의 평균연수를 기준으로 내용연수를 결정한다. ($\because \ \dfrac{40+32+40}{3} \ \fallingdotseq \ 37$년)

Ⅳ. 물음 3(대상 부동산의 가격결정)

1. 토지가격 산정

$$640,000 \times 1.03113 \times \underset{시^{*1}}{\dfrac{100}{96.4}} \times \underset{지}{\dfrac{1.00}{0.95}} \times \underset{개}{\dfrac{0.98}{0.94}} \times \underset{그^{*2}}{1.05} \fallingdotseq 789,000원/㎡(615,420,000원)$$

* 1) 시점수정(2006.1.1~6.30) 1.00342 × 1.00468 × 1.00564 × 1.01122 × 1.00260 × 1.00320
* 2) 콜금리 인하로 인한 지가변동을 그 밖의 요인으로 보정한다.

2. 건물가격 산정

$$321,000 \times 2.2437 \times \dfrac{37-15}{37} \fallingdotseq 428,000원/㎡(791,800,000원)$$

3. 대상 부동산의 가격 및 결정 의견

1) 대상 부동산의 가격

615,420,000원 + 791,800,000 ≒ 1,407,220,000원

2) 결정 의견

Q평가법인에서는 콜금리 인하로 인한 지가변동을 파악하지 못하였고 건물평가시에도 시장에 근거한 경제적 내용연수를 파악하지 아니하고 구조별 내용연수를 적용한 문제점이 있는 것으로 판단되어 이상과 같이 가격을 결정한다.

Answer 20점

03

Ⅰ. 평가개요

본건은 토지·건물에 대한 담보·경매·처분·보상목적의 감정평가로 기준시점은 2005년 8월 28일을 기준으로 평가하되, 평가대상면적은 토지대장등본과 일반건축물대장등본을 기준으로 평가한다.

Ⅱ. 물음 1(담보)

1. 개요

담보목적 평가시 공법상 제한(일반적 제한 및 개별적 제한)은 제한받는 상태로 평가하고 협약서에 따라 현황도로 및 타인점유면적은 평가대상면적에서 제외하며 제시 외 건물은 평가의견서에 처리의견을 기술한다.

2. 토지평가

$$2,000,000 \times 1.03226 \times 1.000 \times 0.670 \times 1.000 ≒ 1,380,000원/㎡(\times 452 = 623,760,000원)$$
$$\qquad\qquad\quad \text{시}^{*1} \qquad\quad \text{지} \quad\ \text{개}^{*2} \quad\ \text{그}^{*3}$$

* 1) 시점수정(2005.1.1~8.28, 주거지역기준)
$$1.00512 \times 1.00235 \times 1.00901 \times 1.00623 \times 1.00225 \times 1.00237 \times 1.00237 \times (1 + 0.00237 \times 28/31)$$

* 2) 개별요인(도시계획시설, 문화재보호구역 외 개별요인은 동일한 것으로 봄) $\dfrac{0.7}{0.8 + 0.2 \times 0.7} \times 0.9$

* 3) 별도의 그 밖의 요인은 없는 것으로 본다.(본 문제에서는 제시된 보상선례를 보상평가시에만 활용하였으나, 보상평가선례가 시장가치와 유사하므로 보상평가 이외의 목적의 감정평가에서 그 밖의 요인비교치 산출자료로서 활용이 가능할 것이다)

3. 건물평가(정액법, 경제적 내용연수, 잔가율 0 기준)

$$750,000 \times 0.7 \times \frac{45 - 7}{45} ≒ 443,000원/㎡(\times 1,380 = 611,340,000원)$$

* 도시계획시설에 저촉되는 부동산이 30% 감가이므로 건물에도 저촉으로 인한 감가를 반영한다.
* 기본적으로 건물의 경우 원가법에 따른 평가를 원칙으로 하고 있으므로 공법상 제한에 따른 감가가 적용되지 않는 것이 일반적이다. 하지만 도시계획시설에 저촉된 건물의 경우 감정평가실무기준 및 담보평가지침 등에 의거하여 저촉에 따른 감가를 반영하여 평가하는 것이 타당하다.

4. 평가액 산정

623,760,000 + 611,340,000 = 1,235,100,000원

III. 물음 2(경매)

1. 개요

경매목적 평가시 공법상 제한(일반적 제한 및 개별적 제한)은 제한받는 상태로 평가하되, 현황 도로는 사실상 사도인바, 보상평가규정을 준용하여 인근 토지의 1/3 이내로 평가하고 타인점유 부분은 타인점유로 인한 감가를 고려하여 평가한다. 또한 제시 외 건물은 동일소유 및 종물이 므로 경매평가에 포함하되, 평가의견서에 처리의견을 기술한다.

2. 토지

① 대지부분 : 1,380,000원/㎡(×452 = 623,760,000원)

② 현황도로(시행규칙 제27조 준용) : 460,000원/㎡(×50 = 23,000,000원)

③ 타인점유부분 : 1,380,000 × 0.95 ≒ 1,310,000원/㎡(×30 = 39,300,000원)

④ 소계 : 686,060,000원

3. 건물 : 611,340,000원

4. 제시 외 건물

$$291,000 \times 0.7 \times \frac{40-7}{40} ≒ 168,000원/㎡(×30 = 5,040,000원)$$

5. 평가액 산정

686,060,000 + 611,340,000 + 5,040,000 = 1,302,440,000원

IV. 물음 3(처분)

1. 개요

처분목적 평가시에는 공익사업의 목적으로 처분하는 경우 보상평가에 준하여 평가하며, 공익 사업 이외의 목적으로 처분하는 경우에는 일반평가를 기준으로 평가한다. 해당 사안의 경우 공 익사업 외의 목적으로 처분하는 경우이나 해당 공법상 제한조건 이외의 목적이 부가되는바, 해 당 개별적인 제한인 도시계획도로는 반영하지 아니하여 평가한다. 종물은 처분평가에 포함한 다. 또한 조건에 따라 도로는 제외하고 타인점유부분은 철거 후 나지로 처분하므로 나지상정평 가한다.

2. 토지 : 1,380,000 × 1/0.7 ≒ 1,970,000원/㎡(×(532 − 50) = 949,540,000원)

3. 건물 : 443,000 × 1/0.7 ≒ 633,000원/㎡(×1,380 = 873,540,000원)

4. 제시 외 건물 : 168,000 × 1/0.7 ≒ 240,000원/㎡(×30 = 7,200,000원)

5. 평가액 산정

949,540,000 + 873,540,000 + 7,200,000 = 1,830,280,000원

V. 물음 4(보상)

1. 개요

보상목적 평가시 일반적 제한은 제한받는 상태로, 개별적 제한은 제한받지 않는 상태로 평가하므로 도시계획시설 저촉은 제한받지 않는 상태로 평가하고 도시계획시설결정 이전부터 자기토지의 편익증진을 위해 개설한 도로는 사실상 사도에 해당하는바, 인근 토지의 1/3 이내로 평가한다. 또한 토지보상평가는 나지를 기준하므로 타인점유부분은 나지를 기준하고 제시 외 건물은 동일소유이므로 보상평가에 포함하며 건물은 이전비가 취득가격을 초과하는바, 취득가격으로 평가한다.

2. 토지평가

1) 적용 공시지가

실시계획인가고시일이 2005년 3월 25일이므로 2005년 1월 1일 공시지가를 적용한다.

2) 시점수정

① 지가변동률 기준 : 담보평가와 동일

② 생산자물가지수 기준 $(\dfrac{05.7}{04.12})$: $\dfrac{109.9}{108.4} ≒ 1.01384$

③ 결정 : 해당 지역의 지가변동을 잘 나타내는 지가변동률을 기준한다.

3) 지역요인 : 1.000

4) 개별요인(도시계획시설×문화재보호구역) : $\dfrac{1}{0.8+0.2\times0.7} \times 0.9 ≒ 0.957$

5) 그 밖의 요인

① 보상선례 검토 : 최근의 해당 사업과 무관한 보상 완료된 적정한 보상사례라 판단되어 그 밖의 요인보정치 산정을 위한 사례로 선정한다.(해당 사업에 따른 개발이익은 없다고 판단한다)

② 그 밖의 요인비교치 산정

$$\dfrac{2,300,000 \times 1.00690 \times 1.000 \times 1.000}{2,000,000 \times 1.0322} ≒ 1.122$$

상기와 같이 산출되었는바, 그 밖의 요인으로서 10% 상향 보정한다.(1.10)

* 보상선례시점수정(2005.6.1~8.28)은 해당 지역의 지가변동을 잘 나타내는 지가변동률을 기준한다.
  ① 지가변동률 기준 : $1.00237 \times 1.00237 \times (1+0.00237 \times 28/31) ≒ 1.00690$
  ② 생산자물가지수 기준 $(\dfrac{05.7}{05.5})\dfrac{109.9}{109.6} ≒ 1.00274$

6) 토지평가

① 대지부분

$2,000,000 × 1.03226 × 1.000 × 0.957 × 1.10 ≒ 2,170,000$원/㎡($×482 = $
$1,045,940,000$원)

② 도로부분 : $723,000$원/㎡($×50 = 36,150,000$원)

③ 소계 : $1,082,090,000$원

3. 평가액 산정

$1,082,090,000 + 873,540,000 + 7,200,000 = 1,962,830,000$원

Ⅰ. 물음 1(농업손실보상액 산정)

1. B군이 산정한 농업손실보상액(도별 연간 농가평균 단위경작면적당 농작물 총수입 직전 3년간 평균의 2년분)

$2,118 × 900 ≒ 1,906,200$원

2. 실제소득산정기준에 의한 농업손실보상액

1) 단위면적당 실제소득

$$\frac{28,208,000 + 35,310,000}{2} × \frac{1}{900} × 0.56 ≒ 19,761원/㎡$$

2) 전국 작물기준 단위면적당 소득

$$16,365,000 × \frac{1}{100 × 400/121} ≒ 49,504원/㎡$$

3) 실제소득산정기준에 의한 농업손실보상액

실제소득이 전국 작물기준 1.3배 이내이므로 실제소득을 기준으로 2년분을 산정한다.

∴ $19,761 × 2 × 900 ≒ 35,569,800$원

* 실제소득인정기준상 "경작농지 전체면적"이 토지면적(900㎡)을 규정한 것인지, 버섯재배사의 면적(333㎡) 을 규정한 것인지 의문이나, 농업손실보상이라는 점에서 토지면적을 기준한다.[14]

II. 물음 2(현행법령에 따른 합리적인 손실보상 처리방법)

1. 현행법령상 농업손실보상규정에 대한 검토

현행 토지보상법 시행규칙에서는 농업손실보상대상을 농지법 제2조 제1호 가목에 해당하는 토지로 규정하고 있는바, 본건 버섯재배사는 농지법 제2조 제1호 나목에 해당하는 토지로 법규정상 농업손실보상대상이 되는 농지에 해당하지 아니하는 것으로 해석되며, 특히 (구)공공용지취득 및 손실보상에 관한 특례법 시행규칙상으로는 명시적으로 실농보상의 대상으로 규정하고 있던 것을 구법 시행 당시 실농보상의 보상투기문제 등으로 이를 개정한 점 등으로 미루어 볼 때 현행 토지보상법 시행규칙에서는 보상대상에서 제외하고 있는 것으로 해석함이 타당하다고 생각된다.

2. 버섯재배사가 농업손실보상 대상에 해당하지 아니할 경우 손실보상 처리방법

1) 영업손실보상대상인 경우

버섯재배사가 적법한 건축물이고 버섯재배사에서의 버섯생산 및 판매가 적법한 영업행위에 해당한다면, 이는 영업의 휴업손실보상대상에 해당한다고 해석할 수 있을 것이다. 이때는 3월의 영업손실과 휴업기간 동안의 고정적 비용, 이전통상비용, 재고자산이전감손액, 그 밖의 요인부대비용을 보상할 수 있을 것이다.

2) 그 밖의 요인의 경우

영업손실보상대상이 아닌 경우에도 이전통상비용 및 재고자산이전감손액은 동산의 이전비에 해당한다고 볼 수 있으므로 보상이 가능할 것이다.

※ 상기 해설은 출제 당시의 법령을 근거로 작성된 것으로서 현행 토지보상법에 의하면 버섯재배사는 농업손실보상의 대상이 된다. 단, 농작물실제소득인정기준에서 직접 해당 농지의 지력(地力)을 이용하지 아니하고 재배 중인 작물을 이전하여 해당 영농을 계속하는 것이 가능하다고 인정하는 경우에는 단위경작면적당 실제소득(제1호의 요건에 해당하는 경우에는 제1호에 따라 결정된 단위경작면적당 실제소득을 말한다)의 4개월분을 곱하여 산정한 금액으로 보상해야 할 것이다.

---

14) 농작물실제소득인정기준 제2조 제2호 "경작농지 전체면적"이라 함은 농작물 총수입의 산정대상이 되는 경작농지의 면적을 말한다.

05

1. 건축법상 "대지"와 지적법상 "대"

건축법상 "대지"란 건축물이 들어서 있거나 법적으로 들어설 수 있는 토지의 범위로 건축물의 용도, 밀도 등을 규제하기 위한 개념이나, 지적법상 "대"는 필지의 지목을 설정한 것으로 토지의 관리를 위한 개념이다. 이 둘은 일반적으로 일치하나, 건축한계선 등에 의해 차이가 발생하는 경우가 있으므로 평가시 유의해야 한다.

2. 다가구주택과 다세대주택

건축물의 종류 중 다가구주택이란 3층 이하로 연면적 660㎡ 이하이고 19세대 이하가 거주할 수 있는 공동주택에 해당하지 않는 단독주택을, 다세대주택이란 연면적 660㎡ 이하이고 4층 이하인 공동주택을 말한다. 따라서 연면적 660㎡ 이하이고 4층 이하인 주택 중 다가구주택에 해당하지 않는 공동주택이 다세대주택이다. 우리가 일반적으로 알고 있는 원룸과 같은 다가구주택은 토지와 건물로 구성된 복합부동산이나, 다세대주택은 구분소유의 대상이 되는 공동주택이므로 평가시 다가구주택은 토지와 건물로, 다세대주택은 구분건물로 평가하여야 한다.

3. 소재불명, 확인불능

소재불명이란 평가대상물건의 소재를 확인할 수 없는 경우로 기계기구 등의 평가대상물건이 소재하지 않는 경우가 여기에 해당하며, 확인불능이란 평가대상물건이 소재하는 것으로 추정되기는 하나, 소재하는 물건이 평가대상물건과 동일성이 있는지의 여부가 불명확한 경우로 기계기구 등의 평가대상물건이 소재하기는 하나 평가대상물건인지 정확히 확인할 수 없는 경우가 여기에 해당된다.

2006년 감정평가사 제17회

 nswer 40점

01

Ⅰ. 평가개요

본건은 오피스빌딩 2동에 대한 매입가격 등의 산정으로 기준시점은 2006년 8월 27일이다.

Ⅱ. 물음 1

1. 사례 선정

위치적·물적 유사성이 있으며 사정보정, 시점수정이 가능한 사례를 선정하되, 대상 (A)는 물적 유사성이 있는 사례 (1), (3)을, 대상 (B)는 사례 (2), (4)를 기준한다.

2. 대상 부동산 (A)

가. 사례 (1) 기준

1) 평가액 산정

$$9,900,000,000 \times (\underset{사}{\underbrace{\frac{0.2}{1.02} + \frac{0.3}{1.04} + \frac{0.3}{1.06} + \frac{0.2}{1.08}}}) \times \underset{시}{1.06} \times \underset{지}{\frac{100}{105}} \times \underset{개}{1.0} \fallingdotseq 9,521,996,000원$$

2) 토지 및 건물단가 산정

① 토지단가 : $9,521,996,000 \times 0.65 \times \dfrac{1}{1,600} \fallingdotseq 3,870,000원/㎡$

② 건물단가 : $9,521,996,000 \times 0.35 \times \dfrac{1}{6,500} \fallingdotseq 513,000원/㎡$

나. 사례 (3) 기준

1) 평가액 산정

$$8,000,000,000 \times 1.0 \times (1 + 0.06 \times \frac{3}{12}) \times \frac{100}{95} \times \frac{100}{105} \fallingdotseq 8,140,351,000원$$

2) 토지 및 건물단가 산정

① 토지단가 : $8,140,351,000 \times 0.65 \times \dfrac{1}{1,450} ≒ 3,650,000$원/㎡

② 건물단가 : $8,140,351,000 \times 0.35 \times \dfrac{1}{5,800} ≒ 491,000$원/㎡

3. 대상 부동산 (B)

가. 사례 (2) 기준

1) 평가액 산정

$5,800,000,000 \times \{0.6 + 0.4 \times (0.045 \times \dfrac{1.08^5 - 1}{0.08 \times 1.08^5} + \dfrac{1}{1.08^5})\} \times (1 + 0.06 \times$

$\dfrac{6}{12}) \times \dfrac{95}{110} \times \dfrac{100}{105} ≒ 4,639,015,000$원

2) 토지 및 건물단가 산정

① 토지단가 : $4,639,015,000 \times 0.65 \times \dfrac{1}{1,100} ≒ 2,740,000$원/㎡

② 건물단가 : $4,639,015,000 \times 0.35 \times \dfrac{1}{3,100} ≒ 524,000$원/㎡

나. 사례 (4) 기준

1) 평가액 산정

$4,800,000,000 \times \{0.2 + 0.8 \times (0.085 \times \dfrac{1.08^3 - 1}{0.08 \times 1.08^3} + \dfrac{1}{1.08^3})\} \times (1 + 0.06 \times \dfrac{9}{12})$

$\times \dfrac{95}{90} \times \dfrac{100}{95} ≒ 5,630,785,000$원

2) 토지 및 건물단가 산정

① 토지단가 : $5,630,785,000 \times 0.65 \times \dfrac{1}{1,350} ≒ 2,710,000$원/㎡

② 건물단가 : $5,630,785,000 \times 0.35 \times \dfrac{1}{3,800} ≒ 519,000$원/㎡

4. 매입가격 결정

가. A부동산

$\dfrac{(3,870,000 + 3,650,000)}{2} \times 1,500 + \dfrac{(513,000 + 491,000)}{2} \times 6,000 ≒ 8,652,000,000$원

나. B부동산

$\dfrac{(2,740,000 + 2,710,000)}{2} \times 1,200 + \dfrac{(524,000 + 519,000)}{2} \times 3,600 ≒ 5,147,400,000$원

다. 전체 매입가격 산정

8,652,000,000(A부동산) + 5,147,400,000(B부동산) = 13,799,400,000원

III. 물음 2

1. 1차년도 현금흐름 예상

가. 임대사례 선정

물적 유사성에 근거하여 대상 (A)는 임대사례 (1), (3)을 기준으로, 대상 (B)는 임대사례 (2), (4)를 기준으로 임대료를 산정한다.

나. 대상 (A)의 순영업소득

1) 총소득

① 사례 (1) 기준 : $17,500 \times \{1 + (2 \times 0.01 + 8 \times 0.03 - 0.3 \times 0.05)\} \fallingdotseq 21,800$원/㎡

② 사례 (3) 기준 : $17,100 \times \{1 + (5 \times 0.01 - 2 \times 0.03 + 0.3 \times 0.05)\} \fallingdotseq 17,200$원/㎡

③ 총소득 산정 : $(21,800 + 17,200) \div 2 \times 6,000 \times 12 \fallingdotseq 1,404,000,000$원

2) 영업경비 등 : $1,404,000,000 \times (0.4 + 0.05 + 0.025) = 666,900,000$원

3) 순영업소득 : $1,404,000,000 - 666,900,000 \fallingdotseq 737,100,000$원

다. 대상 (B)의 순영업소득

1) 총소득

① 사례 (2) 기준 : $17,800 \times \{1 + (3 \times 0.01 + 0 \times 0.03 - 0.1 \times 0.05)\} \fallingdotseq 18,200$원/㎡

② 사례 (4) 기준 : $17,000 \times \{1 + (4 \times 0.01 - 10 \times 0.03 + 0.2 \times 0.05)\} \fallingdotseq 12,800$원/㎡

③ 총소득 산정 : $(18,200 + 12,800) \div 2 \times 3,600 \times 12 \fallingdotseq 669,600,000$원

2) 영업경비 등 : $669,600,000 \times (0.35 + 0.05 + 0.02) \fallingdotseq 281,232,000$원

3) 순영업소득 : $669,600,000 - 281,232,000 \fallingdotseq 388,368,000$원

라. 배당가능금액

1) 순영업소득 : $737,100,000 + 388,368,000 = 1,125,468,000$원

2) 지급이자 : $(13,799,400,000 - 5,000,000,000) \times 0.065 = 571,961,000$원

3) 배당가능금액(BTCF) : $1,125,468,000 - 571,961,000 = 553,507,000$원

2. 주당 배당수익률 산정

$$\frac{553,507,000 \times 0.95}{5,000 \times 1,000,000} \fallingdotseq 10.52\%$$

IV. 물음 3

1. 각 오피스별 종합환원이율 산정(NOI/P)

(1) A오피스 : $737,100,000 \div 8,652,000,000 \fallingdotseq 8.52\%$

(2) B오피스 : $388,368,000 \div 5,147,400,000 \fallingdotseq 7.55\%$

2. 각 오피스별 지분배당률(R_E) 산정

   (1) A, B오피스의 지분비율 : 5,000,000,000 / 13,799,400,000 ≒ 0.36(36%)

   (2) A오피스의 지분배당률 : R_EA × 0.36 + 6.5% × (1 − 0.36) ≒ 8.52%

      ∴ R_EA ≒ 12.11%

   (3) B오피스의 지분배당률 : R_EB × 0.36 + 6.5% × (1 − 0.36) ≒ 7.55%

      ∴ R_EB ≒ 9.42%

V. 물음 4

1. 2차년도 현금흐름 예상

  가. 각 빌딩별 임대료변동률

    1) A의 임대료변동률 : 0.4 × 0.1 + 0.4 × 0.05 + 0.2 × (−)0.03 ≒ 0.054(5.4%)

    2) B의 임대료변동률 산정 : 0.4 × 0.08 + 0.4 × 0.03 + 0.2 × (−)0.02 ≒ 0.04(4%)

  나. 2차년도 순영업소득

    1) A부동산 : 737,100,000 × 1.054 ≒ 776,903,000원

    2) B부동산 : 388,368,000 × 1.04 ≒ 403,903,000원

  다. 배당가능금액(BTCF)

   (776,903,000 + 403,903,000) − 571,961,000 = 608,845,000원

2. 이론적 주당가치

  가. 주당 배당금 : $\dfrac{608,845,000 \times 0.95}{1,000,000}$ ≒ 578원/주

  나. 이론적 주당가치 : $\dfrac{578}{0.1052}$ ≒ 5,494원/주

02

25점

I. 평가개요

본건은 재개발사업을 위한 종전자산평가 등으로 가격시점, 비교표준지 선정 등에 유의하여 평가한다.

II. 물음 1

1. 가격시점 확정

도시 및 주거환경정비법(이하 "도정법")상 종전자산의 가격시점은 사업시행인가고시일을 기준하므로 2005년 8월 1일을 기준한다.

2. 토지가격 산정

가. 적용 공시지가 및 비교표준지 선정

1) 적용 공시지가

사업시행인가고시일 전을 공시시점으로 하는 공시지가 중 가장 가까운 시점에 고시된 2005년 공시지가를 적용한다.

2) 비교표준지 선정

인근지역에 소재하는 용도지역(2종일주)·이용상황이 동일하고 공법상 제한 및 주위환경 등에서 비교가능성이 높은 표준지를 선정하되, 해당 사업지구 내 소재하는 표준지 (1)을 선정함.(2005년 이전 공시지가에는 해당 공익사업으로 인한 개발이익이 반영되지 않은 것으로 판단됨)

나. 토지가격 산정

$2,400,000 \times 1.02000 \times 1.00 \times 1.000^* \times 1.00^{**} ≒ 2,450,000$원/㎡(294,000,000원)

*) $1.00 \times 1.00 \times 1.00$

**) 특별히 반영을 요하는 그 밖의 요인은 없는 것으로 본다.

3. 건물가격 산정

가. 종전자산평가대상 여부 검토

본건 건물은 1985년 2월 1일에 신축한 무허가건물로서 특정무허가건축물로서 종전자산의 평가대상에 해당된다.

나. 건물가격 산정(만년감가기준)

$$500,000 \times \frac{20}{40} \fallingdotseq 250,000원/㎡(22,500,000원)$$

4. 종전자산가격

294,000,000 + 22,500,000 ≒ 316,500,000원

Ⅲ. 물음 2

1. 가격시점 확정

도정법에서 분양예정자산가격 산정의 기준일자(기준시점)는 특별히 규정하고 있지 않으므로 「감정평가에 관한 규칙」 및 일반감정평가이론에 따라 현장조사 완료일자인 2006년 7월 1일을 기준한다.

2. 10층 1호 일반분양가 산정

$$350,000,000 \times \underset{사}{1.0} \times \underset{시}{0.9000} \times \underset{지(인근)}{1.000} \times \underset{개*}{1.235} \fallingdotseq 389,025,000원$$

* 개별요인 $1.05 \times \frac{100}{85}$

3. 분양예정자산가격 산정

$$389,025,000 \times \left(\frac{100}{110} + \frac{106}{110} + \frac{110}{110} \times 12 + \frac{104}{110}\right) \times 2 + 350,000,000 \times 90 \fallingdotseq 43,029,286,000원$$

Ⅳ. 물음 3

1. 비례율 산정

$$\frac{43,029,286,000 - 23,000,000,000}{316,500,000 \times 100} \times 100 \fallingdotseq 63.28\%$$

2. 권리가액 산정

316,500,000 × 0.6328 ≒ 200,281,000원

3. 정산금 산정

350,000,000 − 200,281,000 ≒ 149,719,000원

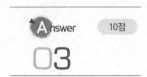

Answer 10점

03

I. 평가개요

본건은 소송의 판결을 위한 토지사용료 평가로 기준시점은 2006년 8월 27일이다. 「감정평가에 관한 규칙」 제22조에 따라 임대사례비교법을 적용하는 것이 원칙이나 인근에 적정한 임대사례가 없어 적산법을 적용한다.

II. 기초가액(시장가치) 산정

1. 비교표준지 선정

인근지역에 소재하는 용도지역(일반상업)·이용상황이 동일하고 공법상 제한 및 주위환경 등에서 비교가능성이 높은 표준지를 선정하되, 본건의 인근지역은 최유효이용이 업무용 등의 상업지대이므로 표준지 (1), (4) 중 도로조건이 유사(광대로)하고 개별요인 격차가 적은 표준지 (4)를 선정한다. [시장가치가 아닌 기초가액으로 산정하였을 경우에는 기대이율을 은행이자율 등을 고려한 요소구성법(조성법)으로 산정하여야 하나, 순수이율 및 위험률 산정자료가 제시되지 아니하여 시장가치로 산정한다.]

2. 시점수정치(2006.1.1~8.27)

$1.012 \times (1 + 0.00005 \times 58/30) ≒ 1.01210$

3. 지역요인 비교치 : 인근지역으로서 대등(1.000)

4. 개별요인 비교치 : $\dfrac{100}{110} \times \dfrac{1}{0.7 + 0.3 \times 0.85} ≒ 0.952$

5. 기초가액 산정

$1,400,000 \times 1.01210 \times 1.000 \times 0.952 \times 1.000 ≒ 1,350,000원/㎡(810,000,000원)$

III. 기대이율 결정

기초가액을 인근지역의 최유효이용을 기준으로 한 시장가치를 산정하였는바, 기대이율은 현재의 임시적(일시적) 이용을 고려하여 상업용지 중 업무·판매시설의 임시적 이용의 중앙값인 5%를 적용한다.

Ⅳ. 토지사용료 평가

$810,000,000 \times 0.05 + 810,000,000 \times 0.003 ≒ 42,930,000$원

Answer   10점

Ⅰ. 평가개요

본건은 공장저당법에 의한 도입기계의 담보평가로 기준시점은 2006년 8월 27일이며, 도입시점은 신고일자인 2004년 8월 1일을 기준하여 감가수정한다.

Ⅱ. 재조달원가 산정

1. 도입기계가격 산정

$100,000 \times 105.0198 \times 0.9979 \times 8.3228 ≒ 87,222,000$원

    CIF   \$ → ¥   기*   ¥ → ₩

* 원산지가 일본(JP)이므로 일반기계의 일본기계가격 보정지수를 적용한다.

2. 관세 산정

$87,222,000 \times 0.08 \times (1 - 0.5) ≒ 3,489,000$원

3. 설치비 및 부대비용

$87,222,000 \times (0.015 + 0.03) ≒ 3,925,000$원

* 공장저당법상 담보평가(사업체평가)이므로 설치비를 고려한다.

4. 농특세

$87,222,000 \times 0.08 \times 0.5 \times 0.2 ≒ 698,000$원

5. 재조달원가

$87,222,000 + 3,489,000 + 3,925,000 + 698,000 ≒ 95,334,000$원

Ⅲ. 평가액 산정

$95,334,000 \times 0.736 ≒ 70,200,000$원

* 잔존가치율 10%, 내용연수 15년, 경과연수 2년 기준 잔존가치율을 적용한다.

05 10점

Ⅰ. 평가개요

본건은 건축물 및 수목보상평가로 가격시점은 2006년 8월 27일이다.

Ⅱ. 건축물

1. 개요

지장물인 건축물은 취득가격을 상한으로 이전비로 평가하되, 비준가액을 고려하여 보상액을 결정한다.

2. 건축물평가액

1) 이전비 산정

$630,000 \times (0.142 + 0.030 + 0.168 + 0.538) \fallingdotseq 553,000$원/㎡(55,300,000원)

2) 취득가격 산정(잔가율 0, 만년감가기준)

$630,000 \times \dfrac{25}{45} \fallingdotseq 350,000$원/㎡(35,000,000원)

3) 비준가액 산정

① 개발이익 배제 후 거래가격[15] : $80,000,000 - 30,000,000 = 50,000,000$원(476,000원/㎡)
② 비준가액 : $476,000 \times 1.0 \times 1.0 \times 0.95 \fallingdotseq 452,000$원/㎡(45,200,000원)

3. 건축물보상액

해당 물건의 가격은 비준가액을 기준하여 45,200,000원이며, 해당 물건의 이전비가 가격을 초과하는바, 해당물건의 가격인 45,200,000원으로 결정한다.

Ⅲ. 수목(배나무)

1. 이전비 산정

1) 이식비 산정

$\{(45,000 \times 0.7 + 30,000 \times 0.29) \times 1.1 + 43,000 \times 0.03 + 2,000\} \times 1.2 \fallingdotseq 57,000$원/주
　　　　굴취·식재　　　　재료　　운반　　상하차　부대

---

15) 사업인정고시 이후의 거래사례로서 거래가액에 주택입주권 등에 의한 가치가 포함된 것으로 본다.

2) 고손액(배나무 이식부적기 고손율 20%)

120,000 × 0.2 ≒ 24,000원/주

3) 감수액

20,000 × (1 - 0.2) × 2.2 ≒ 35,000원/주

4) 이전비

57,000 + 24,000 + 35,000 ≒ 116,000원/주

2. 수목평가액 결정

이전비가 수목가격(120,000원/주)보다 적으므로 이전비로 결정한다.

∴ 116,000×50 ≒ 5,800,000원

1. 평가처리방법

대지권이 미등기된 구분건물은 경매평가시 원칙적으로 대지권을 포함하여 일괄평가하되, 토지 및 건물배분가격을 산정하여 평가서에 기재한다.

2. 1과 같이 처리하는 이유

대지권은 「집합건물의 소유 및 관리에 관한 법률」상 전유부분의 종된 권리이므로 전유부분과 분리하여 처분할 수 없기 때문이다. 다만, 규약으로서 달리 정한 때에는 예외가 인정되므로 원칙적으로는 대지권을 포함하여 일괄평가하되, 토지 및 건물배분가격을 추가적으로 기재하는 것이 경매진행을 원활히 하는데도 타당할 것이기 때문이다.

3. 감정평가서에 기재할 사항

대지권이 없는 구분건물의 경우에는 대지권이 없는 사유, 대지권을 포함하여 평가하였는지 또는 건물만의 가격으로 평가하였는지, 분양계약 내용, 분양대금납부 여부 등을 조사하여 감정평가서에 기재하여야 한다.

2007년 감정평가사 제18회

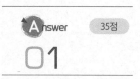

nswer   35점

01

Ⅰ. 평가개요

본건은 상업용 부동산에 대한 일반거래목적의 감정평가로 기준시점은 2007년 8월 26일이다.

Ⅱ. 기본적 사항의 확정

1. 토지

제3종일반주거지역 내 성숙한 노선상가지대의 상업용을 기준하며 동측 2m 도로는 골목길인바 세로(불)로 판단되어 각지로서의 효용이 미미하여 도로접면은 중로한면(15m)으로 결정하되, 도시계획도로 저촉부분(35㎡)은 공법상 제한을 반영하여 평가한다.

2. 건물

증축건물인바, 기존부분(1~10층)과 증축부분(11층)을 구분평가하되, 감가수정시 증축에 따른 내용연수 조정 및 관찰감가에 유의하여 평가한다.

Ⅲ. 물음 1

1. 비교표준지 선정

용도지역, 이용상황, 도로교통(중로한면) 및 지역개황(성숙한 노선상가지대)을 고려하여 표준지 (3)을 선정한다.

2. 시점수정치(2007.1.1~8.26, 주거지역 지가변동률 기준)

$1.00136 \times 1.00519 \times 1.00328 \times 1.00137 \times 1.00420 \times 1.00256 \times (1+0.00256 \times 57/30) ≒ 1.02304$

3. 지역요인 비교치 : 인근지역으로서 대등(1.000)

4. 개별요인 비교치(형상) : 0.93 ≒ 0.930

5. 평가액 산정

$1,100,000 \times 1.02304 \times 1.000 \times 0.930 \times 1.000 ≒ 1,050,000원/㎡$

IV. 물음 2

1. 거래사례 선정

용도지역, 이용상황, 토지면적, 건물층수 등의 제반요인에서 비교가능성이 높은 사례 (1)을 선정한다.

2. 사례토지가격 산정

(1) 사례건물가격 산정

  가. 재조달원가

    1) 주체부분

$$600,000 \times \underset{시*}{0.98905} ≒ 593,000원/㎡$$

* 시점수정(건물신축단가는 가격시점자료로 가정하고 시점수정은 생산자물가지수를 기준함)

$$\frac{2007.1.13}{2007.8.26} ≒ \frac{108.4}{109.6}$$

    2) 부대부분

$$(50,000 + 4,000 + 6,000 + 65,000) \times 0.98905 ≒ 123,0000원/㎡$$

  나. 사례건물가격(부대설비 잔가율도 10%를 기준함. 이하 동일)

$$593,000 \times (1 - 0.9 \times \frac{8}{40}) + 123,000 \times (1 - 0.9 \times \frac{8}{20}) ≒ 564,000원/㎡(\times 1,232㎡$$

$$≒ 694,848,000원)$$

(2) 사례토지가격 산정

$1,235,000,000 - 694,848,000 \times 1.1 = 470,667,000원(932,000원/㎡)$

3. 평가액 산정

$932,000 \times \underset{사}{1.000} \times \underset{시*1}{1.02250} \times \underset{지}{1.000} \times \underset{개}{1.050} ≒ 1,000,000원/㎡$

* 1) 시점수정(2007.1.13~2007.8.26)

    $(1 + 0.00136 \times 19/31) \times 1.00519 \times 1.00328 \times 1.00137 \times 1.00420 \times 1.00256 \times (1 + 0.00256 \times 57/30)$

V. 물음 3

1. 준공시점(2006.1.1) 사례토지가격

(1) 소지매입비

$900,000,000 \times 1.08^3 ≒ 1,133,741,000$원(641,000원/㎡)

(2) 조성공사비

$400,000,000 \times \{(0.5 \times 1.08^2 + 0.5 \times 1.08) + 0.2\} ≒ 529,280,000$원(299,000원/㎡)

(3) 준공시점 사례토지가격 : 940,000원/㎡

2. 기준시점 대상토지가격

$$940,000 \times 1.0 \times \underset{시*}{1.04512} \times 1.000 \times 0.970 ≒ 953,000원/㎡$$

* 시점수정(2006.1.1~2007.8.26)

$1.02158 \times 1.00136 \times 1.00519 \times 1.00328 \times 1.00137 \times 1.00420 \times 1.00256 \times (1 + 0.00256 \times 57/30)$

VI. 물음 4

1. 사례상각 후 순수익 산정

가. 총수익

$10,000,000 + 144,000,000 + 14,000,000 ≒ 168,000,000$원

나. 총비용

1) 감가상각비

$600,000 \times 1,200 \times 0.9 \times \dfrac{1}{40} + \{(60,000 + 4,000 + 6,000 + 65,000) \times 1,200 +$

$180,000,000\} \times 0.9 \times \dfrac{1}{20} ≒ 31,590,000$원

2) 총비용(장기차입이자 제외)

$31,590,000 + 6,000,000 + 8,000,000 + 3,000,000 + 15,000,000 + 2,000,000$
$≒ 65,590,000$원

다. 사례상각 후 순수익

$168,000,000 - 65,590,000 ≒ 102,410,000$원

2. 사례토지귀속순수익 산정

가. 사례건물가격

① 주체부분 : $600,000 \times (1 - 0.9 \times \dfrac{6}{40}) ≒ 519,000원/㎡$

② 부대부분 : $(60,000 + 4,000 + 6,000 + 65,000 + 150,000^{*}) \times (1 - 0.9 \times \frac{6}{20})$

　　≒ 208,000원/㎡

　　*) $180,000,000 \div 1,200$

③ 평가액 : $519,000 + 208,000 = 727,000원/㎡(\times 1,200 = 872,400,000원)$

나. 사례토지귀속순수익

$102,410,000 - 872,400,000 \times 0.1 ≒ 15,170,000원(27,582원/㎡)$

3. 대상토지귀속순수익 산정

$27,582 \times 1.0 \times 1.00000 \times 1.000 \times 0.97 ≒ 26,755원$

4. 평가액 산정

$\frac{26,755}{0.08} ≒ 334,000원/㎡$

Ⅶ. 물음 5

1. 토지가격 결정

「감정평가에 관한 규칙」에 의거하여 공시지가기준법에 의하여 평가하되, 거래사례비교법, 조성원가법에 의하여 그 합리성이 지지되는 것으로 판단된다. 수익환원법에 의한 가액과는 현저한 차이를 보이고 있는데, 이는 본건과 임대사례의 토지와 건물의 가격구성비 차이가 현저하게 차이가 나며, 순수익을 배분하는 과정이 현실적이지 못하다는 점을 그 이유로 할 수 있다.

－ 미저촉부분(465㎡) : 1,050,000원/㎡(488,250,000원)

－ 저촉부분(35㎡) : 893,000원/㎡(31,255,000원)

－ 소계 : 519,505,000원

2. 건물평가

가. 개요 : 본건의 공사비는 사정개입 및 시점수정이 곤란한바, 건물신축단가를 기준으로 산정한다.

나. 기존부분

1) 주체부분 : $600,000 \times (1 - 0.9 \times \frac{13}{40}) ≒ 424,000원/㎡$

2) 부대부분 : $(50,000 + 4,000 + 65,000) \times (1 - 0.9 \times \frac{13}{20}) ≒ 49,000원/㎡$

3) 평가액 : $424,000 + 49,000 = 473,000원/㎡(\times 1,200 = 567,600,000원)$

다. 증축부분[16]

1) 주체부분 : $510,000 \times (1 - 0.9 \times \dfrac{4}{27+4}) \fallingdotseq 450,000$원/㎡

2) 부대부분 : $(50,000 + 4,000 + 65,000) \times (1 - 0.9 \times \dfrac{4}{20}) \fallingdotseq 97,000$원/㎡

3) 평가액 : $450,000 + 97,000 = 547,000$원/㎡($\times 60 = 32,820,000$원)

라. 건물평가액 : $567,600,000 + 32,820,000 = 600,420,000$원

3. 감정평가액 결정

$519,505,000 + 600,420,000 \fallingdotseq 1,119,925,000$원

Answer　30점

02

Ⅰ. 평가개요

본건은 주거용 부동산에 대한 담보목적의 감정평가로 기준시점이 별도로 제시되지 않았는 바, 현장조사 완료일자인 2007년 8월 25일을 기준한다.

Ⅱ. 물음 1(담보평가시 준수사항)[17]

1. 성실·공정하게 담보평가업무를 수행하여야 하며, 정당한 이유없이 평가를 기피하거나 반려하여서는 아니 된다.

2. 평가의뢰서에 처리기간이 명시되어 있는 경우에는 그 기간 내에 처리하여야 한다. 다만, 그 기간 내에 처리가 사실상 곤란하거나 업무를 수행할 수 없는 정당한 사유가 있을 때에는 그 사유를 평가의뢰한 금융기관 등에 통지하여야 한다.

3. 감정평가서에는 평가가격의 산출근거를 명시하여 평가의 공정성과 객관성이 유지되도록 하여야 한다.

---

16) 증축부분의 부대설비는 기존주체부분의 잔존내용연수 이내이므로 증축에 따른 별도의 내용연수 조정을 하지 않음.

17) 담보평가지침 제4조

4. 직접 이해관계가 있는 물건에 대하여 평가를 하여서는 아니 되며, 평가와 관련하여 알게 된 비밀을 정당한 사유 없이 외부에 누설하여서는 아니 된다.

5. 담보물건의 평가를 의뢰한 금융기관 등으로부터 자료제출 등의 요청이 있을 때에는 특별한 사유가 있는 경우를 제외하고는 이에 적극적으로 응하여야 한다.

6. 기타 담보물건의 평가와 관련하여 감정평가사의 윤리강령 및 윤리규정 등을 준수하여야 한다.

III. 물음 2

1. 등기부상 권리내역분석

1) 토지·건물소유자 : 박○○

2) 근저당권 : 채권최고액 336,000,000원(토지·건물 공동담보, 근저당권자 : IBK은행)

2. 대출가능금액 판단시 필요한 사항

1) 감정평가금액

2) 소유권 외 권리내역(저당권 등)

3) 임대차 내역(본건 임대보증금 총 175,000,000원)

4) 주택임대차 및 상가임대차보호법 대상 여부 등

IV. 물음 3

1. 기본적 사항의 확정

가. 토지

제1종일반주거지역 내 주상용 토지로 남측은 시설녹지(3미터 높이의 조경수목 밀식)에 접하는바, 도로접면은 소로한면으로 판단되며 토지면적은 215.8㎡이다.

나. 건물

철근콘크리트조 지하 1층 지상 3층 주상용 건물로 사용승인일은 1996년 12월 26일이며 3층의 실제면적이 60㎡인바 담보목적임을 고려하여 실제면적을 기준으로 평가한다.

2. 토지평가

1) 비교표준지 선정

용도지역, 이용상황, 도로접면(소로한면)을 고려하여 동일노선에 소재하는 표준지 (2)를 선정한다.

2) 시점수정치(2007.1.1~8.25, 주거지역기준)

$1.01373 \times (1 + 0.00246 \times 31/30) \times (1 + 0.00246 \times 25/30) ≒ 1.01839$

3) 지역요인 비교치 : 인근지역으로서 대등(1.000)

4) 개별요인 비교치 : 100/105 ≒ 0.952

5) 그 밖의 요인 검토[18]

① 격차율 검토

$$\frac{2,170,000 \times 1.000 \times 1.00230^* \times 1.000 \times 1.000}{2,250,000 \times 1.01839 \times 1.000 \times 0.952} \fallingdotseq 0.997$$

* 시점 : $1 + 0.00246 \times 28/30$

② 인근의 지가수준 : 2,150,000원/㎡~2,250,000원/㎡

③ 결정 : 상기 격차율 및 인근 지가수준을 고려하여 그 밖의 요인비교치는 0.95로 본다.

6) 표준지 공시지가기준 평가

$2,250,000 \times 1.01839 \times 1.000 \times \frac{100}{105} \times 0.95 \fallingdotseq 2,070,000$원/㎡($\times 215.8$ = 446,706,000원)

3. 건물의 평가

1) 재조달원가

- 지하 : $600,000 \times 0.7 = 420,000$원/㎡
- 지상 근생 : $600,000 + 20,000 = 620,000$원/㎡
- 지상 주택 : $800,000 + 40,000 + 50,000 = 890,000$원/㎡

2) 건물의 평가액

- 지하 : $420,000 \times 40/50 = 336,000$원/㎡($\times 106.7 = 35,851,200$원)
- 지상 근생 : $620,000 \times 40/50 = 496,000$원/㎡($\times 106.7 = 52,923,200$원)
- 지상 주택 : $890,000 \times 40/50 = 712,000$원/㎡ ($\times 167.48^* = 119,245,760$원)

*) 일부 현황면적 기준

- 평가액 : 208,020,160원

4. 평가액 결정

$446,706,000 + 208,020,160 \fallingdotseq 654,726,160$원

V. 물음 4(발송 전 심사(검토)사항)[19]

1. 공부내용과 현황의 일치 여부
2. 적용 공시지가 표준지 선정의 적정성
3. 평가가격 산출과정의 적정성
4. 건물 등의 재조달원가 및 내용연수 산정 등의 적정성

---

18) 출제 당시 그 밖의 요인비교는 수험목적상 필수절차는 아니었으나 적절한 평가선례가 제시되어 처리하였다.
19) 담보평가지침 제10조

5. 감정평가서 필수적 기재사항 누락 여부

6. 감정평가수수료 산정의 적정성

7. 기타 필요한 사항

20점

03

I. 평가개요

1. 본건은 토지 및 지장물에 대한 총보상액 산정으로 가격시점은 별도로 제시되어 있지 않으므로 현장조사 완료일자인 2007년 1월 20일을 기준한다.

2. 본건 토지평가시 해당 공익사업으로 인한 사업지구 내 개발이익은 배제하고 다른 공익사업으로 인한 개발이익은 고려하여 평가한다.

3. 개별적 제한인 도시계획시설도로 저촉은 제한받지 않는 상태로 평가하되, 일반적 제한인 군사시설보호구역은 제한받는 상태로 평가한다.

4. 지장물은 현황을 기준으로 해당 물건의 가격을 상한으로 한 이전비로 평가하되, 축사는 행위제한일 이전에 신축된 것이므로 보상대상이다.

5. 총보상액 산정시 주거용 건축물의 재편입에 따른 가산보상문제, 별도의 이주대책이 없는 경우에는 이주정착금 보상문제 그리고 소유자에 대한 2개월분의 주거이전비 및 이사비 등의 생활보상이 검토되어야 한다.

II. 토지보상평가

1. 적용 공시지가

택지개발사업의 사업인정고시의제일이 택지개발예정지구 지정고시일인바, 본건의 적용 공시지가는 「공익사업을 위한 토지 등의 취득 및 보상에 관한 법률」 제70조 제4항에 의거 2004년 1월 1일을 기준한다.[20]

---

20) 택지개발촉진법의 개정(2007년 4월 20일 개정, 공포 후 3개월이 경과한 날부터 시행)으로 택지개발사업의

2. 비교표준지 선정

사업지구 내의 인근지역 내 동일용도지역 표준지 중 개별적 제한인 도시계획시설도로에 저촉되지 않고 일반적 제한인 군사시설보호구역에 저촉되며, 이용상황 등에서 비교가능성이 높은 표준지 (2)를 선정한다.

3. 시점수정치(2004.1.1~2007.1.20, 녹지지역 기준하되, 2004년은 2005년과 동일하게 변동된 것으로 봄)

$1.02365 \times 1.02365 \times 1.03016 \times (1 + 0.02333 \times 20/90) \fallingdotseq 1.08506$

4. 지역요인 비교치 : 인근지역으로서 대등함(1.000)

5. 개별요인 비교치 : $\dfrac{1.07}{1.10} \times \dfrac{1.05}{1.00} \times \dfrac{1.00}{1.00} \fallingdotseq 1.021$

6. 평가액 산정

$160,000 \times 1.08506 \times 1.00 \times 1.021 \times 1.10 \fallingdotseq 195,000$원/㎡($\times 500 \fallingdotseq 97,500,000$원)
그*

*3) 다른 공익사업으로 인한 개발이익(10%)이 지가변동률에 반영되지 않은 것으로 판단되어 별도로 그 밖의 요인보정을 한다.

III. 지장물 보상평가

1. 이전비 산정

1) 기호 (1) : 공부와 현황의 차이가 있으나 현황평가원칙에 따라서 평가한다.

$520,000 \times (0.207 + 0.143 + 0.135 + 0.208 - 0.053 + 0.168) \fallingdotseq 420,000$원/㎡($\times 45$ = 18,900,000원)

2) 기호 (2)

$480,000 \times (0.120 + 0.153 + 0.141 + 0.111 + 0.165 - 0.065) \fallingdotseq 300,000$원/㎡($\times 18$ = 5,400,000원)

3) 기호 (3)

$150,000 \times (0.115 + 0.145 + 0.140 + 0.110 + 0.169 - 0.014) \fallingdotseq 100,000$원/㎡($\times 155$ = 15,500,000원)

사업인정고시의제일은 택지개발계획승인고시일에서 택지개발예정지구지정고시일로 변경되었다.(출제 당시 가격시점을 기준시 택지개발계획승인고시일이 사업인정고시일이 된다) 따라서 본서에서는 현행법상 사업인정고시의제일인 택지개발예정지구지정고시일을 기준으로 답안을 해설하였다.

2. 취득가격 산정

   1) 기호 (1)

$$520,000 \times \frac{19}{35} ≒ 282,000원/㎡(\times 45 = 12,690,000원)$$

   2) 기호 (2)

$$480,000 \times \frac{32}{45} ≒ 341,000원/㎡(\times 18 = 6,138,000원)$$

   3) 기호 (3)

$$150,000 \times \frac{10}{20} ≒ 75,000원/㎡(\times 155 = 11,625,000원)$$

3. 지장물 보상평가액

   이전비와 취득가격 중 적은 금액으로 결정한다.

   ∴ 12,690,000 + 6,000,000[21] + 11,625,000 ≒ 30,315,000원

IV. 총보상액 산정

1. 토지·지장물

   97,500,000 + 30,315,000 ≒ 127,815,000원

2. 재편입가산보상 등 검토 및 산정

   1) 재편입가산보상

     주거용 건축물을 보상받고 20년 이내에 동일소유자의 주거용 건축물이 다른 공익사업에 재편입되는 경우에는 1,000만원을 상한으로 대지 및 주거용 건축물 평가액의 30%를 가산보상하는 바, 본건은 재편입가산보상의 대상으로 판단된다.

     (97,500,000 + 12,690,000 + 5,400,000) × 0.3 ≒ 34,677,000원(상한인 10,000,000원을 보상한다)

   2) 이주정착금

     주거용 건축물이 공익사업에 편입되는 경우에는 이주대책 또는 이주정착금(600만원 ≤ 주거용 건축물가격 × 0.3 ≤ 1,200만원)이 지급되어야 하는 바, 본건의 경우 이주대책에 대한 별도의 언급이 없어 이주정착금 지급대상으로 판단된다.

     (12,690,000 + 5,400,000) × 0.3 ≒ 5,427,000원

---

21) 보상금은 토지보상법 시행규칙 제58조에 의하여 최저보상액인 600만원이 지급됨.

3) 주거이전비 등

실제 거주하는 주거용 건축물 소유자에 대하여는 2개월분의 주거이전비 지급대상이며, 주거용 건축물 내 가재도구에 대하여는 이사비 지급대상이므로 이에 대한 보상액이 지급되어야 한다.

15점

Ⅰ. 평가개요

본건은 비상장주식에 대한 감정평가로 기준시점은 2006년 12월 31일이다.

Ⅱ. 건물 및 기계기구의 감정평가액

1. 건물 평가

$$500,000 \times \frac{145}{100} \times 1,800 \times (1 - 0.9 \times \frac{5}{50}) \fallingdotseq 1,187,550,000원$$

2. 기계기구 평가(내용연수 15년, 경과연수 5년, 잔가율 10%)

$$3,800,000,000 \times 0.464 \fallingdotseq 1,763,200,000원$$

III. 순자산가치의 산정

1. 수정 후 재무상태표

구분	수정 전	조정내역	수정 후
현금예금	550,000,000	−	550,000,000
유가증권	150,000,000	−20,000,000	130,000,000
외상매출금 및 받을어음	1,300,000,000 (16,000,000)	−10,000,000	1,274,000,000*
재고자산	200,000,000	−	200,000,000
선급비용	50,000,000	−30,000,000	20,000,000
부도어음	100,000,000	−50,000,000	50,000,000
토지	945,000,000	315,000,000	1,260,000,000
건물	900,000,000 (64,800,000)	352,350,000	187,550,000
기계기구	3,500,000,000 (1,606,500,000)	−130,300,000	1,763,200,000
창업비	20,000,000	−20,000,000	0
자산소계			6,434,750,000
외상매입금	400,000,000	−	400,000,000
지급어음	600,000,000	−	600,000,000
미지급비용	150,000,000	30,000,000	180,000,000
단기차입금	2,000,000,000	−	2,000,000,000
퇴직급여충당금	180,000,000	20,000,000	200,000,000
부채소계			3,380,000,000

* $(500,000,000 + 800,000,000) \times (1 - 0.02)$

2. 순자산(지분)가치 산정

$$6,434,750,000 - 3,380,000,000 = 3,054,750,000원$$

IV. 평가액 산정

$$\frac{3,054,750,000}{300,000} ≒ 10,183원/주$$

2008년 감정평가사 제19회

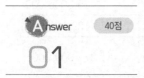

Answer 40점

01

Ⅰ. 평가개요

본건은 택지개발사업에 편입된 토지 및 지장물 등에 대한 이의재결 평가로서 관련법령에 의거하여 평가한다.

Ⅱ. (물음 1) 토지의 보상액 산정

1. 가격시점 결정

토지보상법 제67조에 의거 수용재결일인 2008.8.25일을 가격시점으로 한다.

2. 적용 공시지가 선정[22]

1) 기호 1~기호 3

택지개발촉진법상 "개발계획승인고시일"이 사업인정의제가 되는바, 토지보상법 제70조 제4항에 근거하여 이전 최근 공시지가인 2007년 공시지가를 선정한다.

2) 기호 4

사업구역의 확장에 의한 추가세목고시된 토지로서 "추가세목고시일"을 사업인정의제일로 보아 이전 최근 공시지가인 2008년 공시지가를 선정한다.

3. 용도지역 등 결정

해당 사업으로 인한 용도지역의 변경은 반영하지 않으므로 "자연녹지"를 기준으로 하며, GB는 일반적 제한으로서 반영하고, 도시계획시설도로는 개별적 제한으로서 반영하지 아니한다.

---

22) 본 문제는 출제 당시의 택지개발촉진법에 따른 사업인정의제일을 기준으로 해설하고 있다. 즉, "개발계획승인고시"가 사업인정의제가 되고 있다. 현행 택지개발촉진법(경과규칙상 주민공고 및 공람일이 2007.7.21일 이후인 경우)에서는 "예정지구지정고시일"이 사업인정의제가 되고 있다는 점을 참고하길 바란다. 본 문제에 제시된 연도별 공시지가 자료로서 현행 택지개발촉진법상의 규정을 적용할 수가 없다.

4. 비교표준지의 선정

  1) 선정기준

    용도지역, 이용상황, 주위환경, 지리적 접근성, 공법상 제한의 유사성, 인근지역에 위치한
    표준지를 선정한다.

  2) 기호 #1

    GB, 자연녹지지역 내 주상용 건부지로서 동일한 용도가 없어 이와 유사한 주거용 건부지를
    기준하여 표준지 D를 선정한다.

  3) 기호 #2

    지목이 대로서 GB, 자연녹지지역 내 건축물이 있는 부지를 기준하여 표준지 D를 선정하되,
    대지로 평가하므로 별도의 건축허가비용은 고려치 아니한다.(일시적 이용)[23]

  4) 기호 #3

    불법형질변경토지로서 현황평가의 예외로 형질변경 당시의 이용상황은 임야를 기준하여 표
    준지 G를 선정한다.

  5) 기호 #4

    GB, 자연녹지지역 내 전을 기준하여 표준지 F를 선정한다.

5. 시점수정치 결정

  1) 처리방침

    해당 공익사업의 영향으로 해당 시·군·구의 지가변동률이 인근 시·군·구에 비하여 높
    게 나타났으므로 개발이익 배제를 위하여 인접한 시·군·구의 평균 지가변동률을 적용하
    되, 생산자물가상승률과 비교한다.

  2) 기호 #1~3(2007.1.1~2008.8.25)

    (1) 지가변동률 기준

강남구	동작구	수정구	평균
1.06698	1.04772	1.04243	1.05238

    * 계산예시(강남구) : 1.03555 × 1.02373 × 1.00335 × (1+0.00385 × 25/31)

    (2) 생산자물가상승률 기준(2008.08 ÷ 2006.12)
        133.5 ÷ 130.2 = 1.02535

---

23) 개발제한구역 내 건축허가를 받은 부지는 건축물이 있는 토지를 기준으로 평가한다.

3) 기호 #4(2008.1.1~2008.8.25)

(1) 지가변동률 기준

강남구	동작구	수정구	평균
1.03035	1.01968	1.02019	1.02341

(2) 생산자물가상승률 기준(2008.08 ÷ 2007.12)

133.5 ÷ 132.5 = 1.00755

4) 결정

대상토지의 가격변동을 잘 반영하는 지가변동률을 기준한다.

6. 지역요인 비교치 : 인근지역으로서 대등함(1.000)

7. 개별요인 비교치

1) 기호 1 : 1.20 × 1.05 × 0.92 × 0.90 × 1.03 ≒ 1.075

2) 기호 2 : 0.95 × 1.03 ≒ 0.979

3) 기호 4 : 1.11 × 1.14 ≒ 1.265

8. 그 밖의 요인보정치

1) 기호 #1, 2

(1) 선례선택 : 주상용, 강남구 세곡동 424-5번지 기준[24]

(2) 격차율(표준지 D 기준)

$$\frac{700,000 \times 1.01200 \times 1.000 \times 1.171^*}{500,000 \times 1.05238} ≒ 1.576$$

*) 0.83 × 1.11 × 1.18 × 1.11 × 0.97

(3) 그 밖의 요인보정치 결정

격차율이 약 1.576배 정도로 산출되는바, 본건에 적용할 그 밖의 요인으로서 이를 반영하여 57% 상향 보정한다.(1.57)

2) 기호 #4

(1) 선례선택 : 전, 강남구 세곡동 500번지 기준

(2) 격차율(표준지 F 기준)

$$\frac{240,000 \times 1.01200 \times 1.000 \times 1.154^*}{180,000 \times 1.02341} ≒ 1.521$$

*) 1.13 × 0.92 × 1.11

---

24) 보상선례가 사업인정의제일 이후의 선례이나 해당 사업으로 인한 개발이익이 반영되지 아니한 것으로 가정한다.

(3) 그 밖의 요인보정치 결정

　　격차율이 약 1.521배 정도로 산출되는바, 본건에 적용할 그 밖의 요인으로서 이를 반영하여 52% 상향 보정한다.(1.52)

9. 토지보상액

1) 기호 #1

$500,000 \times 1.05238 \times 1.00 \times 1.075 \times 1.57 \fallingdotseq 877,000$원/㎡($\times 350 \fallingdotseq 310,800,000$원)

2) 기호 #2

$500,000 \times 1.05238 \times 1.00 \times 0.979 \times 1.57 \fallingdotseq 798,000$원/㎡($\times 450 \fallingdotseq 364,050,000$원)

3) 기호 #4

$180,000 \times 1.02341 \times 1.00 \times 1.265 \times 1.52 \fallingdotseq 350,000$원/㎡($\times 900 \fallingdotseq 318,600,000$원)

III. (물음 2) 건물의 보상액

1. 기호 #가

1) 처리방침

본건은 구축물에 해당하여 건축물의 보상방법과 동일하며, 일부 편입의 경우로서 전체 가격과 전체 이전비, 일부가격 + 잔여부분 보수비를 비교하여 결정한다.

2) 전체 가격(원가법)

$550,000 \times 27/45 \fallingdotseq 330,000$원/㎡($\times 50 = 16,500,000$원)

3) 전체 이전비(시설개선비 제외, 보충자재비는 시설개선과 관련이 없다고 판단하여 이전비에 포함하였음. 건축허가비는 기존건물의 효용유지에 필요하다고 보아 포함[25]. 이하 동일)

$4,000,000 + 1,500,000 + 1,200,000 + (20,000,000 - 5,000,000) + 5,000,000 + 5,000,000 + 12,000,000 = 43,700,000$원

4) 편입부분가격 + 보수비

(1) 편입부분가격

　　$16,500,000 \times 20/50 \fallingdotseq 6,600,000$원

(2) 보수비

　　① 보수면적 : $(5^2 + 8^2)^{1/2} \times 2 \fallingdotseq 18.9$㎡

　　② 보수비 : $400,000 \times 18.9$㎡ $+ 50,000 \times 30$㎡(잔여건축물 면적기준한다고 봄)
　　　$\fallingdotseq 9,060,000$원

(3) 소계 : $6,600,000 + 9,060,000 \fallingdotseq 15,660,000$원

---

25) 토지보상법 시행규칙 제2조(정의) 제4호

5) 결정

편입부분 가격 + 보수비가 가장 낮으므로 이를 기준으로 보상한다.(15,660,000원)

2. 기호 #나

1) 처리방침

해당 물건의 가격과 이전비를 비교하여 결정한다.

2) 해당 물건의 가격

$450,000 \times 11/40 ≒ 123,000원/㎡(\times 40 = 4,920,000원)$

3) 이전비

$2,000,000 + 1,200,000 + 1,000,000 + (15,000,000 - 5,000,000) + 3,000,000 + 3,000,000$
$= 20,200,000원$

4) 결정

이전비가 해당 물건의 가격보다 큰 바, 그 밖의 요인으로서 해당 물건의 가격을 기준으로
한다.(4,920,000원)

Ⅳ. (물음 3) 영업손실의 평가

1. 영업허가를 득하고 영업장소가 적법인 경우

1) 처리방침

휴업기간 동안의 영업이익과 고정적 비용, 이전비 등을 반영하며, 휴업기간은 미제시되어
"4개월"을 기준으로 한다.

2) 휴업기간 중 영업이익

(1) 재무제표 기준

최근 3년간의 평균을 기준으로 하되, 해당 사업으로 인한 영향은 배제한다.(매출액 −
매출원가 − 일반관리비)

2004년	2005년	2006년	평균(4개월)
58,000,000	65,000,000	77,000,000	22,222,000

(2) 과세표준액 기준

$(110,000,000 + 120,000,000 + 150,000,000) \div 3 \times 0.2 \times 4/12 ≒ 8,444,000원$

(3) 동종 유사규모업종 기준

$220,000,000 \times 0.3 \times 4/12 ≒ 22,000,000원$

(4) 최저 한도액(개인영업, 도시근로자 3인가구 4개월분 가계지출비)

$3,000,000 \times 4개월 ≒ 12,000,000원$

(5) 결정

재무제표를 기준으로 한 영업이익의 신뢰성이 인정되고 최저 한도액 이상인바, 이를 기준으로 하여 결정한다.(22,222,000원)

3) 고정경비 : $600,000 \times 4/12 + 500,000 \times 4 = 2,200,000$원

4) 이전비 등 : $3,000,000 + 2,000,000 + 30,000,000 \times 0.1 ≒ 8,000,000$원

5) 부대비용 : 2,000,000원

6) 영업장소 이전 후 발생하는 영업이익 감소액 : $22,222,000 \times 0.2 = 4,444,000$원

7) 영업보상액

$22,222,000 + 2,200,000 + 8,000,000 + 2,000,000 + 4,444,000 ≒ 38,866,000$원

2. 영업허가를 득하고 영업장소가 무허가건축물인 경우

1) 처리방침

무허가건축물 내의 임차인의 영업으로서 사업인정고시일 등 1년 이전부터 사업자 등록을 하였으므로 보상대상이 되는 영업이다.(1천만원 한도에 이전비 등을 가산하여 보상함)

2) 영업보상액

(1) 영업이익, 고정비용, 부대비용 등(1천만원 한도)

$22,222,000 + 2,200,000 + 2,000,000 + 4,444,000 ≒ 30,866,400$원

(1천만원을 초과하는바, 1천만원으로 결정한다)

(2) 보상액

$10,000,000 + 8,000,000 ≒ 18,000,000$원

3. 무허가영업이며, 영업장소가 적법한 경우

1) 처리방침

무허가영업보상 특례에 의하여 도시근로자 3인가구 3개월분 가계지출비에 이전비 등으로 보상한다.

2) 보상액

$3,000,000 \times 3 + 8,000,000 ≒ 17,000,000$원

4. 무허가영업이고 영업장소가 무허가건축물인 경우

1) 처리방침

영업보상의 대상이 되는 영업이 아니며, 영업시설의 이전비 등만 보상한다.

2) 보상액 : 8,000,000원

Answer 35점

02

Ⅰ. 평가개요

1. 본건은 토지에 대한 가치의 종류에 따른 평가로서 각 물음에 답한다.

2. 의뢰인인 J씨가 등기부등본을 첨부하여 의뢰하였으나 등기부등본의 표제부가 아직 경정등기되지 않은 것으로 판단되고, 현재는 C시 D읍 E리 30번지 및 30-1번지로 분필된 바, 양 필지 모두를 평가대상으로 확정한다. 건물은 현황 멸실되었고 건축물대장이 존재하지 않는 등 멸실신고 수리된 것으로 판단되나 건물등기부등본은 폐쇄등기되지 않은 것으로 판단된다.

Ⅱ. (물음 1) 토지의 시장가치(기준시점 : 2008.1.1)

1. 처리방침

   1) 정상가격의 개념[26]

   정상가격이란, 대상물건이 통상적인 시장에서 충분한 기간 거래된 후 그 대상물건의 내용에 정통한 거래당사자 간에 통상 성립한다고 인정되는 적정가격이다.

   2) 본건의 평가기준

   C시 D읍 E리 30번지는 일시적으로 주차장으로 이용되는 것으로 판단되는바, 인근의 표준적인 이용상황 및 공부상 지목을 고려하여 전으로 평가한다. C시 D읍 E리 30-1번지는 공부상 지목은 임야이나 현황 농지로서 현황을 기준으로 평가한다. 한편, C시 D읍 E리 30-1번지상의 보존 묘지(30㎡)는 시장성이 없는 것으로 판단하여 평가외한다.

2. 비교표준지 선정

   C시 D읍 E리 30번지는 관리지역, 전으로 본건과 유사한 표준지 1을 선정하며, C시 D읍 E리 30-1번지는 관리지역, 전으로서 유사한 표준지 1을 선정한다.[27]

---

26) 출제 당시에는 정상가격의 개념이 문제였으나, 현재는 시장가치의 개념을 숙지하면 될 것이다.

27) E리 30-1번지에 대해서는 시장가치의 평가임을 고려하여 공부상 지목에도 불구하고 현황에 따라 "전"인 표준지를 선정하였으나, 표준지 6(관리, 토지임야)의 실제 이용상황이 본건과 유사하다면 해당 표준지의 선택이 가능할 것이다.

3. 평가액

1) C시 D읍 E리 30번지

$62,000 \times 1.00000 \times 1.00 \times 1.071^* \times 1.00 ≒ 66,000$원/㎡($\times 300 ≒ 19,800,000$원)

*) 1.04×1.03

2) C시 D읍 E리 30 - 1번지

$62,000 \times 1.00000 \times 1.00 \times 1.071^* \times 1.00 ≒ 66,000$원/㎡($\times 300 ≒ 19,800,000$원)

*) 1.04×1.03(지적현황 참고하여 가장형으로 봄)

III. (물음 2) 토지의 기초가액(가격시점 : 2008.1.1)

1. 처리방침

1) 기초가액의 개념

기초가액이란 임대료 산정의 기초가 되는 가격으로서 계약기간 동안의 계약내용대로 사용할 것을 전제로 한 가격이다.(이론적 적산법)

2) 본건의 평가기준

C시 D읍 E리 30번지는 계약서상의 이용상황인 주차장을 기준으로 평가하며, C시 D읍 E리 30-1번지는 전을 기준으로 평가한다. 또한 보존묘지부분은 임대차계약서상 목적물에 포함되어 있으며 사용가치가 있다고 판단하여 면적에 산입한다.

2. 비교표준지 선정

C시 D읍 E리 30번지는 관리지역, 주차장으로서 이와 유사한 표준지 4를 선정하며, C시 D읍 E리 30-1번지는 관리지역, 전으로서 유사한 표준지 1을 선정한다.

3. 평가액

1) C시 D읍 E리 30번지

$68,000 \times 1.00000 \times 1.00 \times 1.040^* \times 1.00 ≒ 71,000$원/㎡($\times 300 = 21,300,000$원)

*) $1.00 \times 1.04 \times 1.00$

2) C시 D읍 E리 30 - 1번지

$62,000 \times 1.00000 \times 1.00 \times 1.071^* \times 1.00 ≒ 66,000$원/㎡($\times 330 = 21,780,000$원)

*) 1.04(지적현황 참고하여 가장형으로 봄) $\times 1.03$

Ⅳ. (물음 3) 토지의 투자가격(기준시점 : 2008.1.1)

1. 투자가격의 개념

투자가격이란 투자자가 계획하고 있는 투자안과 투자자의 요구수익률을 반영하였을 경우 산정되는 가치이다.

2. 투자타당성 검토(소득수익률 기준)

1) 순영업소득 산정

(1) 규모 − 객실당 PGI의 관계

① 변수의 결정($y = ax + b$)

독립변수 : 규모, 종속변수 : 객실당 PGI

② 회귀식 결정 : $y = 6.80x + 596$($R^2 ≒ 98\%$로서 유의함)

③ 대상 부동산의 객실당 PGI($x = 30$) : $(6.80 × 30 + 596) × 1,000 ≒ 800,000$원/실

(2) 규모 − 객실당 점유율의 관계

① 변수의 결정($y = ax + b$)

독립변수 : 규모, 종속변수 : 객실당 점유율

② 회귀식 결정 : $y = 0.46x + 66.86$($R2 ≒ 88\%$로서 유의함)

③ 대상 부동산의 객실당 점유율($x = 30$) : $0.46 × 30 + 66.86 ≒ 80.66\%$

(3) 객실가능총수익의 산정 : $800,000 × 30 × 12월 + 10,000 × 30 × 12월 ≒ 291,600,000$원

(4) EGI의 산정 : $291,600,000 × 0.8066 ≒ 235,205,000$원

(5) NOI의 산정 : $235,205,000 − (1,200,000 + 0.4 × 291,600,000) ≒ 117,365,000$원

2) 부동산의 평가액

(1) 토지(공시지가 기준가격) : 관리지역 내 상업용인 표준지 5를 선정한다.

$190,000 × 1.00000 × 1.00 × 0.921^* × 1.00 ≒ 175,000$원/㎡($× 560 ≒ 98,000,000$ 원)

*) $0.93 × 0.99 × 1.00$

(2) 건물

제시받은 목록 중 건물의 가격을 구성하지 않는 집기비품, 개업비는 제외한다.

$730,000,000 × (1 − 0.04 − 0.06) ≒ 657,000,000$원

(3) 부동산의 평가액 : $98,000,000 + 657,000,000 ≒ 755,000,000$원

3) 투자타당성 검토

(1) 소득수익률

$117,365,000 ÷ 755,000,000 ≒ 15.545\%$

(2) 투자타당성

소득수익률이 15% 이상인바, "투자타당성"이 있다.

3. 평가액

1) 처리방침

투자타당성이 있으며, 상기 이용을 최유효이용으로 보아 토지잔여법을 적용하도록 한다.

2) 환원이율의 결정

(1) 토지 : $0.08 \times 0.1 + 0.1 \times 0.4 + 0.12 \times 0.5 ≒ 0.108$

(2) 건물 : $0.1 \times 0.1 + 0.11 \times 0.4 + 0.12 \times 0.5 ≒ 0.114$

3) 수익가액

$(117,365,000 - 657,000,000 \times 0.114) ÷ 0.108 ≒ 393,213,000$원$(702,000$원$/㎡)$

V. (물음 4) 토지의 정상가격(기준시점 : 2008.9.21)

1. 평가기준 및 비교표준지 선정

가격시점 당시 대상은 인근 토지와 함께 "상업용"으로 이용 중이며, 관리지역 내 상업용 표준지인 5를 선정한다.

2. 평가액

$190,000 \times 1.01000 \times 1.00 \times 0.921^* \times 1.30 ≒ 230,000$원$/㎡(\times 560 = 128,800,000$원$)$

*) 0.93×0.99

VI. (물음 5) 가치기준에 따른 가격비교

1. 가치다원론의 개념

특정 시점에서 부동산을 보는 관점에 따라서 무수히 많은 가치가 동시에 성립할 수 있는 개념으로서 가치의 다원적 개념이라고도 한다.

2. 교환가치 vs 사용가치(정상가격과 기초가액)

정상가격은 시장에서 거래를 통한 가격으로서 최유효이용을 가정한 "교환가치"이며, 기초가액은 계약조건상의 특정한 용도로의 사용을 전제한 "사용가치"이다.

3. 객관적 가치 vs 주관적 가치(정상가격과 투자가격)

정상가격은 통상적인 시장에서 합리적인 당사자간에 의한 "객관적 가치"이나, 투자가격은 특정 투자자의 요구수익률에 의하여 달라질 수 있는 "주관적 가치"이다.

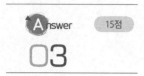

Answer `15점`

03

I. 평가개요

본건은 입목의 정상가치 평가로서 시장가역산법을 통하여 평가한다.(기준시점 : 현재)

II. 입목의 평가액

1. 산식

$$V = f \times (\frac{A}{1+mp+r} - B)$$

(f : 조재율, A : 시장가, B : 생산비용, m : 자본회수기간, p : 이자율, r : 기업자이윤)

2. 조재율 : 대상은 천연림과 인공림 각각 평균경급이 18cm, 20cm로서 각각 "중등급"임.

3. 시장가(천연림과 자연림을 구분하지 아니함)

1) 활엽수(참나무 시들음병 반영) : $1,653.8 \times 90,000 \times (0.5 \times 0 + 0.3 \times 1.0 + 0.2 \times 0.9)$
   $+ 3,307.5 \times 85,000 ≒ 352,582,000$

2) 침엽수 : $551.3 \times 95,000 + 1,047.4 \times 90,000 + 748.1 \times 95,000 + 1,197.0 \times 90,000$
   $≒ 325,439,000$

3) 원목의 시장가 : $352,582,000 + 325,439,000 = 678,021,000$원$(÷ 8,505.1㎥ ≒ 79,710$원$㎥)$

4. 적용이율 : $1.00 + 0.1 + 0.05 + 0.07 \times 6/12 ≒ 1.185$

5. 생산비용

1) 필요인부 : $8,505.1 ÷ 10 ≒ 851$명
2) 생산비용 : $[\{(80,000 + 80,000 + 30,000) + 80,000 + (80,000 + 110,000)\} \times 851$명
   $+ 90,000 \times (2.1 ÷ 0.3)] \times 1.1 ≒ 431,299,000$원$(÷8,505.1㎥ ≒ 50,700$원$㎥)$

6. 평가액 : 활엽수와 침엽수 모두 중등급으로 해당 조재율을 반영함.

$$0.85 \times (\frac{79,710}{1.185} - 50,700) ≒ 14,080원/㎥(8,505.1㎥ ≒ 119,752,000원)$$

Answer 5점

04

1. 대여시설(리스자산)의 개념

   대여(리스)란 특정 물건의 사용권을 일정기간 동안 리스회사가 리스이용자에게 이전하고 리스이용자는 그 대가를 리스회사에 정기적으로 분할지급하기로 약정하는 계약인데, 이러한 계약의 대상물을 대여시설이라 한다.

2. 감정평가시 현장조사 유의사항

   대여시설은 일반적으로 계약상의 특수한 조건 때문에 감정평가의 대상이 되지 않으나, 대여시설이 평가대상물건의 일부를 구성하여 이를 물리적으로 분리할 수 없으며, 분리하게 되면 평가대상물건이 본래의 기능을 다하지 못하는 경우 등에 해당되는 경우에 한해 평가의뢰자의 요청에 따라 평가하게 된다. 이러한 대여시설의 감정평가시에는 현장조사시 대여시설의 표지판을 개별확인하여 의뢰목록과 표지판의 일치 여부 및 대여기간 등을 확인하여야 하며 또한 실지조사 후에도 회사관계자 등을 탐문조사하여 대상물건의 대여시설 여부 등을 재확인하는 등의 주의를 기울여야 한다.

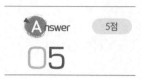

Answer `5점`
05

1. 개발이익의 개념

개발이익이란 공익사업의 시행 또는 시행이 공고 또는 고시되거나 공공사업의 시행 그 밖의 공공사업의 시행에 따른 절차로서 행하여진 토지이용계획의 설정·변경·해제 등으로 인하여 토지소유자가 자기의 노력에 관계없이 지가가 상승되어 뚜렷하게 받은 이익으로서 정상지가 상승분을 초과하여 증가된 부분을 말한다.

2. 표준지 평가시 반영 여부

표준지 조사·평가기준 제19조에서는 표준지의 평가에 있어서 다음의 개발이익은 이를 반영하여 평가하되, 그 개발이익이 주위환경 등의 사정으로 보아 공시기준일 현재 현실화·구체화되지 아니한 경우에는 반영하지 않도록 규정하고 있는바, 표준지 평가시에는 반영되는 개발이익인 공시기준일 현재 현실화·구체화된 개발이익이라 할 것이다.

3. 개발이익 반영시 유의사항

공익사업시행지구 안에 있는 토지는 해당 공익사업의 단계별 성숙도 등을 고려하여 평가하되, 인근지역 또는 동일수급권 안의 유사지역에 있는 유사용도 토지의 지가수준과 비교하여 균형이 유지되도록 하여야 함에 유의하여야 한다.

2009년 감정평가사 제20회

nswer 40점

01

Ⅰ. 평가개요

본건은 가격시점별 담보목적의 평가로서 각 가격시점별 "김갑동 씨"의 지분을 평가하되, 안정성, 확정성 등에 유의한다.

Ⅱ. (물음 1) 2009.1.1 평가액

1. 평가기준

- 공부상 허가사항을 기준으로 임야를 기준으로 하되, 가지번 분할은 고려치 아니하며, 계획관리지역을 기준으로 한다.(면적 : 23,955㎡)
- 임지상에 자생하는 활잡목은 평가외한다.
- 현재 공유상태로서 상호 위치확인이 되지 않는 바, 전체 가액을 평가 후 지분비율로 평가한다.
- 관리지역, 임야의 거래사례가 제시되어 있으나, 개발이익이 상당부분 매도인에게 귀속된 거래사례이며, 본건에 대한 거래사례로서 거래사례비교법을 활용하기 적절하지 않다고 판단하여 감정평가규칙상 주방법인 공시지가기준법에 의하여 평가한다.
- 그 밖의 요인은 대등한 것으로 본다.(이하 동일)

2. 평가액(공시지가 기준가격)

1) 비교표준지 선정

계획관리, 임야를 기준하여 표준지 1을 선정한다.(작성일기준 공시되며, 가격시점 이전 최근 공시된 2008년 공시지가를 적용한다)

2) 시점수정치(2008.1.1~2009.1.1, 관리지역)

$(1 - 0.01245) \times (1 - 0.00389 \times 1/31) ≒ 0.98743$

3) 지역요인 비교치 : 1.000

4) 개별요인 비교치 : $1.20 \times 1.00 \times 1.00 = 1.200$

5) 그 밖의 요인비교치 : 1.00

6) 평가액 결정

$$51,000 \times 0.98743 \times 1.000 \times 1.200 \times 1.00 ≒ 60,000원/㎡$$

7) 김갑동 씨 지분평가액 : $60,000 \times 23,955 \times 1/3 ≒ 479,100,000원$

III. (물음 2) 2009.3.31 기준평가액

1. 평가기준

- 공장허가만을 받은 조성 중인 토지로서 이행단계에 있으며, 11번지의 김갑동 씨 토지를 평가하며, 도로 및 임시 허가대상건물은 담보적격성이 떨어지는바, 평가외한다.
- 임시 허가건물이 대상토지에 미치는 영향은 없다고 한다.
- 한편, C시 Y읍 S리 11-3번지 임야 중 김갑동 씨 지분을 공동으로 취득하며, 이는 현황도로로서 평가외한다.

2. 평가액

1) 공시지가 기준가격

(1) 비교표준지 선정

계획관리지역이며, 현황이 공장설립 승인을 득한 공장용지로서 계획관리의 공업용인 표준지 3을 선정하되, 미성숙도에 대한 보정을 한다.(2009년 공시지가)

(2) 시점수정치(2009.1.1~2009.3.31, 관리지역)

$$1 - 0.00454 = 0.99546$$

(3) 지역요인 비교치 : 인근지역으로서 대등함(1.000)

(4) 개별요인 비교치 : $1.00 \times 1.03 \times 1/1.10 \times 1.00^* ≒ 0.936$

   * 기준시점 현재 평탄화되어 평지로 판단

(5) 그 밖의 요인비교치 : 1.00

(6) 평가액

$$150,000 \times 0.99546 \times 1.00 \times 0.936 \times 1.00 ≒ 140,000원/㎡$$

2) 적산가액(가산방식)

(1) 소지가격

관리지역, 임야 기준으로 표준지 1을 선정한다.

$$50,000 \times 0.99546 \times 1.00 \times (1.20 \times 1.03 \times 1.00) \times 1.00 ≒ 62,000원/㎡$$

(2) 조성비용

정상가격 평가목적이며, 담보의 안정성상 적정한 수준으로 보정하여 반영한다.(조경 및 바닥공사는 미착수로서 고려치 아니함)

$$45,000,000 + 150,000,000 \times 100/150 + 30,000,000 + 72,000,000 ≒ 247,000,000원$$

(32,000원/㎡)

(3) 평가액(기간이자는 미고려함)

$$62,000 + 32,000 = 94,000원/㎡(\times 7,780 = 731,320,000원)$$

3) 평가선례를 통한 적정성 검토

(1) 사례의 선정 : 사정이 개입되어 있지 않고 비교가능한 평가선례를 선정한다.

(2) 평가액 : $120,000 \times 1.00 \times 0.99546 \times 1.00 \times 1.178^* \fallingdotseq 140,000원/㎡$

*) 개별 : $1.00 \times 1.03 \times 1.03 \times 100/90$

4) 평가액 결정

적산가액에는 대상의 성숙도 반영 미흡 등으로 인하여 시산가액의 괴리가 있는 것으로 판단되며, 「감정평가에 관한 규칙」에 의하여 공시지가 기준가격으로 결정한다.(평가선례와 검토시 그 균형이 유지되는 것으로 판단된다)

∴ $140,000원/㎡(\times 7,780 = 1,089,200,000원)$

IV. (물음 3) 2009.9.6 기준 평가액

1. 평가기준

• 조성이 완료된 공장용지로서 공장을 기준하되, 공부상 지목감가는 고려치 아니하고 「감정평가에 관한 규칙」에 의하여 물건별 평가액을 평가한다.

2. 토지의 평가액(공시지가 기준가격, 7,780㎡)

1) 비교표준지

계획관리지역, 공장용지로서 표준지 3을 선정한다.

2) 평가액

$150,000 \times 1.00997^* \times 1.00 \times 1.030^{**} \times 1.00 \fallingdotseq 156,000원/㎡(\times 7,780 = 1,213,680,000)$

* 시점 : 2009.1.1~2009.9.6, 계획관리

** $1.00 \times 1.03 \times 1.00 \times 1.00$

3. 건물의 평가액

1) 재조달원가(직접법)

건물의 가치와 무관한 "기초 및 옹벽공사(토지가격에 화체)"는 제외한다.

(1) 공장동 : $250,000,000 + 120,000,000 + 100,000,000 + 170,000,000 + 50,000,000 + 100,000,000 + 150,000,000 + 15,000,000 = 955,000,000원$

(2) 사무실동 : 30,000,000 + 15,000,000 + 13,000,000 + 31,000,000 + 25,000,000 + 19,000,000 = 133,000,000원

2) 평가액(신축으로서 감가 없음) : 955,000,000 + 133,000,000 ≒ 1,088,000,000원

4. 기계기구

1) 평가물건의 확정

유휴설비로서 설치되지 않은 CNC 1대는 안정성(이동가능성) 차원에서 제외한다.

2) 각 기계의 평가액

(1) CNC

① 도입가격

$100,000 \times 132.7669(\$ \rightarrow ¥) \times 1 \times 1,405.22/100(¥ \rightarrow ₩) ≒ 186,567,000$원/대

② 재조달원가 및 평가액(감가없음)

$186,567,000 \times (1 + 0.015 + 0.08 \times 0.5 + 0.08 \times 0.5 \times 0.2 + 0.03) \times 1$개 ≒ 203,917,000원

(2) 선반

50,000,000 × 3개 ≒ 150,000,000원

(3) 컴프레셔

12,000,000 × 0.858 × 1개 ≒ 10,296,000원

3) 기계기구의 평가액

203,917,000 + 150,000,000 + 10,296,000 ≒ 364,213,000원

5. 공장의 평가액

토지 + 건물 + 기계 ≒ 2,665,893,000원

Ⅰ. 평가개요

본건은 각 토지에 대하여 동일한 매도제안가를 기준으로 한 투자분석으로 높은 정상가치를 가지는 투자안을 선택한다.

Ⅱ. 건물완공시 각 부동산의 평가액

1. A부동산

1) 순영업소득

(1) 총수익

① 임대료 : $(30,000 + 15,000 \times 2 + 12,000 \times 2) \times 2,000/5층 \times 12월 ≒ 403,200,000원$

② 관리비 : $9,000 \times 2,000 \times 12월 ≒ 216,000,000원$

③ 보증금 운용익 : $403,200,000 \times 0.08 ≒ 32,256,000원$

④ 총수익 : $403,200,000 + 216,000,000 + 32,256,000 ≒ 651,456,000원$

(2) 순수익 : $651,456,000 - 216,000,000 \times 0.8 ≒ 478,656,000원$

2) 환원이율

(1) 표준편차(위험률)

① 기대수익률 : $0.7 \times 0.12 + 0.15 \times 0.13 + 0.15 \times 0.11 ≒ 0.12$

② 표준편차 : $[0.7 \times (0.12 - 0.12)^2 + 0.15 \times (0.13 - 0.12)^2 + 0.15 \times (0.11 - 0.12)^2]^{\frac{1}{2}} ≒ 0.0055$

(2) 환원이율 : $0.07 + 0.0055 ≒ 7.55\%$

3) 완공 후 부동산의 가치

$478,656,000 \div 0.0755 ≒ 6,339,815,000원$

2. B부동산

1) 순영업소득

(1) 총수익

① 매출액 : $300,000/3.5 \times 0.4 \times (30,000,000 \times 0.03) ≒ 30,857,143,000원$

② 연지불임대료 : $30,857,143,000 \times 0.02 ≒ 617,143,000원$

③ 보증금 운용익 : 617,143,000 × 0.08 ≒ 49,371,000원

④ 총수익 : 617,143,000 + 49,371,000 ≒ 666,514,000원

(2) 순수익 : 666,514,000 − 617,143,000 × 0.3 ≒ 481,371,000원

2) 환원이율

(1) 표준편차(위험률)

① 기대수익률 : $0.7 \times 0.12 + 0.15 \times 0.14 + 0.15 \times 0.1 ≒ 0.12$

② 표준편차 : $[0.7 \times (0.12 - 0.12)^2 + 0.15 \times (0.14 - 0.12)^2 + 0.15 \times (0.1 - 0.12)^2]^{\frac{1}{2}} ≒ 0.011$

(2) 환원이율 : 0.07 + 0.011 ≒ 8.1%

3) 완공 후 부동산의 가치

481,371,000 ÷ 0.081 ≒ 5,942,852,000원

Ⅲ. 각 토지의 투자가치(정상가치)

1. 처리방침

각 토지의 투자가치를 분양개발법에 의하여 평가한다.

2. 평가액

1) A부동산 : 6,339,815,000 − (2,000 × 950,000) ≒ 4,439,815,000원

2) B부동산 : 5,942,852,000 − (2,000 × 700,000) ≒ 4,542,852,000원

Ⅳ. 투자방안 및 그 이유

각 투자안에 따른 토지의 투자가치가 상호 유사하게 산출된 바, 투자안의 위험이나 비재무적인 요인을 고려하여 의사결정하여야 하겠다. A부동산의 경우 임대차 리스크를 고려하여야 하며, B부동산의 경우 매출액에 연동되는바, 예상매출액 실현여부에 따른 리스크를 고려하여야 한다.

Answer 20점

03

Ⅰ. 평가개요

본건은 NPL과 관련된 평가 및 현금흐름의 분석으로서 각 물음에 답한다.(기준시점 : 2009.9.6)

Ⅱ. (물음 1) 현시점에서의 가격

1. 물건별 평가액

1) 토지

① 공시지가 기준가격

그 밖의 요인은 대등한 것으로 본다.

$5,000,000 \times 1.00300 \times 1.00 \times 1.000^* \times 1.00 \fallingdotseq 5,020,000원/㎡(\times 250 =$
$1,255,000,000원)$

*) $1.00 \times 1.00 \times 1.00$

② 거래사례비교법

a. 사례적부 : 제시된 거래사례는 본건 토지와 용도지역, 이용상황이 유사하여 적절함.

b. 사례토지배분가격

$1,455,000,000 - (700,000 \times 200 \times 23/50) = 1,390,600,000원(4,635,333원/㎡)$

c. 비준가액

$4,635,333 \times 1.01000 \times 1.000 \times 1.053^* \fallingdotseq 4,930,000원/㎡$

* 개별 : $95/100 \times 100/95 \times 100/95$

③ 토지평가액 결정

「감정평가에 관한 규칙」 제14조에 의하여 공시지가기준법에 의하되 거래사례비교법에 의하여 그 합리성이 지지된다.

$5,020,000원/㎡(\times 250 = 1,255,000,000원)$

2) 건물

$700,000 \times 1.00 \times 200 \times 21/50 \fallingdotseq 58,800,000원$

3) 물건별 평가액 : $1,255,000,000 + 58,800,000 \fallingdotseq 1,313,800,000원(5,260,000원/㎡^*)$

* 토지면적당 가격

2. 수익가액

1) 순수익

가능소득을 기준으로 자가부분의 수익을 반영한다.

$(50,000,000 \times 0.06 + 1,400,000 \times 12월) \times 2 ≒ 39,600,000원$

2) 수익가액 : $39,600,000 \div 0.06 ≒ 660,000,000원$

3. 평가액 결정

인근지역의 상황으로 보아 수익의 가격결정력이 다소 약한 것으로 판단되며, 「감정평가에 관한 규칙」에 의하여 개별평가액의 합으로 결정한다.

∴ 1,313,800,000원

III. (물음 2) 예상낙찰가율 및 현금흐름

1. 예상낙찰가율

1) 낙찰가기준 : 본건은 단독주택과 유사하므로 70%를 적용

2) 낙찰사례기준 : $1,070,000,000 \div 1,600,000,000 ≒ 66.9\%$

3) 예상낙찰가율 : 양자를 모두 고려하여 68.5%로 결정

2. 예상현금흐름

대상의 예상낙찰가액에서 선순위 배당을 순차적으로 공제한다.

1) 예상낙찰가 : $1,318,800,000 \times 0.685 ≒ 900,000,000원$

2) 수수료 : 7,000,000원

3) 소액임차인 : 16,000,000원

4) 1순위 근저당 : 400,000,000원

5) 대상채권의 현금흐름 : $900,000,000 - 7,000,000 - 16,000,000 - 400,000,000$
$≒ 477,000,000원$

I. (물음 1) 표준주택 중 건물의 선정기준(표준주택의 선정 및 관리지침)

표준주택선정단위구역 내에서 아래의 기준으로 선정한다.

1) **건물 가격의 대표성** : 건물가격수준을 대표할 수 있는 건물 중 인근지역 내 가격의 층화를 반영할 수 있는 표준적인 건물

2) **건물 특성의 중용성** : 개별건물의 구조·용도·연면적 등이 동일 또는 유사한 건물 중 건물특성 빈도가 가장 높은 표준적인 건물

3) **건물 용도의 안정성** : 개별건물의 주변이용상황으로 보아 건물로서의 용도가 안정적이고 장래 상당기간 동일 용도로 활용될 수 있는 표준적인 건물

4) **외관 구별의 확정성** : 다른 건물과 외관의 구분이 용이하고 위치를 쉽게 확인할 수 있는 표준적인 건물

II. (물음 2) 공정가치

공정가치는 시장에 정통하고, 정상적인 거래를 하고자 하는 당사자 사이에 자산교환을 하거나 채무청산을 하고자 할 경우 결정될 수 있는 가액을 말한다.(IVSC)

거래는 특별한 관계가 아닌 상태의 정상거래로서 관련 당사자의 특정 이익이나 손실이 반영될 수 있으며, 시장가치보다 광범위한 개념으로 해석될 수도 있다. 따라서 평가사는 공정가치 평가시 개제된 조건을 평가서에 반드시 명기해야 한다.

III. (물음 3) 새로이 하천구역에 편입되는 토지의 평가

새로이 하천구역에 편입되는 토지[법률 제9339호 하천법(2007년 4월 6일) 시행일 이후에 하천구역으로 결정 또는 변경된 토지]는 가격시점 당시 현실적인 이용상황을 기준으로 하며, 하천구역으로 된 것에 따른 하천법의 규정에 의한 공법상 제한은 이를 고려하지 아니한다. 다만, 하천공사로 인한 형상변경이 있으면 하천공사 시행 직전의 이용상황을 기준으로 평가하되, 미지급용지의 평가를 준용한다.

2010년 감정평가사 제21회

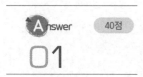

Answer 40점

01

I. 평가개요

본건은 이대한 씨 소유의 토지 및 건물에 대한 담보평가 및 보상평가 건으로서 「감정평가에 관한 규칙」 제9조에 의거 가격조사 완료일인 2010년 9월 2일을 기준시점으로 한다.

II. (물음 1) 이대한 씨 소유의 토지 및 건물의 평가

1. 담보평가

1) 대상물건의 확정(이대한 씨 지분)

(1) 토지의 평가

기호 1(54번지)은 일반상업지역의 상업용 토지로서 도시계획시설에 저촉된 부분은 제한을 반영하여 평가한다. 위치확인동의서가 제시되어 있지 않지만 지상의 적법한 건축물로서 위치확인이 가능한바, 구분소유적 공유로 위치가 특정된 것으로 보아 평가하도록 한다. 기호 2(산75번지)는 자연녹지의 임야로서 면적은 토지대장을 기준으로 2,800㎡으로 평가하며, 위치가 특정되지 아니한 바, 전체 평가금액을 지분비율(1/2)로 안분하여 평가하도록 한다. 본건 지상의 수목(자연생활잡목)에 대해서는 평가외한다.

(2) 건물의 평가

이대한 씨의 소유인 "건물 가"에 대하여 평가하며, 도시계획시설로 인한 저촉(20㎡)을 반영하여 평가한다. 지상의 제시 외 건물은 평가하지 아니하며, 제시 외 건물의 구조, 이용상황, 면적 등으로 보아 본건 토지에 미치는 영향이 미미하다고 판단되며, 평가서에 해당 내용을 기재하도록 한다.

2) 토지의 평가

(1) 기호 1(54번지) – 공시지가 기준가액

① 표준지 선정

가격시점 이전 최근 공시지가인 2010년 공시지가를 선정하되, 일반상업지역, 상업용으로서 표준지 A를 선정한다.

② 시점수정치(2010.1.1~2010.9.2, 상업지역) : 1.05500

③ 지역요인 비교치 : 인근지역으로서 대등함(1.000)

④ 개별요인 비교치 : 0.95 × 1.00 × 1.00 = 0.950

⑤ 그 밖의 요인비교치

    – 평가선례 선정 : 일반상업지역의 상업용으로서 가장 최근의 선례이며 대상과 유사한 선례 A를 선정한다.

    – 그 밖의 요인격차율 산출(본건 기준)

$$\frac{1,300,000 \times 1.05500 \times 1.00 \times 1.000}{1,100,000 \times 1.05500 \times 1.000 \times 0.950} \fallingdotseq 1.244$$

    – 그 밖의 요인비교치 결정 : 상기와 같이 격차율이 산출된바, 본건에 적용할 그 밖의 요인보정치로서 1.24를 적용한다.

⑥ 평가액

1,100,000 × 1.05500 × 1.00 × 0.950 × 1.24 ≒ 1,360,000원/㎡(×210 = 285,600,000원)

    ※ 도로저촉부분 1,156,000원/㎡(×40 = 46,240,000원)

      (총액 331,840,000원)

(2) 기호 2(산74번지) – 공시지가 기준가격

① 표준지 선정

가격시점 이전 최근 공시지가인 2010년 공시지가를 선정하되, 자연녹지, 임야로서 표준지 C를 선정한다.

② 시점수정치(2010.1.1~2010.9.2, 녹지지역) : 1.07500

③ 지역요인 비교치 : 인근지역으로서 대등함(1.000)

④ 개별요인 비교치 : 1.12 × 1.00 × 1.00 = 1.120

⑤ 그 밖의 요인비교치 : 1.24

⑥ 평가액

50,000 × 1.07500 × 1.00 × 1.120 × 1.24 ≒ 74,000원/㎡(×2,800×1/2 = 103,600,000원)

3) 건물의 평가

700,000 × (60/80 × 1.00 + 20/80 × 0.85) × 42/50 × 80 ≒ 45,276,000원

4) 담보평가액

331,840,000 + 103,600,000 + 45,276,000 = 480,716,000원

2. 보상평가

1) 토지의 평가액

(1) 적용 공시지가

택지개발촉진법상 사업인정의제일은 예정지구 지정 및 고시일로서 2009년 9월 15일이나 택지개발지구 공람 및 공고로 인하여 취득해야 할 토지의 가격이 변동되었다고 인정되는바, 택지개발지구 공람 및 공고일 이전 최근 공시지가인 2008.1.1 공시지가를 적용한다. (토지보상법 제70조 제5항)

(2) 비교표준지 선정

① 기호 1(54번지)

일반상업지역, 상업용으로서 도시계획시설은 개별적 계획제한이므로 이를 반영하지 아니하고 평가하여 표준지 A를 선정한다.

② 기호 2(산75)

자연녹지지역, 임야로서 대상과 유사한 표준지 C를 선정한다.

(3) 시점수정치(2008.1.1~2010.9.2) : 甲구의 용도지역별 지가변동률을 활용하되, 생산자물가지수는 제시되지 아니한바, 고려하지 아니한다.(기호 1 : 1.15500, 기호 2 : 1.25500)

(4) 지역요인 비교치 : 인근지역으로서 대등(1.000)

(5) 개별요인 비교치

① 기호 1 : 0.950

② 기호 2 : 1.120

(6) 그 밖의 요인보정치

① 보상선례의 선정

일반상업지역, 상업용의 보상선례로서 개발이익 배제를 위하여 대상 적용 공시지가 선택과 동일한 기준을 적용한 선례 I를 선정한다.

② 그 밖의 요인보정치 산정

$$\frac{1,100,000 \times 1.15500 \times 1.00 \times 1.00}{900,000 \times 1.15500 \times 1.00 \times 0.95} ≒ 1.287$$

③ 그 밖의 요인보정치 결정

상기와 같이 격차율이 산출된바, 본건에 적용할 그 밖의 요인보정치로서 1.28을 적용한다.

(7) 평가액 결정

① 기호 1(54번지)

$900,000 \times 1.15500 \times 1.00 \times 0.95 \times 1.28 ≒ 1,260,000$원/$m^2$($\times 100 = 126,000,000$원)

② 기호 2(산75번지)

$$38,000 \times 1.25500 \times 1.00 \times 1.12 \times 1.28 ≒ 68,000원/㎡(\times 500 \times 1/2 = 17,000,000원)$$

2) 지장물의 평가액

(1) 기호 가(점포)

- 이전이 불가능한바, 해당 물건의 가격으로 보상하여 잔여부분에 대한 보수비(시설개선비 제외)를 보상한다. 도시계획시설은 개별적 제한으로서 반영하지 아니한다.
- 보상액 : $700,000 \times 42/50 \times 20 + (5,000,000 - 2,000,000) ≒ 14,760,000원$

(2) 기호 ㉠(창고)

- 무허가건축물이나 택지개발촉진법상의 행위제한일(2008.12.1) 이전에 신축한 물건으로서 보상대상이며, 이전이 불가능하여 해당 물건의 가격으로 보상하고, 도시계획시설에 의한 저촉은 반영하지 아니한다.
- 보상액 : $350,000 \times 22/30 \times 10 ≒ 2,567,000원$

3) 토지 및 지장물의 보상액 계

$$126,000,000 + 17,000,000 + 14,760,000 + 2,567,000 ≒ 160,327,000원$$

III. (물음 2) 감정평가서의 작성

1. 평가목적이 담보인 경우

1) 감정평가업자의 사무소 또는 법인의 명칭 : 공정감정평가법인

2) 평가의뢰인 : 한강은행

3) 평가목적 : 담보

4) 평가조건 : 없음

5) 가격시점 : 2010.9.2, 조사기간 : 2010.8.30~2010.9.2, 작성일자 : 2010.9.4

6) 대상물건의 내용(소재지·종별·수량·기타 필요한 사항)

본건은 甲구 乙동 54, 산75 중 이대한 씨 소유지분 토지 및 건물에 대한 평가임.

7) 평가액 : 480,716,000원

8) 평가액의 산출근거 및 그 결정에 관한 의견

(1) 본건의 평가는 「감정평가 및 감정평가사에 관한 법률」, 「감정평가에 관한 규칙」 및 제반 감정평가이론 등에 의거하여 평가하였음.

(2) 평가액 결정의 주된 방법

① 본건 토지는 해당 토지와 유사한 이용가치를 지닌 표준지 공시지가를 기준으로 해당 토지의 용도지역, 이용상황, 주위환경, 도로조건, 위치, 규모, 지형, 지세 등 제반 가격형성요인과 공시기준일로부터 기준시점까지의 지가변동추이를 고려하여 인근지역의 지가수준 등을 종합 참작하여 평가하였음.

② 본건 건물은 구조, 사용자재, 시공상태, 부대설비, 용도, 현상 및 관리상태 등을 참작하여 원가법으로 평가하였음.

③ 그 밖의 사항 : 본건 중 甲구 乙동 54번지상의 기호 ㉠(창고)은 제시 외 건물로 평가외하였으며, 이대한 씨 지분에 대한 위치확인이 되지 않으나 지상의 적법한 건축물로 위치확인이 가능한 구분소유적 공유로서 위치가 특정된 것으로 판단하여 이대한 씨의 점유부분에 대하여 평가하였음. 본건 중 도시계획시설도로 부분은 가치를 달리하는 바, 구분평가하였음.

2. 평가목적이 보상인 경우(기타부분은 담보인 경우와 동일하다)

1) 평가의뢰인 : 甲구청

2) 평가목적 : 보상

3) 대상물건의 내용(소재지·종별·수량·기타 필요한 사항)

본건은 甲구 乙동 54, 산75 중 제시된 부분에 대한 평가임.

4) 평가액 : 160,327,000원

5) 평가액 산출근거 및 그 결정에 관한 의견

6) 대상물건목록의 표시근거 : 귀 제시목록

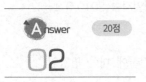

Answer 20점

02

Ⅰ. 평가개요

본건은 잔여지 및 영업손실보상과 관련한 평가로서 각 물음에 답한다.

II. (물음 1) 잔여지 관련 물음

1. 잔여지 손실보상을 받기 위한 요건

1) 토지보상법 제73조(잔여지의 손실과 공사비 보상)

사업시행자는 동일한 소유자에게 속하는 일단의 토지의 일부가 취득되거나 사용됨으로 인하여 잔여지의 가격이 감소하거나 그 밖의 손실이 있을 때 또는 잔여지에 통로·도랑·담장 등의 신설이나 그 밖의 공사가 필요할 때에는 국토교통부령으로 정하는 바에 따라 그 손실이나 공사의 비용을 보상하여야 한다. 다만, 잔여지의 가격 감소분과 잔여지에 대한 공사의 비용을 합한 금액이 잔여지의 가격보다 큰 경우에는 사업시행자는 그 잔여지를 매수할 수 있다.

2) 토지보상법 시행령 제39조(잔여지의 판단)

매수 또는 수용을 청구할 수 있는 경우

① 대지로서 면적이 너무 작거나 부정형 등의 사유로 건축물을 건축할 수 없거나 건축물의 건축이 현저히 곤란한 경우

② 농지로서 농기계의 진입과 회전이 곤란할 정도로 폭이 좁고 길게 남거나 부정형 등의 사유로 영농이 현저히 곤란한 경우

③ 공익사업의 시행으로 교통이 두절되어 사용 또는 경작이 불가능하게 된 경우

④ ①부터 ③까지에서 규정한 사항과 유사한 정도로 잔여지를 종래의 목적대로 사용하는 것이 현저히 곤란하다고 인정되는 경우

단, 다음의 사항을 종합적으로 참작해야 한다.

① 잔여지의 위치·형상·이용상황 및 용도지역

② 공익사업 편입토지의 면적 및 잔여지의 면적

2. 잔여지 손실보상의 종류와 산정방법, 이대한 씨의 손실보상액

1) 잔여지 손실보상의 종류 및 산정방법

토지보상법 시행규칙 제32조(잔여지 손실 등에 관한 평가)

① 동일한 토지소유자에 속하는 일단의 토지의 일부가 취득됨으로 인하여 잔여지의 가격이 하락된 경우의 잔여지의 손실은 공익사업시행지구에 편입되기 전의 잔여지의 가격(해당 토지가 공익사업시행지구에 편입됨으로 인하여 잔여지의 가격이 변동된 경우에는 변동되기 전의 가격을 말한다)에서 공익사업시행지구에 편입된 후의 잔여지의 가격을 뺀 금액으로 평가한다.

② 동일한 토지소유자에 속하는 일단의 토지의 일부가 취득 또는 사용됨으로 인하여 잔여지에 통로·구거·담장 등의 신설 그 밖의 공사가 필요하게 된 경우의 손실은 그 시설의 설치나 공사에 필요한 비용으로 평가한다.

③ 동일한 토지소유자에 속하는 일단의 토지의 일부가 취득됨으로 인하여 종래의 목적에 사용하는 것이 현저히 곤란하게 된 잔여지에 대하여는 그 일단의 토지의 전체 가격에서 공익사업시행지구에 편입되는 토지의 가격을 뺀 금액으로 평가한다.

2) 이대한 씨의 손실보상액

(1) 편입부분에 대한 보상액 : 75,000,000원(1,500,000원/㎡)

(2) 잔여지 가치하락 손실보상액

① 잔여지 가치하락 보상액 : 1,500,000 − 700,000 = 800,000원/㎡(× 100 = 80,000,000원)

② 종래 목적으로 사용이 곤란시 보상액(매수 및 수용청구) : 1,500,000원/㎡(× 100 = 150,000,000원)

③ 손실보상액 : 본건의 경우 잔여지는 맹지가 되어 건축이 불가능할 것으로 판단되는바, 이대한 씨는 관할 토지수용위원회에 수용청구할 수 있을 것으로 판단되고, 매수청구가 인용된다면 잔여지에 대한 손실보상으로서 150,000,000원을 보상받을 수 있다. 단, 사업의 공사완료일까지 수용청구를 해야 한다.

(3) 이대한 씨가 청구할 수 있는 손실보상액

75,000,000 + 150,000,000 = 225,000,000원

III. (물음 2) 영업손실보상액 산정을 위한 자료 및 조사사항

1. 토지보상법 제77조(영업의 손실 등에 대한 보상)

영업을 폐지하거나 휴업함에 따른 영업손실에 대하여는 영업이익과 시설의 이전비용 등을 고려하여 보상하여야 한다.

2. 구체적인 수집자료 및 조사사항

1) 수집자료(영업손실보상평가지침 제7조 − 자료의 수집)

① 법인 등기사항전부증명서 및 정관

② 최근 3년간의 재무제표(재무상태표・손익계산서・잉여금처분계산서 또는 결손금처리계산서・현금흐름표 등) 및 부속명세서(제조원가명세서・잉여금명세서 등)

③ 회계감사보고서

④ 법인세과세표준 및 세액신고서(조정계산서) 또는 종합소득과세표준확정신고서

⑤ 고정자산대장 및 재고자산대장

⑥ 취업규칙・급여대장・근로소득세원천징수영수증 등

⑦ 부가가치세과세표준증명원

⑧ 그 밖의 필요한 자료

2) 조사사항(영업손실보상평가지침 제6조 − 조사사항)

① 영업장소의 소재지・업종・규모

② 수입 및 지출 등에 관한 사항

③ 과세표준액 및 납세실적

④ 영업용 고정자산 및 재고자산의 내용

⑤ 종업원 현황 및 인건비 등 지출내용

⑥ 그 밖의 필요한 사항

Ⅰ. 평가개요

본건은 정비사업의 비례율을 제시된 조건에 따라 각각 산정하여 유리한 조합원의 순서를 판별하도록 한다. 기준시점은 현시점을 기준으로 한다.

Ⅱ. 1안 및 2안의 비례율

1. 비례율의 산식

$$\frac{\text{사업완료 후 구역 내의 대지 및 건축시설의 총액} - \text{총 사업비}}{\text{사업구역 내의 종전 토지 및 건축물의 총액}} = \text{비례율}$$

2. 1안에 따른 비례율

$$\frac{(160,000,000 \times 3 + 200,000,000 \times 7) - (1,400,000,000 + 100,000,000)}{(80,000,000 + 140,000,000 + 180,000,000)} = 0.95$$

3. 2안에 따른 비례율

$$\frac{(140,000,000 \times 3 + 200,000,000 \times 7) - (1,400,000,000 + 100,000,000)}{(80,000,000 + 140,000,000 + 180,000,000)} = 0.80$$

Ⅲ. 2안으로 변경시 유리한 조합원의 순서 및 이유

1. 조합원의 유리한 순서

1) 김한국의 편익산출과정

(1) 1안 : $160,000,000 - 80,000,000 \times 0.95 ≒ 84,000,000$원 납부

(2) 2안 : $140,000,000 - 80,000,000 \times 0.80 ≒ 76,000,000$원 납부

(3) 결정 : 2안으로 변경하면서 8,000,000원이 유리해졌음.

2) 이대한의 편익산출과정

 (1) 1안 : 160,000,000 − 140,000,000 × 0.95 ≒ 27,000,000원 납부

 (2) 2안 : 140,000,000 − 140,000,000 × 0.80 ≒ 28,000,000원 납부

 (3) 결정 : 2안으로 변경하면서 1,000,000원이 불리해졌음.

3) 박조선의 편익산출과정

 (1) 1안 : 160,000,000 − 180,000,000 × 0.95 ≒ 11,000,000원 지급

 (2) 2안 : 140,000,000 − 180,000,000 × 0.80 ≒ 4,000,000원 지급

 (3) 결정 : 2안으로 변경하면서 7,000,000원이 불리해졌음.

4) 유리한 순서 : 김한국 > 이대한 > 박조선

2. 상기와 같은 결과의 이유

종전자산의 가격이 가장 큰 박조선 씨가 비례율의 하락에 따른 권리하락분이 가장 크게 산출되었다.

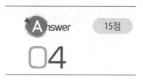

Answer   15점

04

Ⅰ. 평가개요

본건은 신축예정인 다가구주택의 수익가치 산정 및 구형 단독주택의 최대매수가격에 대한 산정건으로서 현재시점을 기준으로 판단하도록 한다.

Ⅱ. 신축예정 다가구주택의 수익가치

1. 순수익

(10,000,000 × 0.04 + 800,000 × 12) × 18호 × (1−0.08) × (1−0.2) ≒ 132,480,000원

2. 환원이율(시장추출법)

1) 각 사례의 시장추출률(연간순수익 ÷ 매매금액)

사례 1	사례 2	사례 3
0.11	0.09	0.10

2) 환원이율 결정

최근에 거래된 사례 3에 가중치를 두어 결정한다.

$0.25 \times 0.11 + 0.25 \times 0.09 + 0.5 \times 0.10 ≒ 0.10$

3. 수익가치 산정 : $132,480,000 \div 0.10 ≒ 1,324,800,000$원

Ⅲ. 구형 단독주택의 최대매수가능가격

1. 이대한 씨의 요구수익률(투자결합법) *

$(0.10 + 0.20) \times 0.50 ≒ 0.15$

* 물리적 투자결합법으로서 토지와 건물의 요구수익률로 배분하는 것이 원칙이나 별도로 토지 및 건물에 대한 가격비율이 제시되지 않아 "투자결합법"이라는 관점에서 자기지분과 타인지분의 요구수익률을 가중평균하여 결정하도록 함.

2. 최대매수가능가격

(토지의 최대매수가격 + 550,000,000) $\times$ 1.15 = 1,324,800,000원[28])

토지의 최대매수가격 : 602,000,000원

05 10점

Ⅰ. 평가개요

본건은 수집된 실거래 토지단가를 통하여 통계적인 방법으로 주어진 통계치를 산출하고 평가대상의 적정가격을 결정하도록 한다.(기준시점 : 2010년 7월 1일)

Ⅱ. (물음 1) 범위(range) 및 평균(mean)의 산정

1. 범위(range)

통계자료에 있어서는 자료가 취하는 최대값과 최소값의 범위

180,000원~238,000원

---

28) 다른 형태의 풀이도 가능할 수 있을 수 있다.(대안 : 132,480,000 ÷ 0.15 − 550,000,000 ≒ 333,200,000원) 다만, 본 개발과 같은 투자(다가구주택의 개발 및 매각)는 단기간에 이루어지며 일반적으로 수익률의 개념이 투자가치 대비 자산가치 상승분을 의미하는 경우가 많으므로 상기와 같이 풀이하였다.

2. 평균(산술평균, arithmetic mean)

n개의 변수의 산술평균은 변수들의 총합을 변수의 개수 n으로 나눈 값

204,000원

Ⅲ. (물음 2) 중위값(median) 및 최빈치(mode)의 산정

1. 중위값(median)

중앙값이라고도 하며, 통계집단의 변량을 크기의 순서로 늘어 놓았을 때 중앙에 위치하는 값,

총수 n이 홀수일 때는 $\frac{(n+1)}{2}$ 번째의 변량, n이 짝수일 때는 $\frac{n}{2}$ 번째와 $\frac{n+2}{2}$ 번째의 변량의

산술평균을 취한다.

205,000원

2. 최빈치

최빈수라고도 하며, 도수분포에서 최대의 도수를 가지는 변량의 값이다. 변량의 분포 형태가 대칭이면 평균(mean), 중앙값(median), 최빈수(mode)는 일치한다.

210,000원

Ⅳ. (물음 3) 적정가격 결정 및 사유의 설명

1. 적정가격 결정 : 210,000원

2. 적정가격 결정의 사유

적정가격이라 함은 해당 토지, 주택 및 비주거용 부동산에 대하여 통상적인 시장에서 정상적인 거래가 이루어지는 경우 성립될 가능성이 가장 높다고 인정되는 가격으로서, 이와 같은 적정가격의 정의상 상기의 통계량 중 최빈값(mode)이 가장 부합한다고 보아 최빈값을 적정가격으로 결정한다.

Answer 40점

01

Ⅰ. 평가개요

본건은 숙박시설에 대한 일반거래목적의 감정평가로서 기준시점은 의뢰된 날짜인 2011년 9월 4일을 기준으로 함.

Ⅱ. 기본적 사항의 확정

1. 토지

K리 219-1, 219-3은 일단지이며, 전체 토지를 자루형으로서 평가한다.

* 일반감정평가 논리상 구분평가함이 더 타당하다. 유효택지와 도로부분을 나눠서 풀면 나중에 개별요인 비교가 안 되고, 도로부분의 감가율을 가정해야 하는 문제가 있을 수 있기 때문에 상기와 같이 처리하였다.

2. 건물

원가법으로 평가, 건물의 경제적 내용연수를 거래사례를 통하여 추출한다.

Ⅲ. 원가방식

1. 토지평가액

1) 공시지가 기준방법

2011년 공시지가를 활용하며, 계획관리, 상업용 표준지로서 적정하다.

430,000 × 1.0000(시점, 보합세) × 1.00(인근) × 0.78(개별) × 1.00* ≒ 335,000원/㎡
* 그 밖의 요인은 대등한 것으로 본다.

2) 거래사례비교법

(1) 사례선택 : 토지만의 사례로서 관리지역, 상업용으로 판단되는 매매사례 1을 선택한다.
   (481,100,000 ÷ 974 ≒ 494,000원/㎡)

(2) 비준가액 : 494,000 × 1.00 × 1.00000(시) × 1.000 × 0.78/1.15 ≒ 335,000원/㎡

(3) 결정 : 「부동산 가격공시에 관한 법률」, 「감정평가에 관한 규칙」에 따라 공시지가 기준 가격 기준 335,000원/㎡로 결정한다.(본건의 접근조건으로 판단하건대, 인근의 도로변 가격수준 및 후면지의 가격수준과 균형성 있는 것으로 판단된다)

2. 건물

1) 경제적 내용연수 판단

(1) 처리방침 : 본건 및 인근지역의 시장상황 변동에 따라 판단하건대, 대상과 같은 숙박시설에 대한 별도의 경제적 내용연수를 거래사례를 통하여 추출하도록 한다. 대상건물의 이용상황, 구조, 규모 등이 유사하며 정상적인 관리가 이루어진 매매사례 2를 통하여 추출한다.(매매사례 3, 4는 영업중단 중으로서 거래가격에 정상적인 건물의 내용연수가 내재되어 있다고 보기 어려워 배제하였음)

  * 물론, 매매사례 #2를 일체비준가액에서도 사용해야 하는데, 두 번 사용해야 하는 부담감도 있다. 문제에서 내용연수법 활용시 내용연수의 추정뿐만 아니라 미래잔존연수의 수정에 대한 언급도 있기 때문에 미래수명법을 통해서 평가할 수 있다면 좋은 답안이 될 것으로 생각됨.

(2) 사례건물의 거래가격
  ① 사례토지가격 : $425,000 \times 1.07/1.00 \times 1,327 ≒ 603,453,000$원
  ② 사례건물거래가격 : $903,500,000 - 603,453,000 ≒ 300,047,000$원

(3) 사례건물의 재조달원가(거래시점)
  $1,060,000$원 $\times 1.00 \times 1,349.74 ≒ 1,430,724,000$원

(4) 경제적 내용연수 판단
  $300,047,000 ≒ 1,430,724,000 \times (1 - 0.99 \times 5/N)$
  $\therefore N ≒ 6.23$(6년으로 판단함)

2) 건물 가, 나의 평가액

건물 가, 나는 각각 14년 경과된 건물로서 이미 건물의 경제적 내용연수가 만료되었다고 판단되는바, 평가금액은 0이다.

3. 원가법에 따른 평가액

건물은 경제적 가치가 없는 것으로 판단되는바, 토지가치만으로 평가한다.
$\therefore 335,000$원/㎡ $\times 2,294 = 768,490,000$원

IV. 비교방식

1. 처리방침

대상과 유사한 매매사례 #2를 기준으로 토지, 건물을 일체로 평가한다.

2. 사례의 가격구성비

  1) 건물가격 구성비 : 300,047,000 / 903,500,000 ≒ 33%

  2) 토지가격 구성비 : 1 − 33% ≒ 67%

3. 요인비교치

  1) 토지 : 1.00(사정) × 1.00(시점) × 0.78/1.07 × 2,294/1,327 ≒ 1.26

  2) 건물(연와조 건물 포함된 것으로 본다)

$$1.00(사정) \times 1.00(개별) \times \frac{0.01}{1 - 0.99 \times 5/6} \times 1,326.54/1,349.74 ≒ 0.056$$

4. 비준가액

  903,500,000 × 1.00 × 1.00 × (0.67 × 1.26 + 0.33 × 0.056) ≒ 779,431,000원

V. 수익방식

1. 순영업소득

  1) 총매출액 : 5,500,000 × 12월 ≒ 66,000,000원

  2) 총비용

    (1) 대체충당금 : 600,000 × 29개실 × 1/10(10년으로 가정한다) ≒ 1,740,000

       * 수익방식의 활용에 있어서 대체충당금의 산입 여부가 문제될 수 있으나 숙박업소와 같은 수익성 부동산의 경우 대체충당금이 총비용에서 차지하는 비중이 상당히 크므로 10년이라는 교체주기를 가정하더라도 대체충당금을 사용하였다.

    (2) 총비용 : 1,740,000 + 4,500,000 × 12월 ≒ 55,740,000원

  3) 순영업소득 : 66,000,000 − 55,740,000 ≒ 10,260,000원

2. 자본환원이율(금융적 투자결합법, Ross)

  0.12 × 0.55 + 0.0673 × 0.45 ≒ 0.096

  * 자본환원이율에 있어서도 다른 방식으로 자본환원율을 결정할 수 있다면 활용할 수 있겠지만 본건 수익의 불확실성을 고려하여 자본환원율은 보수적인 차원으로 결정함이 타당할 것이다.

3. 수익가액

  10,260,000 ÷ 0.096 ≒ 106,875,000원

Ⅵ. 최종 감정평가액 산출

1. 시산조정기준

본건의 이용상황이 안정적일 것으로 판단되지 아니하므로 미래의 수익을 예측해서 환원하는 수익방식에 의한 시산가액은 제외하도록 한다.

본건의 경우 「감정평가에 관한 규칙」에 의하여 개별평가액 합으로 결정하되, 일체 거래사례비교법에 따른 시산가액에 의하여 그 합리성이 지지되는 것으로 판단된다.

2. 최종 감정평가액 산출

상기와 같은 기준에 따라 본건의 감정평가액을 768,490,000원으로 결정한다. (2006년 3월 담보평가 당시 대비 인근지역의 변화로 인하여 가격이 약 45% 정도 하락한 것으로 판단된다)

Answer 20점

02

Ⅰ. 평가개요

본건은 주택재개발 정비사업구역의 사업시행인가 신청을 위한 국공유재산의 무상 양도 및 양수 관련 감정평가로서 의뢰된 시점(사업시행인가고시 예정일)인 2011년 11월 30일을 가격시점으로 제시된 조건에 따라 평가한다.

Ⅱ. 용도폐지되는 정비시설 부지의 평가액

1. 100 - 28번지(기호 1)

1) 비교표준지 선정[29]

가격시점 이전 최근 공시지가인 2011년 공시지가 선정, 해당 사업으로 인한 용도지역의 변경은 반영하지 아니하여 제1종일반주거지역을 기준한다. 용도폐지 전제로 도시계획시설공원 및 도로로 인한 저촉은 고려하지 아니한다. 제1종일반주거지역으로서 대상과 지리적 접근성 등 유사한 380을 선정한다.

---

29) 해설은 당시의 평가관행에 따라 해당사업으로 인한 용도지역의 변경을 고려하지 않고 종전의 용도지역을 기준으로 하였으나, 현행은 기준시점에서의 용도지역을 기준으로 평가하여야 한다.
따라서 제2종일반주거지역을 기준으로 평가하여야 하며, 표준지는 372번이 선정될 것으로 판단된다.

2) 평가액

990,000 × 1.02061(시점)*1 × 1.000 × 1.208*2 × 1.00 ≒ 1,220,000원/㎡(×3,216 = 3,923,520,000원)

* 1) 시점 : 2011.1.1~2011.11.30, 주거지역
  1.01584 × (1 + 0.00160 × 91 / 31)
* 2) 개별요인 비교(본건 : 주상용, 소로각지, 사다리형) : [(0.85 × 1.03) / 0.75 × 1.08 × 0.92/0.96 × 1.00]

2. 100 – 33번지(기호 2)

1) 비교표준지 선정

2011년 공시지가, 제2종일반주거지역, 도로는 용도폐지되므로 고려하지 아니한다. 제2종일반주거지역으로서 대상과 지리적 접근성 등 유사한 372를 선정한다.

2) 평가액

1,330,000 × 1.02061 × 1.000 × 0.796*1 × 1.00 ≒ 1,080,000원/㎡(× 1,303.3 = 1,407,564,000원)

* 1) 개별요인(본건 : 소로각지, 부정형) : 1.03/1.03 × 1.00 × 0.78/0.98 × 1.00*2
* 2) 정비지구 내 표준지 공시지가의 경우 정비사업에 의한 도시계획시설은 저촉감가 없이 공시된다.(이하 동일)

III. 새로이 설치되는 정비기반시설 부지의 평가

1. 100 – 2번지(기호 3)

2011년 공시지가, 제2종일반주거지역, 상업용, 도로저촉은 해당 사업으로 인한 도시계획시설로서 고려하지 아니하여 371을 선정한다.

2,350,000 × 1.02061 × 1.000 × 0.991*1 × 1.00≒ 2,380,000원/㎡(× 95.6 = 227,528,000원)

* 1) 개별요인 : 1/1.03 × 1/0.98 × 1.00 × 1.00

2. 100 – 5번지(기호 4)

2011년 공시지가, 제2종일반주거지역, 주상용, 도로저촉은 해당 사업으로 인한 도시계획시설로서 고려하지 아니한다. 본건이 표준지로서 372를 선정한다.

1,330,000 × 1.02061 × 1.000 × 1.000(본건) × 1.00 ≒ 1,360,000원/㎡(× 91.5 = 124,440,000원)

3. 100 – 14번지(기호 5)

2011년 공시지가, 제2종일반주거지역, 주거용, 공원저촉은 해당 사업으로 인한 도시계획시설로서 고려하지 아니하여 373을 선정한다.

1,180,000 × 1.02061 × 1.00 × 0.960*1 ≒ 1,160,000원/㎡(× 138.7 = 160,892,000원)

* 1) 개별요인 : 1.00 × 0.96/1.00 × 1.00 × 1.00

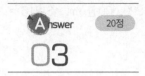

nswer 20점

03

Ⅰ. 평가개요

본건은 일조권 침해에 따른 가치하락액 산정으로서 2011.8.1을 가격시점으로 환불대상가구 선정 및 환불금액을 결정한다.

Ⅱ. 환불대상세대

주어진 두 조건을 모두 만족하는 101-301, 101-401, 102-602, 110-602호(총 4가구)가 환불대상세대이다.

Ⅲ. 환불금액 결정

1. 101-301호(거래사례 없음)

1) 가치하락률 결정

$0.06 \times (1-165/240) \fallingdotseq 1.88\%$

2) 하락 전 가치

$322,000,000 \times 1.00 \times 1.00833^{*1} \times 1.00 \times 0.970^{*2} \times 85/85 \fallingdotseq 314,942,000$원

*1) 시점수정($\frac{11.8.1}{11.6.25}$, 월할계산) $\frac{120+(120-119)\times1/1}{120}$

*2) 개별요인 : $96/99 \times 98/98 \times 100/100$

3) 환불금액 산정

$314,942,000 \times 1.88\% \fallingdotseq 5,920,000$원

2. 101-401호(거래사례 있음)

1) 일조시간 기준 가치하락률

$0.06 \times (1-170/240) \fallingdotseq 1.75\%$

2) 거래사례비교법에 따른 가치하락률

(1) 하락 전 가치

$322,000,000 \times 1.00 \times 1.00833 \times 1.000 \times 0.990^{*1} \times 85/85 \fallingdotseq 321,435,000$원

*1) 개별요인 : $98/99 \times 98/98 \times 100/100$

(2) 하락 후 가치

$305,000,000 \times 1.0 \times 1.04310^{*1} ≒ 318,146,000$원

*) 시점수정$(\dfrac{11.8.1}{11.3.12}$, 월할계산$)$ $\dfrac{120+(120-119)\times 1/1}{116}$

(3) 가치하락률 결정 : $1 - \dfrac{318,146,000}{321,435,000} ≒ 1.02\%$

3) 가치하락률 결정 : 양자 중 작은 1.02%로 결정한다.

4) 환불금액 산정 : $321,435,000 \times 0.0102 ≒ 3,279,000$원

3. 102 – 602호(거래사례 없음)

1) 가치하락률 결정

$0.06 \times (1-160/240) ≒ 2.00\%$

2) 하락 전 가치

$322,000,000 \times 1.00 \times 1.00833 \times 1.00 \times 1.031^{*1} \times 85/85 ≒ 334,747,000$원

*1) 개별요인 : $100/99 \times 100/98 \times 100/100$

3) 환불금액 산정

$334,747,000 \times 2.00\% ≒ 6,695,000$원

4. 110 – 602호(거래사례 없음)

1) 가치하락률 결정

$0.06 \times (1 - 160/240) ≒ 2.00\%$

2) 하락 전 가치

$322,000,000 \times 1.00 \times 1.00833 \times 1.00 \times 1.072^{*1} \times 110/85 ≒ 450,430,000$원

*1) 개별요인 : $100/99 \times 100/98 \times 104/100$

3) 환불금액 산정

$450,430,000 \times 2.00\% ≒ 9,009,000$원

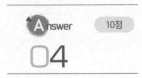

Answer 10점

04

Ⅰ. 평가개요

본건은 분양가의 적정성에 대한 소송평가로서 2009년 9월 20일의 분양가가 적정한지 여부 등에 대하여 평가한다.

Ⅱ. (물음 1) 분양가 적정성 여부

1. 처리지침

본건은 가격의 격차율을 검토하는 건이므로 임대수익률보다 분양 이후의 거래된 사례를 중심으로 전후면의 격차율을 산정하여 분양 당시의 격차율과 비교하여 판단한다.

2. 분양 당시의 전후면 격차율(측면/전면)

$14,655,000 \div 19,154,000 ≒ 0.765(76.5\%)$

3. 실거래가 격차율(2011년 8월 4일 기준)

1) 전면상가 : $550,000,000 \div 26㎡ ≒ 21,154,000$원/㎡

2) 후면상가 : $(460,000,000$원 $\div 29) \times 1.05522^* ≒ 16,738,000$원/㎡

    * 시점) 2010.6.15~2011.8.4, 생산자물가상승률 : $(1+0.0459 \times 200/365) \times (1+0.0330 \times 216/243)$

3) 격차율(후면/전면) : $16,738,000 \div 21,154,000 ≒ 0.791(79.1\%)$

4. 후면상가 분양가의 적정성 여부

분양가 격차 및 실거래가의 격차가 유사한바, 후면분양가는 적정하게 책정된 것으로 판단된다.

Ⅲ. (물음 2) 적정한 분양가의 근거

1. 분양 이후의 임대수익률 분석

전면 및 후면의 임대수익률이 서로 대등한바, 분양가는 수익성 대비 물건의 가액을 잘 나타내고 있는 것으로 판단된다. 원고가 주장하는 개별적인 영업이익은 영업권 등 개별적인 요소가 개입되어 있어 객관적인 자료로 활용하기는 어렵다.

2. 전시성 확보의 가능성

본건 상가는 도로변에 노출되어 있어 비록 고저 차이는 있지만 유동고객에게 충분히 전시성을 확보하고 있어 전시성이 없는 후면의 상가에 비해 높은 가격수준을 보이고 있다.

Answer 05 5점

- 미래 부동산시장에 대한 예측
- 상가의 흡수율 및 공실률 분석
- 인근지역의 상가 공급요인 분석
- 만기시 상환가능성에 대한 판단(1년 후)
- 상권의 이동분석
- 타인자본에 대한 조달방법 및 조건의 검토
- 부가된 조건에 대한 합리성·합법성 등 검토

Answer 06 5점

- 최근 담보평가수수료의 은행부담이전으로 인한 담보평가 축소 및 생략에 따른 담보평가서비스의 질 하락 우려
- 부적정하게 평가된 담보평가가 국민경제에 미치는 영향 : 부실자산의 양산, 막대한 공적자본의 투입
- 적정한 담보평가를 저해하는 현실적 요인 : 촉박한 시간, 이해관계인의 협조 부족, 사전평가(탁상자문)로 인한 가격 구속, 담보평가의 가격경쟁(고액평가), 수수료 경쟁 등

2012년 감정평가사 제23회

Answer 40점

01

I. 평가개요

본건은 서울특별시 G구 Y동에 소재하는 업무용 부동산에 대한 각 조건에 따른 수익가액의 평가 및 타당성 분석으로서, 기준시점은 가치판단시점 및 거래예정시점인 2012년 9월 30일을 기준한다.

II. (물음 1) 계약임대료에 따른 감정평가

1. 처리방침

1) 기준임대료(Base Rent) 및 임대료상승률(Rent Escalation Rate)

기준임대료는 현행 계약임대료를 기준하며, 임대료 및 영업경비 상승률은 CPI 기준 3.5% 상승을 가정한다.

2) 원천별 자본비용

WACC 산정에 있어 현행 임대차관계의 위험을 반영하여 대상물건과 관련하여 조사한 수익률을 기준한다.

2. 1기 순영업소득(NOI)

1) 1기 가능조소득(PGI) : $(240,000 \times 0.05 + 24,000 \times 12月 + 10,000 \times 12月) \times 49,587㎡$
≒ 20,826,540,000원

2) 공실률 : 현행공실률 기준 3.5%

3) 영업경비

(1) 고정경비(공실률 관계없이 발생) : $10,000 \times 12月 \times 49,587㎡ \times 0.4$ ≒ 2,380,176,000원

(2) 변동경비(임대부분에서만 발생) : $10,000 \times 12月 \times 49,587㎡ \times (1 - 0.035) \times 0.3$
≒ 1,722,652000원

(3) 대체충당금 : 경비에 포함되는 항목이며, 2년차, 4년차에 각각 적립하나 경비의 성격으로서 현시점 기준으로 연간 안분한 50,000,000원을 기준하되, 매년 경비상승률에 따른다고 판단한다.

※ 대체충당금을 발생시점에 각각 경비에 모두 산입할 수 있지만 대체충당금을 제외한 임대료 및 영업경비가 정률로 증가하는 점을 고려하여 연간 대체충당금으로 안분하여 경비상승률에 연동시켰다.

(4) 영업경비 : 2,380,176,000 + 1,722,652,000 + 50,000,000 ≒ 4,152,828,000원

4) 1기 순영업소득 : 20,826,540,000 × (1 − 0.035) − 4,152,828,000 ≒ 15,944,783,000원

3. 매기 순영업소득(매년 3.5%씩 상승, 단위 : 천원)

1기	2기	3기	4기	5기	6기
15,944,783	16,502,850	17,080,450	17,678,266	18,297,005	18,937,400

4. WACC(할인율) 결정(본건 기준자료)

1,110 ÷ 2,750 × 0.0625 + 1,650 ÷ 2,750 × 0.05 ≒ 0.055(넷째 자리 이하 절사)

5. 기말복귀가치

1) 기출환원이율 : 0.055 + 0.005 = 0.060

2) 기말복귀가치 : (18,937,400,000 ÷ 0.060) × (1 − 0.02) ≒ 309,310,873,000원

6. 평가액 결정(단위 : 천원)[30]

구분	1기	2기	3기	4기	5기
순영업소득	15,944,783	16,502,850	17,080,450	17,678,266	18,297,005
복귀가치	−	−	−	−	309,310,873
현금흐름	15,944,783	16,502,850	17,080,450	17,678,266	327,607,878
현가계수(5.5%)	0.948	0.898	0.852	0.807	0.765
현재가치	15,115,654	14,819,560	14,552,544	14,266,361	250,620,027
평가액	309,374,145천원				

III. (물음 2) 시장임대료에 따른 감정평가

1. 처리방침

1) 기준임대료(Base Rent) 및 임대료상승률(Rent Escalation Rate)

현행 임대차를 배제하고 기준임대료는 본건과 규모, 사용승인일, 오피스빌딩 하위시장, 전용

---

30) 수험목적상 답안작성시에는 바로 현재가치 합을 쓰면 될 것이다.(이하 동일)

률 등에서 유사한 임대사례 "2"의 기준임대료를 활용하며, 임대료 및 영업경비 상승률은 1, 2년차는 5%, 3년차 이후는 4% 상승을 적용함.

2) 원천별 자본비용
WACC 산정에 있어 오피스 하위시장에서 조사한 표준적 자본비용을 적용한다.

2. 1기 순영업소득(NOI)

1) 1기 가능조소득(PGI) : $(210,000 \times 0.05 + 21,000 \times 12月 + 8,000 \times 12月) \times 49,587㎡$
≒ 17,776,940,000원

2) 공실률 : 보수적인 측면으로 5% 적용

3) 영업경비
(1) 고정경비(공실률 관계없이 발생) : $8,000 \times 12月 \times 49,587㎡ \times 0.4 ≒ 1,904,141,000$원

(2) 변동경비(임대부분에서만 발생) : $8,000 \times 12月 \times 49,587㎡ \times (1 - 0.05) \times 0.3$
≒ 1,356,700,000원

(3) 대체충당금 : 물음 1과 같이 처리함.

(4) 영업경비 : $1,904,141,000 + 1,356,700,000 + 50,000,000 ≒ 3,310,841,000$원

4) 1기 순영업소득 : $17,776,940,000 \times (1 - 0.05) - 3,310,841,000 ≒ 13,577,252,000$원

3. 매기 순영업소득(1, 2년차 : 5%, 3년차 이후 : 4% 상승)

1기	2기	3기	4기	5기	6기
13,577,252	14,256,115	14,826,359	15,419,414	16,036,190	16,677,638

4. WACC(할인율) 결정(오피스시장조사자료 활용)
$1,110 \div 2,750 \times 0.0650 + 1,650 \div 2,750 \times 0.0567 ≒ 0.060$(넷째 자리 이하 절사)

5. 기말복귀가치

1) 기출환원이율 : $0.060 + 0.005 = 0.065$

2) 기말복귀가치 : $(16,677,638,000 \div 0.065) \times (1 - 0.02) ≒ 251,447,465,000$원

6. 평가액 결정(단위 : 천원)

구분	1기	2기	3기	4기	5기
순영업소득	13,577,252	14,256,115	14,826,359	15,419,414	16,036,190
복귀가치	–	–	–	–	251,447,465
현금흐름	13,577,252	14,256,115	14,826,359	15,419,414	267,483,655
현가계수(6.0%)	0.943	0.890	0.840	0.792	0.747
현재가치	12,803,349	12,687,942	12,454,142	12,212,176	199,810,291
평가액	250,038,084천원				

IV. (물음 3) NPV, IRR 분석

1. 계약임대료 기준 NPV, IRR

1) NPV : $309,374,145,000 - 275,000,000,000 = (+)34,374,145,000$원

2) IRR : $(-)275,000,000$천원 $+ \dfrac{Cashflow}{(1+r)^n} = 0,$ $r \fallingdotseq 8.2\%$

2. 시장임대료 기준 NPV, IRR

1) NPV : $249,967,895,000 - 275,000,000,000 = (-)25,032,105,000$원

2) IRR : $(-)275,000,000$천원 $+ \dfrac{Cashflow}{(1+r)^n} = 0,$ $r \fallingdotseq 3.7\%$

V. (물음 4) 거래예정금액

1. 처리방침

벤치마크 수익률은 본건이 소재한 YS 북부를 기준으로 7.0%를 적용한다.

2. 할인대상 현금흐름 결정

부동산 감정평가시 평가의 기준은 시장가치이며, 이는 경쟁적인 시장에서 성립할 수 있는 임대조건을 상정해야 하는바, "시장임대료"를 기준으로 한 현금흐름을 활용한다.

3. 거래예정금액

구분	1기	2기	3기	4기	5기
순영업소득	13,577,252	14,256,115	14,826,359	15,419,414	16,036,190
복귀가치	–	–	–	–	251,447,465
현금흐름	13,577,252	14,256,115	14,826,359	15,419,414	267,483,655
현가계수(7.0%)	0.935	0.873	0.816	0.763	0.713
현재가치	12,694,731	12,445,588	12,098,309	11,765,013	190,715,846
평가액	239,719,135천원				

4. 거래예정금액에 대한 검토

1) 할인율 적용에 대한 분석

현재 YS 북부 기준 투자수익률은 7.0%로서 본건과 같은 대형 오피스에 통상 사용하는 회사채 금리수준보다 약 1.5%p 정도 더 높다. 이에 따라 거래예정금액이 낮게 산출되었다.

2) 종전 거래예정금액(2,750억원)에 매입시 수익률 검토

시장임대료를 기준으로 하여 3.7% 정도의 수익률 밖에 산출되지 않아 무위험수익률인 국고채 금리(4.34%)보다도 낮은 수익이 창출된다. 또한 甲평가사가 예측한 미래의 불확실성 및 경기침체까지 고려한다면 더욱 보수적인 측면에서의 매입가격 결정이 필요할 것이다.

3) 추가검토

만약 현행 우량 임차인을 현행과 같은 조건으로 장기 임대차로 유치할 수 있다면, 본 투자의 투자금액 회수시기(5년)와 비교하더라도 종전 거래예정금액(2,750억원)이 타당할 수도 있다. 투자수익률에 따른 평가액(약 2,400억원) 이상으로 매입하게 된다면 본 투자자는 자금을 더 높은 수익률이 산출되는 자산에 투자하는 것이 합리적이고, 본 건물의 가격이 하락하면서 결국 균형수익률에 도달하게 될 것이다.

Answer   30점

02

Ⅰ. 평가개요

본건은 건축 중인 건물이 있는 부동산의 담보취득 목적의 감정평가서에 대한 평가검토로서 기준시점인 2012년 9월 9일을 기준으로 각 물음에 답한다.

Ⅱ. (물음 1) 부적정 평가의견 제시 등

1. 담보평가의 원칙

담보평가는 확인주의, 보수주의, 처분주의, 법정 현황주의 및 금융기관과의 협약을 준수함을 원칙으로 한다. 아래에서는 이 원칙을 근거로 부적정한 평가내용을 검토한다.

2. 조건부 평가 관련

1) 부적정 평가내용 및 사유

현재 사용승인 및 건축물대장에 등재되어 있지 않은 건물을 건축된 사항과 같이 사용승인 및 등재를 "가정"하여 평가하였으므로 부적정하다.(지적현황에도 본 건물은 점선으로 표시되어 있어 제시 외 건물임이 확인된다)

2) 보완내용

의뢰인(금융기관)과 해당 건물에 대한 평가 여부를 확인하여 회신받은 내용대로 평가해야 한다.(평가물건의 확정 필요)

3. 도로(K시 H구 A동 105번지) 중 乙씨 지분의 담보취득 필요성

  1) 부적정 평가내용 및 사유

    현재 평가대상인 103-1번지는 전면의 105번지를 통하여 통행하고 있으며 105번지가 없으면 맹지가 되므로, 105번지도 평가의 대상에 포함이 되어야 한다. 즉, 103-1번지와 105번지 중 乙의 지분이 공동으로 담보취득되어야 한다.

  2) 보완내용

    의뢰인(금융기관)과 협의하여 추가목록을 제시받고, 감정평가명세표에 A동 105번지 중 乙의 지분을 표시해야 한다.(평가목록의 확정 필요)

  ※ 개별요인 비교치 역시 부적정 내용으로 포함할 여지가 있습니다. 비교표준지의 구체적인 현황은 알기 어려우나 본건은 후면에 위치하고 있는 등 접근조건에서도 감가의 요인이 있을 수 있으나 특별한 언급없이 획지조건에서만 감가를 하고 있는 점은 지적이 가능합니다. 이런 부분은 각 비교요인에 따른 판단을 하도록 보완요구할 수 있습니다. 단, 본 문제에서는 〈자료 3〉의 2번 자료에서 별도의 개별요인이 제시되어 있으며 이 개별요인과 감정평가서의 개별요인 비교치와 크게 차이가 없어 부적정 의견에 넣지 않았습니다.

4. 평가선례의 선택

  1) 부적정 평가내용 및 사유

    선택된 평가선례는 각각 경매목적 평가 및 보상평가로서 평가목적이 상이하며, 선례 #1은 지상의 수목 등이 포함되어 평가된 선례이고, 선례 #2는 평균단가를 사용하지 않아 적정한 보상선례라고 보기 어렵다.

  2) 보완내용

    인근의 본건과 유사한 담보목적의 평가전례를 확인해야 하며, 경매평가 선례는 순수한 토지가격에 대한 판단 및 낙찰 여부, 낙찰가율을 확인하여 활용해야 할 것이다.

5. 그 밖의 요인비교치 결정

  1) 부적정 평가내용 및 사유

    협약사항상 그 밖의 요인의 산출근거를 설시하도록 하고 있으나 이에 대한 근거가 부족하다.

  2) 보완내용

    그 밖의 요인에 대한 산출치와 결정치를 명확하게 평가서에 기록할 필요가 있다.

6. 건물의 평가시 재조달원가 산정부분

  1) 부적정 평가내용 및 사유

    건물의 재조달원가의 결정은 직접법과 간접법을 병용해야 하나, 업자가 제시한 자료를 바탕으로 한 직접법만 사용하고 있어 객관적이지 못하다. 한편, 제시된 적산자료에 의한 평가도 무관한 항목이 포함되어 있어 부적정하다.

2) 보완내용

신축단가자료에 의한 재조달원가의 산정이 필요하며, 적산자료 중 "옹벽공사비 및 조경공사비"는 토지의 가치에 화체되는 비용으로서 제외해야 하며, "집기 및 비품비"는 건물가격과 무관한 가격으로서 배제해야 한다. 이에 따른 일반관리비도 적정비율 배제해야 한다.

III. (물음 2) 다른 방식에 의한 평가

1. 처리방침

제시된 수익에 따라 수익환원법을 적용하되, 본건의 비용자료가 구득되지 않은 바, 조소득 및 조소득승수를 기준으로 복합부동산의 가격산정 후 건물가격을 공제하여 토지평가액을 결정한다.

2. 복합부동산의 평가액

1) 본건의 유효조소득 : 일반적으로 공실률은 인근의 표준적인 공실률을 활용하나, 본건의 경우 독점적 지위로서 5%의 공실률이 확실시 되므로 5%를 적용한다.

$59{,}000 \times 300㎡ \times (1 - 0.05) ≒ 16{,}815{,}000$원

2) 유효조소득승수(EGIM) : 사례 부동산가격 ÷ 사례유효조소득(공실률 15% 적용)

사례 #1	사례 #2	결정
23.84	20.29	약 22

3) 복합부동산의 평가액 : $16{,}815{,}000 \times 22 ≒ 369{,}930{,}000$원

3. 건물의 가격

$$12{,}000{,}000 + 54{,}000{,}000 + 47{,}000{,}000 + 22{,}000{,}000 + 16{,}000{,}000 + 14{,}000{,}000 \times$$
$$\frac{(195{,}000{,}000 - 14{,}000{,}000) - 8{,}000{,}000 - 14{,}000{,}000 - 8{,}000{,}000}{195{,}000{,}000 - 14{,}000{,}000} ≒ 162{,}680{,}000$$원

4. 토지의 평가액

$369{,}930{,}000 - 162{,}680{,}000 ≒ 207{,}250{,}000$원$(518{,}000$원$/㎡)$

IV. (물음 3) 평가조건 미동의시 평가액 및 감정평가서 수정

1. 평가조건 미동의시 감정평가액

1) 처리방침

본건 토지 지상에 구조, 면적, 이용상황 등으로 미루어보아 본건 토지에 미치는 영향이 심각할 것으로 예상되는 제시 외 건물이 소재한다. 따라서 본 담보평가는 반려함이 타당하나 의뢰인이 감정평가액을 요구하는바, 평가요항표 등에 이에 대한 명확한 적시를 한 후 평가를 하되, 비고란에 감가가 있는 경우의 가격을 병기한다.

2) 나지상태의 토지가격

(1) 그 밖의 요인비교치

① 평가선례의 선정 : 보상평가는 평가기준이 상이하여 배제하고, 경매평가 선례를 선정하여 활용하되, 조경석 및 조경수에 대한 가치요인은 개별요인에 반영되어 있는 것으로 본다.(낙찰가율은 시장상황에 따라 변동이 가능하며 다수의 낙찰사례를 근거하였는지 확실치 않으므로 직접적으로 참조하지 않도록 한다)

② 그 밖의 요인비교치 결정(비교표준지 기준)

$$\frac{450,000 \times 1.00750 \times 1 \times 100/91}{420,000 \times 1.00750} ≒ 1.178$$

그 밖의 요인비교치로서 1.15를 적용한다.

(2) 나지상태 토지가격 : 420,000 × 1.00750 × 1 × 100/101 × 1.15 ≒ 482,000원/㎡

3) 지상 건물로 인한 감가율

(1) 구분지상권 사용료와 토지가격과의 비율 : (90,000 ÷ 18㎡) ÷ 250,000 ≒ 0.02

(2) 지상 건물로 인한 감가율 : 0.02 × 10배 ≒ 0.2(20%)

2. 평가개요 중 달라지는 항목 및 명세표

1) 평가개요 중 달라지는 항목

– 평가개요 2)번 수정

> (수정내용) 본건 토지 지상에 구조, 면적, 이용상황 등으로 미루어보아 본건 토지에 미치는 영향이 심각할 것으로 예상되는 제시 외 건물이 소재한다. 따라서 본 담보평가는 반려함이 타당하나 의뢰인이 감정평가액을 요구하는바, 평가요항표 등에 이에 대한 명확한 적시를 한 후 평가를 하되, 비고란에 감가가 있는 경우의 가격을 병기한다.

– 평가개요 4)번 삭제

– 평가개요 추가

> 본건은 전면의 A동 105번지를 통하여 진입하므로 A동 105번지(乙지분)와 공동으로 담보취득 하시기 바람.

2) 감정평가명세표

기호	소재지	지목 용도	용도지역 및 구조	면적(㎡) 공부	면적(㎡) 사정	평가가격 단가	평가가격 금액	비고
①	K시 H구 A동 103-1	잡종지	준공업 지역	400	400	482,000	192,800,000	현황 "대" 제시 외 건물 영향시 385,600원/㎡
②	K시 H구 A동 105	도로	준공업 지역	180	180 * 1/2	–	평가외	乙씨 지분 현황도로

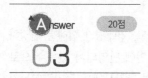

20점

03

Ⅰ. 평가개요

본건은 개발부담금 산정과 관련한 각 토지별 개시시점 및 종료시점 지가로서「감정평가에 관한 규칙」및「개발이익 환수에 관한 법률」(이하 환수법) 등 관련법령에 의하여 평가한다.

환수법에 따라 개시시점의 지가는 개발사업 인가일(2011년 10월 1일), 종료시점의 지가는 개발사업 준공인가일(2012년 8월 30일)을 기준시점으로 한다.

Ⅱ. (물음 1) 30 – 2번지

1. 개시시점 지가

1) 처리방침

환수법상 개별공시지가가 원칙이나 개별공시지가 및 매입가가 없는 토지로서 감정평가액으로서 결정한다.

2) 비교표준지 선정

2011년 공시지가를 활용하며, 계획관리, 답으로서 유사한 표준지 ①을 선정한다.

3) 시점수정치(2011.1.1~2011.10.1, B시 계획관리) : 1.07500

4) 지역요인 비교치 : 인근지역으로서 대등(1.000)

5) 개별요인 비교치 : 1.00 × 0.96 × 0.97 × 1.03 ≒ 0.959

6) 그 밖의 요인보정치 결정[31]

(1) 평가선례 선정 : 2011년 1월 1일 기준 평가선례로서 계획관리, 답인 ①을 선정

(2) 그 밖의 요인보정치 결정

$$\frac{65,000 \times 1.075 \times 1.000 \times 1.00}{50,000 \times 1.075 \times 1.000 \times 0.959} ≒ 1.356$$

∴ 그 밖의 요인비교치로서 1.35를 적용한다.

7) 개시시점 지가결정(기부채납면적 제외)

50,000 × 1.07500 × 1.000 × 0.959 × 1.35 ≒ 70,000원/㎡(×(3,500 − 500) = 210,000,000원)

---

31) 본건과 선례의 요인비교자료가 제시되어 본건기준방식을 적용한다.

2. 종료시점 지가

  1) 처리방침

    완공상태를 기준하며, 기부채납 부분은 제외한다.

  2) 비교표준지 선정

    2012년 공시지가를 활용하며, 계획관리, 공업용으로서 유사한 표준지 ②를 선정한다.

  3) 시점수정치(2012.1.1~2011.8.30, B시 계획관리) : 1.09500
  4) 지역요인 비교치 : 인근지역으로서 대등(1.000)
  5) 개별요인 비교치 : 1.07 × 1.00 × 1.00 ≒ 1.070
  6) 그 밖의 요인보정치 결정

    (1) 평가선례 선정 : 2012년 1월 1일 기준 평가선례로서 계획관리, 공업용인 ④를 선정
    (2) 그 밖의 요인보정치 결정

$$\frac{270,000 \times 1.09500 \times 1.000 \times 1.000}{210,000 \times 1.095 \times 1.000 \times 1.070} ≒ 1.202$$

    ∴ 그 밖의 요인비교치로서 1.20을 적용한다.

  7) 종료시점 지가결정(기부채납면적 제외)

    210,000 × 1.09500 × 1.00 × 1.070 × 1.20 ≒ 295,000원/㎡(× (3,500 − 500))

    = 885,000,000원)

III. (물음 2) 30 − 4번지

1. 개시시점 지가

  1) 처리방침

    환수법상 개별공시지가를 기준한다.

  2) 개시시점 지가

    45,000 × 1.100* ≒ 50,000원/㎡(×3,000 = 150,000,000원)

    *) 2011.1.1~2011.10.1, 정상지가상승분(B시 평균)

2. 종료시점 지가

  표준지 공시지가(2012년)에 비준표를 고려한 후 정상지가상승분(B시 평균 지가변동률)을 고려한다.

  210,000 × 1.070* × 1.105** ≒ 248,000원/㎡(× 3,000 = 744,000,000원)

  *) 비준표 비교 : 1.07 × 1.00 × 1.00

  **) 2012.1.1~2012.8.30, 정상지가상승분(B시 평균)

IV. (물음 3) 30 – 5번지

1. 개시시점 지가

1) 처리방침

환수법상 경매에 의하여 경락받은 토지는 매입가를 기준하되, 가격시점까지의 정상지가상승분(지가변동률)을 고려한다.

2) 개시시점 지가

60,000 × 1.025* ≒ 62,000원/㎡(× 1,000 = 62,000,000원)

*) 2011.6.10~2011.10.1, 정상지가승승분(B시 평균)

2. 종료시점 지가

앞의 30-2와 동일하다. ∴ 295,000원/㎡(× 1,000 = 295,000,000원)

Answer 10점

04

물음 1) 개발이익을 배제하는 방법

- 적용 공시지가 선택
- 지가변동률 선택
- 그 밖의 요인비교치

물음 2) EBITDA를 구하는 방법

- EBITDA(Earning Before Interest and Taxes, Depreciation and Amortization) : 기업 CFO(Operating Cash Flow)에 대한 지표(Proxy) 중 하나로 활용되며, 실질적인 기업의 운용 지표로 활용됨.{Earning의 조작(manipulation)이 어려움}
- 기업의 영업이익에 현금유출이 없으나 비용으로 인식되는 감가상각비, 순금융비용(Amortization)을 더하여 산정한다.
- FCFF이 포착된다면 자본적 지출, 감가상각비, 순운전자본증감을 조정하여 EBITDA를 산정할 수 있다.

제23회 감정평가실무 출제/채점위원 총평

[문제 1]

□ 부동산경기침체에 따른 부동산가치의 하락이 되는 시기에 오피스빌딩의 거래와 관련하여 거래예정금액에 대한 조언을 하는 문제로서 계약임대료와 시장임대료의 성격을 파악하고 있는지에 대한 문제이다. 그리고 물음이 4부분으로 구분되어 있는데 결론을 위해서는 물음 1, 2, 3의 과정이 충분히 검토되어야 한다. 대부분의 답안지가 물음 4까지를 만족하게 답한 것은 아쉽게도 없었고, 문제의 의도를 파악하지 못하고 기계적으로 접근을 한 답안, 물음에 맞지 않게 거꾸로 쓴 답안, 전용률을 고려한 답안, 자기자본만 평가하고 타인자본을 더한 답안, DCF로 접근하지 않고 직접환원법으로 쓴 답안, 풍부한 내용을 서술하지 않고 많은 부분을 생략한 답안 등으로 분류된다.

□ 계약임대료를 기준으로 감정평가를 요구한 물음 1은 대부분 순영업소득을 잘 구하였으나, 대체충당금에 대한 고려가 미흡한 답안이 있었다. 할인율은 금융적 측면에서 가중평균을 하는 것으로 대부분 잘 추출하였으나 채권금리나 벤치마크 투자수익률 등을 기계적으로 산술평균하여 결정한 답안도 있었다. 시장임대료를 기준으로 감정평가하는 물음 2는 임대사례를 선택하는 것에 있어서 임대사례선택 사유를 기술한 답안도 있었으나 많은 답안지가 사유 없이 답안을 작성하였으며, 일부는 3가지 임대사례를 기계적으로 산술평균한 답안도 있었다.
물음 3은 시간의 제약 때문인지 상당수의 답안이 누락되었고, 답안을 작성한 답안지도 풍부한 설명을 하지 못하고 숫자만 나열한 것으로 답안을 대신하였다.
물음 4는 시장임대료를 기준으로 한 감정평가금액을 기초로 거래예정금액에 대한 조정 여부를 판단해야 하나 계약임대료를 기준으로 거래예정금액이 타당하다는 의견을 제시한 답안도 있었고, 대부분이 물음에 흡족하지 못한 결론을 내었고, 단순히 숫자만 나열한 답안도 있었다.

□ 물음에 대한 답안은 처음부터 끝까지 서술해야 하며, 물음에 맞는 내용을 서술해야 하고, 답안을 알아볼 수 있는 정도의 필체는 되어야 할 것 같다.

[문제 2]

□ 본문은 감정평가 심사에 관한 것으로, 물음은 3가지 내용이다. 첫째, 제시된 감정평가서 중 부적정한 내용 및 그에 대한 보완내용, 둘째, 감정평가서에서 적용하지 않은 다른 방식으로 평가액을 검토, 셋째 의뢰인인 은행이 평가조건을 요구(동의)하지 않았을 경우의 평가액과 그 경우 평가개요 중 달라지는 항목을 기술하고 감정평가명세표를 재작성하라는 내용이다.

□ 첫 번째 물음의 요지는 3가지로, 토지평가에 있어 구체적인 그 밖의 요인보정치 산출근거의 미제시, 재조달원가 산정시 부적정한 항목의 산입 그리고 본건 부동산 진입도로에 대한 처리문제 미흡 등이다. 물음별로 구체적으로 살펴보면 첫째, 의뢰인인 은행에서는 업무협약서상 그 밖의 요인 산출근거를 설시하도록 요구하고 있으나, 제시된 감정평가서상에는 단순히 평가선례와 인근지역 내 유사토지의 가격수준만 제시하고 그 밖의 요인보정치를 바로 적용하고 있다. 둘째, 재조달원가 산정(직접법)에 있어 옹벽공사비, 조경공사비, 집기 및 비품비는 제외되어야 할 항목임에도 최종 사정액에 산입되

어 있다. 셋째, 본건 진입로로 사용 중인 토지는 공도가 아닌 이상 담보평가 목적을 고려하여 평가목록에 반영하되 현황 "도로"이므로 평가 외로 처리함이 타당함에도 이에 대한 내용이 없다는 것이다. 이에 대한 수험생들의 답안은 일부를 제외하고는 대부분 핵심을 설시하지 못하거나 일부에 대하여 답하는 내용이었는데 특히, 본건 진입도로에 대한 처리에 대하여 답한 내용이 적었다.

두 번째 물음은 원가방식에 의한 평가액을 다른 방식으로 검토하라는 내용인바, 제시된 자료에 의거 수익방식을 적용하는 것으로 시장에서 운영경비비율을 수집하지 못하였으므로 유효총임료승수법을 적용하면 될 것이다.

이에 대해 대부분의 수험생들이 유효총임료승수법을 적용하였다. 다만, 인근지역의 공실 및 대손충당금 비율은 가능총임대료의 15%인 반면 본건은 경쟁가능성이 없는 독점적 입지로 5%가 확실시 되므로 사례에서 15%를 적용하여 산출된 유효총임대료승수를 사용하되 본건의 유효총임대료는 가능총임대료에 5%를 적용하여 산출해야 할 것이나 대다수가 담보평가 목적을 언급하며 본건에도 15%를 적용하였다.

세 번째 물음은 기호 (가)건물에 대한 조건부평가에 대하여 의뢰인인 은행이 요구(동의)하지 아니한 경우 처리와 그에 따른 명세표 재작성을 요구하는 것으로, 구분지상권 사용료를 기준으로 법정지상권 성립을 감안하여 토지를 평가하는 것이다.

이에 대한 답안은 대부분 구분지상권 사용료 자료에서 산출된 2%를 법정지상권 감안비율로 바로 적용하였는데, 자료에서 그 10배가 적정하다고 주어졌음에도 불구하고 20%를 적용하지 아니하였고 명세표를 재작성하지 아니한 답안도 무시할 수 없을 정도로 많았다.

전체적으로 [문제 2]에 대한 수험생들의 답안은 핵심을 비켜가는 모습을 많이 보였는바, 이는 수험생 대부분이 제한된 시간과 평가경험이 없는 상태에서 감정평가 심사라는 생경한 물음에 당황한 게 아닌가 짐작된다.

[문제 3]

□ 본문은 공장신축에 따른 개발부담금과 관련하여 개시시점 지가와 종료시점 지가를 각각 구하는 것으로 개별공시지가가 있는 경우와 없는 경우, 매입가격이 있는 경우 그리고 기부채납면적의 처리 등이 관건이다.

첫 번째 물음의 경우 개별공시지가가 없는 경우로서, 개시시점 및 종료시점 지가는 감정평가액으로 결정하되 각각의 가격시점은 개발사업 인가일(2011.10.1)과 준공일(2012.8.30)이 되고, 이에 따라 각 가격시점 당시 용도지역과 이용상황 등이 동일하거나 유사한 표준지를 선정하게 된다. 이 경우 지가변동률은 계획관리지역의 것을 적용하고, 개시시점 지가평가시 기부채납면적은 제외하여 사정한다.

이 물음과 관련하여 많은 수의 답안이 B시 평균지가변동률을 적용하였고, 비교표준지 선정을 그르치거나 기부채납면적을 제외하지 않은 경우 그리고 그 밖의 요인보정을 하지 않은 경우도 많았다.

두 번째 물음의 경우 개시시점의 경우 개별공시지가가 있으므로 이에 가격시점까지의 시점수정(B시 평균지가변동률)을 통하여 지가를 산정하게 되고, 종료시점의 경우 공업용 표준지를 선정하되 2012.1.1 기준 공시지가를 적용하되 B시 평균지가변동률을 적용하여 시점수정을 하여야 한다.

이 물음의 경우 개시시점 지가산정시 개별공시지가를 적용하지 않거나 종료시점 지가산정시 2012년 개별공시지가를 적용한 경우가 많았고, 지가변동률을 B시 평균지가변동률을 적용하여야 함에도 계획관리지역 변동률을 적용한 경우도 많았으며 특히 그 밖의 요인보정이 필요 없음에도 불구하고 이를 적용한 경우도 많았다.

세 번째 물음의 경우 개시시점 지가는 매입가격이 있으므로 이에 B시 평균지가변동률을 적용하여 산정하고, 종료시점 지가산정은 물음 1)의 종료시점의 경우와 동일하다. 다만, 30-5번지 매입면적이 1,000㎡이므로 이 경우 면적은 이를 적용하여야 할 것이다.

이 물음에 대한 답안은 앞의 물음과 마찬가지로 지가변동률 적용의 오류나 면적사정을 잘못한 경우 그리고 종료시점의 경우 그 밖의 요인보정을 제외한 경우가 많았다.

□ 전체적으로 본문은 간단한 듯 보이면서도 각 경우에 따른 표준지나 개별공시지가, 매입가격 등을 적정하게 적용하여야 하고 시점수정도 그에 따라 각각에 맞는 지가변동률을 적용하여야 하며 그 밖의 요인보정 필요 여부 기타 면적사정 등을 유연하게 처리하여야 하는 난점으로 올바르게 답안을 작성한 경우가 적었으며 특히, 면적을 고려하지 아니하고 단가만 산정한 경우도 많았다.

[문제 4]

□ 첫 번째 물음은 보상평가시 개발이익을 배제하는 구체적인 방법에 대한 것으로 적용 공시지가 선정, 지가변동률의 차별 적용 그리고 그 밖의 요인보정시 평가선례의 선정 등의 내용에 대하여 답안에 전반적으로 잘 기술하고 있다. 다만, 공부량이 적은 일부 수험생의 경우 구체적 내용보다 개발이익 개념이나 개발이익 배제의 당위성만 장황하게 기술하고 있는 경우도 있었다.

□ 두 번째 물음은 EBITDA 즉, 법인세, 이자, 감가(모)상각비 차감 전 영업이익을 구하는 방법에 대한 것으로, 이 개념에 대하여 정확히 알고 있는 수험생의 경우 쉽게 접근할 수 있었던 반면, 이해가 부족한 경우 영업이익에 순금융비용이나 감가(모)상각비를 가산하여야 함에도 차감한다는 반대의 답을 기술한 경우도 적지 않았다.

[총 평]

□ 감정평가사 2차 시험 과목 중 감정평가실무는 다른 과목에 비하여 특히 시험시간이 부족한 것이 사실이다. 당위론적으로는 몰라서 풀지 못하는 것은 어쩔 수 없으나 시간이 부족하여 풀지 못하는 경우는 바로잡아야 할 숙제라 생각한다.

그러나 수험생 입장에서는 모두 같은 조건이고 그럴수록 기본에 충실하고 문제를 정확히 이해함이 필요하다 하겠다. 전반적으로 볼 때 끝까지 문제를 정확하게 읽고 이해한 후 요점에 접근하여야만 짧게 쓰고도 출제자의 의도를 꿰뚫을 수 있기 때문이다. 그리고 그러기 위해서는 시험 스킬보다는 기본에 충실히 하는 전략이 필요할 것이다. 끝.

2013년 감정평가사 제24회

Answer 35점

01

Ⅰ. 평가개요

본건은 A군 B면 C리에 소재하는 골프장에 대한 가치산정 및 제시된 계약에 따른 당사자 간의 타당성 분석으로서 의사결정시점인 2013년 1월 1일을 기준시점으로 한다.

Ⅱ. (물음 1) 甲소유 토지에 대한 가치산정 등

1. 처리방침

2013년 1월 1일을 기준으로 가치산정하며, 현황 기준인 골프장을 기준으로 평가하고 골프장부분(사업승인면적 1,450,000㎡를 일단지로 평가하며, 건물은 고려하지 아니함)과 제외지 부분(1,521,250 − 1,450,000 = 71,250㎡)을 구분평가한다.

2. 골프장부분의 가치

1) 공시지가 기준가격

(1) 비교표준지 선정

계획관리지역, 골프장으로서 본건과 비교가능성이 있는 표준지 1을 선정한다.

(2) 평가액

50,000 × 1.00000 × 1.000 × 1.020(개별요인) × 1.00 ≒ 51,000원/㎡(1,450,000 = 73,950,000,000원)

2) 원가법

(1) 소지상태의 가격(2013년 1월 1일 기준)

지목별로 가격수준이 유사하므로 지목별로 평가한다.

① "전"부분(기호 1번외 6필지, 10,700㎡)

계획관리지역, 전으로서 유사한 표준지 2를 선정한다.

30,000 × 1.00000 × 1.000 × 1.030 × 1.10 ≒ 34,000원/㎡(× 10,700 = 363,800,000원)

② "답"부분(기호 3번외 1필지, 6,050㎡)

계획관리지역, 답으로서 유사한 표준지 3을 선정한다.

20,000 × 1.00000 × 1.000 × 1.020 × 1.10 ≒ 22,000원/㎡(× 6,050

= 133,120,000원)

③ "임야"부분(기호 9번외 1필지, 사업지 내 1,433,250㎡)

계획관리지역, 임야로서 유사한 표준지 4를 선정한다.

12,000 × 1.00000 × 1.000 × 1.010 × 1.20 ≒ 15,000원/㎡(× 1,433,250

= 21,498,750,000원)

④ 소지상태 토지가격

363,800,000 + 133,100,000 + 21,498,750,000 = 21,995,650,000원

(2) 조성비(준공일 투입가정)

7,500,000,000 + 1,400,000,000 × 27홀 = 45,300,000,000원

(3) 원가법에 의한 가격

21,995,650,000 + 45,300,000,000 = 67,295,650,000원(÷1,450,000㎡ ≒ 46,000 원/㎡)

3) 수익환원법에 의한 가격(DCF)

(1) 운영기간 중 영업이익 현가(매년 1%씩 증가, 7%로 10년간 할인)

$$2,000,000,000 \times 3(27\text{홀 기준}) \times 1.07 \times \frac{1 - (\frac{1.01}{1.07})^{10}}{0.07 - 0.01} ≒ 46,915,875,000원$$

(2) 기말복귀가치 현가

10년 이후의 영업이익(현금흐름) 상승은 없는 것으로 판단하며, 10년 후 현금흐름은 연 1%(단리가정)로 상승하여 약 22억원이 될 것으로 판단한다.(이 영업이익의 상승률은 향후 10년간 공시지가 상승과 유사한바, 적정한 것으로 판단한다)

$$2,200,000,000 \times 3(27\text{홀 기준}) \div 0.08(\text{기출환원이율}) \times \frac{1}{1.07^{10}} (≒0.5083)$$

≒ 41,934,750,000원

(3) 수익가액

46,915,875,000 + 41,934,750,000 = 88,850,625,000원(÷1,450,000 ≒ 61,000원/㎡)

4) 골프장부분의 감정평가액 결정

수익환원법에 의한 가격은 건물부분에 대한 수익이 포함되어 토지만의 가격배분이 필요할 것으로 판단되며, 원가법에 의한 가격은 공급자 중심의 가격으로 판단되는바, 「감정평가에

관한 규칙」상의 평가방법인 공시지가기준법에 따른 시산가액을 기준으로 51,000원/㎡(총 73,950,000,000원)으로 감정평가액을 결정한다.

3. 제외지 부분(기호 10번 중 71,250㎡)

임야의 소지가격과 동일하다. 15,000원/㎡(× 71,250 = 1,068,750,000원)

4. 甲소유 토지의 가치

73,950,000,000 + 1,068,750,000 = 75,018,750,000원

III. (물음 2) 합리적 의사결정 여부 판단

1. 처리방침

토지소유자인 甲법인과 운영자인 乙법인의 입장에서 각각 타당성을 검토하며, 현금의 유출입을 분석하여 판단한다.

2. 甲법인의 타당성 분석

1) 현금유출액 현가합

(1) 기초 소지가격 : 21,995,650,000

※ 기초 소지가격을 현금유출로 처리한 이유 : 甲법인의 현금유입액 계산시 골프장의 복귀가치를 모두 현금의 유입으로 처리하였으므로 현물로 공여한 소지가격도 현금유출로 처리되어 있어야 현금유입 과 유출의 비교/분석이 될 수 있을 것이다.

(2) 인허가비용 : 7,500,000,000원

(3) 기말개발비용 보전분 현가

$$37,800,000,000(= 1,400,000,000 \times 27홀) \times 0.3 \times \frac{1}{1.07^{10}}(≒ 0.5083)$$

$$≒ 5,764,122,000원$$

(4) 소계 : 35,259,772,000원

2) 현금유입액 현가합

(1) 연간 토지임대료 현가합

$$1,000,000,000 \times 1.07 \times \frac{1-(\frac{1.02}{1.07})^{10}}{0.07-0.02} ≒ 8,138,956,000원$$

(2) 기말골프장의 복귀가치 현가

$$2,200,000,000 \times 3(27홀 기준) \div 0.08(기출환원이율) \times \frac{1}{1.07^{10}}(≒0.5083)$$

$$≒ 41,934,750,000원$$

(3) 소계 : 50,073,706,000원

3) 순현재가치(NPV) : (−)35,259,772,000 + 50,073,706,000 = (+)14,813,934,000원

3. 乙법인의 타당성 분석

1) 현금유출액 현가

(1) 개발비용 : 1,400,000,000 × 27홀 = 37,800,000,000원

(2) 토지임대료 지급액 현가합 : 8,138,956,000원

(3) 소계 : 45,938,956,000원

2) 현금유입액 현가

(1) 영업이익의 현가합 : 46,915,875,000원

(2) 기말 甲법인으로부터의 개발비용 보전분 현가 : 5,764,122,000원

(3) 소계 : 49,610,734,000원

3) 순현재가치(NPV) : (−)45,938,956,000 + 49,610,734,000 = (+)3,671,778,000원

4. 타당성 결과에 대한 검토

甲법인은 계약된 연 10억에 대한 임대료가 소지가치 대비 적정한 수준(약 4.7%)인 것으로 판단되나, 개발비용을 乙법인이 부담한다는 점, 개발비용에 대한 보전을 계약기간 말에 한다는 점으로 인하여 타당성이 있는 것으로 분석된다.

乙법인은 영업이익이 연간 토지임대료를 제공하고도 충분하다는 점, 개발비용에 대한 보전을 甲법인으로부터 받는다는 점으로 인하여 타당성이 있는 것으로 분석된다. 단, 향후의 영업이익의 실현 여부에 따라 타당성이 좌우될 수 있다.

Answer 30점

02

Ⅰ. 평가개요

본건은 서울특별시 동대문구 Y동에 소재하는 토지, 건물에 대한 운영방안에 대한 분석으로서 각 운영방안과 관련된 제시된 물음에 따라 현금흐름을 분석하여 2013년 4월 30일을 의사결정시점으로 하여 적절한 방안을 제시한다.

II. (물음 1) 2013년 7월 31일 기준 보상평가액

1. 처리방침

보상평가로서 해당 공익사업으로 인한 개발이익을 배제하여 평가하며, 토지는 공시지가기준법으로, 지장물은 이전비를 원칙으로 가격으로 평가한다. 개별적 계획제한인 도시계획시설은 저촉되지 않은 상태로 평가하며, 건물은 현황평가한다. 기타 지장물 역시 보상의 대상으로서 평가한다.

2. 토지의 보상평가액

1) 적용 공시지가 및 비교표준지 선정

도시 및 주거환경정비법상 사업인정의제일이 2012년 4월 5일인바, 이전 최근 공시지가인 2012년 공시지가를 선정하며, 일반상업지역, 상업 및 업무용으로서 공법상 제한이 유사한 표준지 ①을 선정한다.

2) 시점수정치(2012.1.1~2013.7.31)

생산자물가지수가 미제시된 바, 지가변동률을 기준한다.

$1.02240 \times 1.00512 \times (1 + 0.00155 \times 122/31) ≒ 1.03390$

3) 지역요인 비교 : 인근지역으로서 대등(1.000)

4) 개별요인 비교 : 100/100 = 1.000

5) 그 밖의 요인비교치

(1) 평가선례 및 거래사례 선정

사업승인 후 해당 사업으로 인하여 인근의 지가가 상승하였으므로, 개발이익 배제를 위하여 사업승인 이전의 시장자료를 활용하며, 일반상업지역, 상업 및 업무용으로서 본건과 유사한 보상선례 C를 선정한다(A : 사업인정 이후, B : 평가목적).

(2) 평가선례 기준가격(보상선례의 도로저촉은 고려하지 아니한다)

$9,500,000 \times 1.02796(시*) \times 1.000 \times 100/102 ≒ 9,574,137원/㎡$

*시점) 2012.4.2~2013.7.31(지가변동률)

$(1 + 0.00180 \times 29/30) \times \dfrac{1.02240}{1.00572 \times 1.00180} \times 1.00512 \times (1 + 0.00155 \times 122/31)$

(3) 공시지가 기준가격

$6,000,000 \times 1.03390 \times 1.000 \times 1.000 ≒ 6,203,400원/㎡$

(4) 그 밖의 요인보정치

$9,574,137 ÷ 6,203,400 ≒ 1.543$

상기와 같이 시산된 바, 그 밖의 요인보정치로서 1.50을 적용한다.

6) 토지의 감정평가액

$6,000,000 \times 1.03390 \times 1.000 \times 1.000 \times 1.50 = 9,310,000$원/㎡($\times 820$㎡ $= 7,634,200,000$원)

3. 건물의 보상평가액

$950,000 \times 18/50 = 342,000$원/㎡($\times 650$(실측) $= 222,300,000$원)

4. 기타 지장물의 보상평가액

1) 수위실(도시계획시설의 저촉은 고려치 아니한다)

$320,000 \times 13/40 = 104,000$원/㎡($\times 10 = 1,040,000$원)

2) 창고

$600,000 \times 13/40 = 195,000$원/㎡($\times 60 = 11,700,000$원)

3) 기타 지장물

축대의 가치는 토지가치(대지)에 화체되었다고 판단되므로 평가하지 아니한다.

$40,000 \times 110 + 90,000 \times 530 + (4,200,000 + 15,000,000 \times 0.2)$(이전비 보상대상) $\times$ 3주 $+ 500,000$(가격 보상대상) $\times$ 5주 $+ 200,000$(가격 보상대상, 고손액 포함시 이전비가격) $\times$ 5주 $= 77,200,000$원

4) 기타 지장물의 보상평가액

$1,040,000 + 11,700,000 + 77,200,000 = 89,940,000$원

5. 보상평가액

$7,634,200,000 + 222,300,000 + 89,940,000 = 7,946,440,000$원

(종전자산의 평가액은 사업승인시점 당시의 평가액이며, 상대적 가치로서 보상평가액과는 괴리될 수 있다)

III. (물음 2) 입주시점의 현금정산액 포함한 종후자산가치

1. 처리방침

(주)H전력의 입장에서 현금정산액은 (주)H전력의 권리가액과 조합원분양가의 차액을 기준으로 산정하며, 종후자산의 시장가치는 구분소유건물로서 대지권을 포함한 거래사례비교법으로 평가한다.

2. 종후자산의 시장가치

1) 사례선택 : 본건의 분양예정자산과 층별 효용비, 이용상황 등에서 유사하다고 판단되는 거래사례 F를 선정한다.($7,040,000,000 \div 640 = 11,000,000$원/㎡)

2) 시점수정치(2013.1.30~2018.4.30) : $1.02^5 = 1.10408$

3) 가치형성요인 비교치 : $100/95 = 1.053$

4) 종후자산가치

$11,000,000 \times 1.00 \times 1.10408 \times 1.053 = 13,000,000$원/㎡($\times 720 = 9,360,000,000$원)

(조합원자산가액과 차이가 있으나 통상 조합원분양가가 저가(본건은 100/145 정도 수준이다)라는 점, 일반분양분인 상가의 분양률이 70% 정도에 이른 점을 고려하여 적정한 분양자산의 시장가치라고 판단한다)

3. 현금정산액

1) 종후자산 조합원 분양가

8,000,000(1층 기준) × 720㎡ = 5,760,000,000원

2) 현금정산액

5,760,000,000(종후자산가액) − 7,956,400,000 × 0.95 = (−)1,798,580,000원 (교부금을 받아야 한다)

4. 현금정산액을 포함한 종후자산의 시장가치

9,360,000,000 + 1,798,580,000 = 11,158,580,000원

Ⅳ. (물음 3) 적절한 운용방안 검토 및 이유(2013년 4월 30일 기준)

1. 매각하는 경우 : 8,000,000,000원

2. 보상을 받는 경우

$7,946,440,000$(보상가, 2013.8.31일 지급) $\times \dfrac{1}{1.005^4} ≒ 7,789,478,000$원

3. 분양을 받는 경우

1) 2018년 4월 30일(입주시) 기준 현금흐름 : 11,158,580,000원

2) 현금흐름의 현재가치 : $11,158,580,000 \times \dfrac{1}{1.06^5} ≒ 8,338,340,000$원

4. 적절한 방안의 제시 및 이유

1) 적절한 방안 : 분양을 받는 방안

2) 상기 방안의 이유

조합원 분양가가 분양예정자산의 시장가치에 비하여 상당히 낮은 편이며, 비례율도 100%에 가까워 조합원의 입장에서 유리한 사업성을 가지고 있으며, 분양예정자산의 일반분양분의 분양률도 70% 정도에 이른 점으로 고려하였을 때 향후 상가로서의 성숙도도 적정한 수준이 될 것이라 예측할 수 있다.

하지만 향후 부동산 경기변동에 따른 종후자산의 가액이 변동될 경우 대상물건의 적절한 운용방안이 변경될 수 있다.

 20점

03

Ⅰ. 평가개요

본건은 종전에 시행된 공익사업으로 인하여 보상을 받지 못한 미보상토지에 대한 감정평가로서 가격시점은 계약체결일인 2013년 4월 1일을 기준한다.

Ⅱ. (물음 1) 비교표준지의 선정

1. 처리방침

본건은 정비사업의 기존 시설 안에 있는 사유토지에 대하여 그 공익시설의 관리청 등으로부터 보상금의 지급을 목적으로 평가의뢰가 있는 경우로서 미지급용지에 준하여 평가한다.

2. 적용 공시지가 선정

가격시점 이전 최근 공시지가인 2013년 공시지가를 선정한다.

3. 비교표준지 선정

종전 공익사업으로 인한 개발이익은 배제하여 평가하며, 1989.1.24 이전 무허가건축물부지로서 현황기준 대지를 기준하여 평가하여 표준지 1을 선정한다.

Ⅲ. (물음 2) 대상토지의 평가시 개별조건 판단

1. 처리방침

미보상 토지로서 미지급용지 평가방법을 준용하여 종전의 공익사업에 편입될 당시의 이용상황을 상정하여 평가한다. 따라서 편입 당시의 지목, 실제용도, 지형, 지세, 면적 등을 고려하여 평가한다.

2. 개별조건의 판단

1) 지목 : 임야
2) 실제용도 : 종전의 1989.1.24 이전 무허가건축물부지로서 대지이다.
3) 지형 : 부정형
4) 지세 : 완경사
5) 면적 : 10,000㎡ 기준

IV. (물음 3) 개별요인 비교치 산정 등

1. 개별요인 비교치

구분	요인비교치	비고
가로조건	100/105 ≒ 0.952	세로/소로
접근조건	1.00	대등함.
환경조건	1 - 0.4 = 0.60	환지비율 고려[32]
행정조건	1.00	대등함.
획지조건	−5%−9%(100/110)−15% = −29%(0.710)	부정형/장방형, 완경사/평지, 광평수 감가
기타조건	1.00	대등함.
개별요인 비교치	0.952 × 1.00 × 0.60 × 1.00 × 0.710 × 1.00 ≒ 0.406	

※ 항목별 요율은 총화식으로 처리함.

2. 산정사유

본건(편입 당시 기준)과 비교표준지의 개별요인을 비교하되, 본건의 공부상 지목이 임야이며, 이에 대한 개별요인 비교는 감보율 등을 고려하여 평가해야 하므로 이를 획지조건으로 반영하여 산정하였다.

V. (물음 4) 보상감정평가액 산정

1. 시점수정치(2013.1.1~2013.4.1)

대상토지의 가격변동을 잘 반영하는 지가변동률을 기준한다.(1.00000)

2. 보상감정평가액 산정

1,000,000 × 1.00000 × 1.000 × 0.406 × 1.00 ≒ 406,000원/㎡(× 1,000 = 406,000,000원)

---

32) 토지보상평가지침 제32조(미지급용지의 평가) ④ 주위환경변동이나 형질변경 등으로 평가대상토지의 종전의 공익사업에 편입될 당시의 이용상황과 유사한 이용상황의 공시지가 표준지가 인근지역에 없어서 제9조 제5항에 따라 인근지역의 표준적인 이용상황의 공시지가 표준지를 비교표준지로 선정한 경우에는 그 형질변경 등에 소요되는 비용(환지방식에 따른 사업시행지구 안에 있는 경우에는 환지비율) 등을 고려하여야 한다.
☞ 본건은 편입 당시 미조성지 내 주택지였으나 표준지는 정비된 주택지대이므로 가격수준의 차이를 개별요인으로 보정하였으며, 이는 획지조건으로 처리하더라도 무방할 것이다.

Answer 15점

04

Ⅰ. 평가개요

본건은 A시 B구 C동에 소재하는 토지 및 건물에 대한 시장가치 및 예상낙찰가 등에 대한 판단으로서 2013년 9월 7일을 기준시점으로 감정평가한다.

Ⅱ. 평가대상 부동산의 시장가치

1. 토지의 감정평가액

1) 처리방침

현황 및 건축물대장상 관련지번으로 등재되어 있으므로 이를 일단지로 평가한다. 지상의 건축물에 대해서는 적법한 권원에 의하여 평가대상 외 토지(C동 100번지)를 사용, 수익할 수 있으므로 정상적으로 평가한다.(전면토지기준, 중로각지, 정방형을 기준으로 평가한다)

2) 감정평가액(공시지가기준법)

준주거지역, 상업용 기준, 본건과 지리적으로 근접한 표준지 1을 선정한다.

5,200,000 × 1.00000(가격변동 보합세) × 1.000 × (1.05/1.00 × 1.00/1.00 × 1.00/1.00) ≒ 5,460,000원/㎡(× 600 = 3,276,000,000원)

2. 건물의 감정평가액

1,400,000 × (480 × 4) × 40/50 = 2,150,400,000원

3. 시장가치 결정

3,276,000,000 + 2,150,400,000 = 5,426,400,000원

Ⅲ. 예상낙찰가

5,426,400,000 × 0.75 = 4,069,800,000원

Ⅳ. 산출방법

평가대상 부동산에 대해서는 「감정평가에 관한 규칙」에 의거 토지 및 건물로서 개별평가하며, 예상낙찰가는 본건과 유사한 근린생활시설의 낙찰가율을 고려하여 결정하였다.

제24회 감정평가실무 출제/채점위원 총평

[문제 1]

☐ [문제 1]은 토지소유자와 골프장 개발·운영업체가 계약을 맺고 같이 투자하여 조성된 골프장에 관한 것으로서, 준공시점에서의 토지소유자에 귀속되는 가격과, 양 법인의 투자가 합리적인지를 판단하라는 두 가지를 묻고 있다.

☐ 첫 번째 물음에서 많은 답안들이 준공된 상태의 골프장의 가치만 구하되 원형지 부분을 고려하지 않거나 수익방식에 의한 검토를 하지 않았을 뿐 아니라, 골프장 개발·운영업체가 향유할 영업이익으로 검토하는 등 문제의 핵심에서 벗어나고 있었다. 두 번째 물음의 요지는 양 법인이 합리적으로 의사결정을 하였는지 NPV분석을 통해 검토하라는 것이다. 많은 답안들이 양 자의 입장에서 합리적인 의사결정을 하고 있는지 판단하고 있으나 일부는 전체 프로젝트 관점에서 검토하거나 또는 토지소유자와 골프장 개발·운영업체의 현금흐름을 혼동하는 답안을 작성하였다.

☐ 전체적으로 보면, 답안작성에 있어 가장 기초적이라 할 수 있는 단락의 나눔, 단락의 소결, 계산의 오류, 숫자에서의 자릿수를 혼동하는 등의 실수가 있었다. 감정평가에서는 문제를 해결하는 능력도 중요하지만, 평가액을 결정하는 과정에서 계산 및 단위 등도 중요하므로 평소에 잘 준비한다면 답안이 보다 명료하게 작성될 수 있을 것이다.

[문제 2]

☐ [문제 2]는 보상가격, 종후가격을 평가하고 매도가능가격과 비교하여 적절한 투자의견을 제시할 것을 요구하고 있다.

☐ 보상가격과 종후자산의 가치, 종전 부동산 상태의 매도가능가격을 비교하여 적절한 투자의견을 제시하여야 하나, 많은 수험생들이 현가화 등 기준시점의 가치로 환산하지 아니하고, 단순히 산출된 금액만 제시하여 답안을 작성한 아쉬움이 있었다.

[문제 3]

☐ [문제 3]은 종전에 시행된 공익사업의 부지로서 보상금이 지급되지 아니한 토지 즉, 미지급용지에 대한 평가와 관련된 문제로, 비교표준지 선정, 평가대상토지의 특성 확정 및 개별요인 비교치 결정의 과정을 거쳐 최종적으로 보상액을 산정할 것을 요구하고 있다.

☐ 감정평가의 가장 기본이 되는 사항인 비교표준지 선정과 관련하여 본 문제는 종전에 시행된 공익사업으로 인하여 용도지역이 변경되었을 때, 비교표준지의 선정기준은 어떠해야 하는지를 묻고 있고, 다음으로 개별요인 비교에 있어서 종전에 시행된 공익사업에 편입될 당시의 상황을 기준으로 해야 하는 대원칙을 알고 있는지를 묻고 있다. 대부분의 수험생들이 보상평가와 관련한 기본원칙 및 방

법은 숙지하고 있는 것으로 판단되나, 이를 해당 사안에 적용해서 정확한 결론을 도출한 수험생은 의외로 많지 않았다.

[문제 4]

□ [문제 4]는 경매감정평가에 관한 것으로서 토지와 건물의 가격과 예상낙찰가를 묻고 있다.

□ 예상낙찰가는 타인소유의 토지를 시장가격으로 거래하거나 시장임대료로 임대해야 하므로 추가비용이 필요하다는 점을 감안하여 본건 낙찰가가 낮아질 것으로 예상하고 답안을 작성해야 한다. 그러나 대부분의 수험생들은 이에 대한 언급 없이 동지역의 최근 평균낙찰률을 기계적으로 대입한 경우가 많았다.

□ 전체적으로 [문제 4]에 대한 수험생들의 답안은 대부분 내용을 첫째 물음에 집중하고, 둘째 물음은 간략하게 쓰면서 핵심을 벗어나는 경우가 많아서 아쉬웠다.

[총 평]

□ 평가실무는 자료가 많으므로 수험생들이 답안작성을 하는 과정에서 서두르다가 숫자상의 정확한 계산을 하지 못하거나 단순한 실수나 오기 등이 많았으나 풀이과정을 충분히 고려하여 채점하였다. 많은 수험생들이 시간 안배를 잘하여 문제를 풀고 답안작성을 잘 하였으나, 일부 수험생은 일부 문제에만 치중하다 나머지 문제를 풀지 못하였는바, 수험생들이 답안지에 필요 없는 내용은 생략하고, 문제의 취지를 이해하여 풀이과정을 좀더 집약하였으면 하는 아쉬움이 많았다.

2014년 감정평가사 제25회

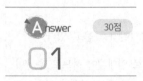

Answer 30점

01

I. 평가개요

1. 본건은 A구청장이 의뢰한 B12구역 주택재개발 정비사업구역 내에 소재한 공유지의 처분을 위한 감정평가로서 관련법령에 근거하여 평가한다.

2. 기준시점의 판단

   1) 본건은 사업시행인가고시(2011.3.20)를 3년 지난 시점에서 매각하는 건으로서(2014.9.5) "도시 및 주거환경정비법"(이하 도정법)에 의하여 "공유재산 및 물품관리법"(이하 공유재산법)에서 정하는 바에 의하여 매각한다.

   2) 기준시점의 판단

   공유재산법 제30조에 의하여 시가(時價)를 고려하여 평가하도록 규정되어 있다. 따라서 「감정평가에 관한 규칙」에 의하여 가격조사 완료일인 2014년 9월 5일을 기준시점으로 한다.

II. 토지보상법 준용 여부

1. 공유재산법상 평가기준

   공유재산법상 시가를 기준하도록 되어 있으며, 공유재산법 시행령 제27조에 의하여 토지보상법이 적용되는 공익사업에 필요한 공유재산을 해당 공익사업의 사업시행자에게 매각할 때에는 보상가액을 매각가액으로 할 수 있다.

2. 본건의 처분 상대방

   본건은 지상에 건축물이 소재하지 않는바, 점유자에게 매각하는 건이 아니고 처분의 상대방은 B12구역 주택재개발 정비사업조합(사업시행자)이라고 판단된다.

3. A구청장에게 수용권이 있는지 여부

   A구청장은 해당 사업의 사업시행자가 아니며, 현실적으로 사업시행자가 아닌 A구청장은 보상평가를 의뢰할 수 없다.

4. 본 사안에서의 토지보상법 준용 여부

본 사안에서는 정황상 A구청장이 현황대로의 가액을 참고하기 위하여 평가의뢰한 것으로 판단
되며, 따라서 토지보상법을 준용하지 않고 평가한다.

5. 그 밖의 문제점 검토

하지만 현실적으로 A구청장이 토지보상법을 준용하지 않은 상태에서의 가격을 평가한다고 하
더라도 수용권이 있는 조합의 입장에서 해당 금액에 매수하지 않을 것이며 결국 보상평가를 의
뢰하여 보상액에 따라 국공유지를 매수할 것이다.

따라서 본 사안에서는 보상평가를 준용하지 않은 감정평가액과 현실적인 매각금액이 될 보상평
가를 준용한 감정평가액을 모두 산정한다.

III. 현황평가 여부

1. 보상평가를 준용하지 않을 경우

APT부지의 일부로서 평가를 한다. 개량비의 경우는 지방자치단체의 장이 심의 및 결정할 사항
이다. 하지만 조합에서 제시한 개량비 역시 제시된 대로 인정받기 어려우며, 공유재산을 대부할
당시에 개량비에 대한 협의사항이 있는 상황에서 제한적으로 개량비가 인정된다.

2. 보상평가를 준용할 경우

종전의 주택부지로서 감정평가를 한다. 이 경우 개발이익의 배제문제가 발생할 수 있다.

IV. 본 사안의 감정평가액

1. 처리방침

토지보상법을 준용하지 않은 상태에서 현황대로 평가한다.

2. 비교표준지의 선정

기준시점 이전 최근 공시지가인 2014년을 기준하며, 현재의 현황(APT부지 조성 중)과 유사하
다고 판단되는 표준지 2를 선정한다.

3. 시점수정치(2014.1.1~2014.9.5, 주거) : 1.00057

4. 지역요인 비교치 : 인근지역으로서 대등(1.000)

5. 개별요인 비교치 : 1.000

6. 그 밖의 요인비교치 결정

1) 매매사례 및 평가선례의 분석

매매사례는 종전 주택부지로서의 거래사례로서 본건의 현황과 괴리되는바 적절하지 못하며, APT부지의 평가선례로서 비교적 최근에 평가되었으며, 본건과 규모적 유사성이 있는 평가선례인 ㄱ을 선정한다.

다만, 평가선례는 택지비 평가선례로서 본건의 현황과 성숙도 차이가 존재한다. 이 성숙도 차이는 개별요인으로 보정가능한 것으로 본다.

2) 격차율(비교표준지 기준)

$$\frac{5,700,000 \times 1.00211 \times 1.00 \times 1/1.18}{3,220,000 \times 1.00057} ≒ 1.503$$

3) 그 밖의 요인비교치 결정

상기와 같이 격차율이 산출되는바, 그 밖의 요인비교치로서 1.50을 적용한다.

7. 감정평가액의 결정

$3,220,000 \times 1.00057 \times 1.000 \times 1.000 \times 1.50 ≒ 4,830,000원/㎡(\times 485(일단지)$
$= 2,342,550,000원)$

V. 보상평가 준용시 감정평가액

1. 처리방침

토지보상법을 준용하여 평가하며, 기존 주택지대의 가격수준으로서 평가한다.

2. 비교표준지 선정

사업시행인가 이전 최근 공시지가인 2011년 공시지가를 선정하며, 주택부지로서의 이용상황과 유사한 표준지 1을 선택한다.

3. 시점수정치(2011.1.1~2014.9.5)

해당 지가를 잘 반영하는 지가변동률(주거지역)을 기준하되, 생산자물가지수는 고려치 아니한다.
$1.00096 \times 1.03487 ≒ 1.03586$

4. 지역요인 비교 : 인근지역으로서 대등(1.000)

5. 개별요인 비교 : 1.250

6. 그 밖의 요인보정치 결정

  1) 매매사례 및 평가선례 분석

    평가선례는 완공된 APT부지에 대한 가격으로서 부적절하다고 판단되는바, 주택부지로서 비
    교가능한 거래사례 '가'를 기준으로 격차율을 산정한다.
    다만, 거래사례는 사업시행인가일 이후에 거래되었지만 해당 사업으로 인한 가치의 변동은
    없는 것으로 판단한다.(400,000,000 ÷ 92 ≒ 4,350,000원/㎡)

  2) 매매사례 기준격차율 산정

$$\frac{4,350,000 \times 1.00999^* \times 1.00 \times (1.00/1.15)}{2,300,000 \times 1.03586} ≒ 1.604$$

    *) 2013.8.25~2014.9.5, 주거

  3) 그 밖의 요인보정치 결정

    상기와 같이 산출되는바, 그 밖의 요인보정치로서 1.60을 적용한다.

7. 감정평가액의 결정

  2,300,000 × 1.03586 × 1.00 × 1.250 × 1.60 ≒ 4,760,000원/㎡(× 485(일단지)
  = 2,308,600,000)

VI. 정비구역 내 국공유재산의 처분평가시 주의사항

1. 고려되어야 할 사항

    정비구역 내 국공유재산의 처분평가는 국공유재산의 효율적인 이용과 정비사업의 원활한 진행
    이라는 두 가지 요소가 적절하게 고려되어야 한다.

2. 감정평가시 유의점

    근거법령상 보상평가의 준용규정이 있는지 여부에 따라 감정평가방법 및 감정평가액이 달라지
    므로 감정평가사는 감정평가시 근거법령에 입각한 감정평가를 진행해야 할 것이다.

※ 문제 1번 풀이시 참조사항
  본 문제는 문제풀이시 상기의 예시답안과 같이 구체적으로 풀 필요까지는 없을 것으로 판단된다. 문제
  풀이시에는 각자의 논리에 따라 토지보상법 준용 여부에 대한 부분을 언급하고 하나의 방향을 잡고
  문제를 풀면 타당할 것이라 생각된다.

nswer 30점

02

I. 평가개요

본건은 환매권 상실로 인한 손해배상액의 산정과 관련된 건으로서 근거법령에 따라 평가한다.

II. (물음 1) 환매권 상실 당시 평가기준 등

1. 처리방침

1) 환매권 상실시점

해당 토지가 도시계획시설도로 사업에 필요가 없게 되었는바, 취득시점인 2001년 9월 20일로부터 10년 후인 2011년 9월 20일이 환매권의 상실시점이다.

2) 환매권 행사 제한 여부

현행 토지보상법은 다른 공익사업에 편입된 경우 제4조 제1호부터 제5호까지의 경우 환매권 행사가 제한되는 것으로 규정하고 있다.

다만, 본건의 경우 환매권 상실시 개정 이전의 법령이 적용되고 있으므로 제4조 제1호부터 제4호까지의 공익사업의 경우 환매권 행사가 제한되며, 본건은 제5호의 사업이므로 환매권 행사가 제한되지 않는다.

2. 비교표준지 기호 및 적용 공시지가

1) 적용 공시지가

택지개발사업에 따른 사업인정의제일이 2007년 10월 27일인바, 이전 최근 공시지가인 2007년 공시지가를 선정한다.

2) 비교표준지 선정

제2종일반주거지역(용도지역 변경은 택지개발사업과는 무관하다)을 기준하며, 공부상 지목에도 불구하고 인근의 표준적인 이용상황을 반영하여 주거용(다가구) 기준 표준지 5를 선정한다.

3. 선정이유

본건은 환매토지가 다른 공익사업에 편입되는 경우로서 비교표준지 선정, 적용 공시지가의 선정과 관련된 기준은 그 다른 공익사업(택지개발사업)에 편입되는 경우와 같이 해야 하므로 상기와 같이 처리하였다.

Ⅲ. (물음 2) 환매권 상실 당시의 토지평가액

530,000 × 1.05000* × 1.00 × 1.050 × 1.30 ≒ 760,000원/㎡(× 315 = 239,400,000원)

*) 2007.1.1~2011.9.20, A구 주거지역

Ⅳ. (물음 3) 환매권 행사시 환매금액

1. 처리방침

환매의 대상은 토지에 한하며, 지장물의 보상평가액은 무관하다.

2. 인근 유사토지의 지가변동률

1) 표본지 선정

환매토지가 취득 이후 환매까지 해당 공익사업(도시계획도로사업)과 직접 관계없이 용도지역 등이 변경된 경우에는 그 환매토지와 용도지역 등의 변경과정이 같거나 유사한 표준지 등을 표본지로 선정한다.

따라서 본건의 경우 표준지 6을 기준한다.

2) 취득 당시 표본지가격(2001.9.20)

360,000 + (380,000 − 360,000) × 263/365 ≒ 374,411원/㎡

3) 환매 당시 표본지가격(2011.9.20)

550,000 + (600,000 − 550,000) × 263/365 ≒ 586,027원/㎡

4) 인근 유사토지의 지가변동률

586,027 ÷ 374,411 ≒ 1.565

3. 환매권 행사시 환매금액

1) 보상금 × 인근 유사토지 지가변동률

180,000* × 1.565 ≒ 281,700원/㎡

*) 56,700,000원 ÷ 315㎡

2) 환매금액

환매 당시 토지금액이 "보상금 × 인근 유사토지 지가변동률"에 비하여 큰 바, 아래와 같이 결정한다.

180,000 + (760,000 − 180,000 × 1.565) ≒ 658,000원/㎡

V. (물음 4) 환매권 상실로 인한 손해액

1. 처리방침

당시 환매 당시 토지가격과 당시 환매권 행사시 환매금액의 차액이 손해액이 된다.

2. 손해액 산정

$760,000 - 658,000 = 102,000$원/㎡$(\times 315 = 32,130,000$원$)$

Answer 20점

03

I. 평가개요

본건은 공장에 대한 매입과 관련한 적정매입금액의 감정평가로서 병합토지의 배분에 유의하여 감정평가한다.(토지의 매입금액은 한정가치로서 시장가치 외의 가치에 해당한다)

II. B토지의 적정매입가격

1. 증분가치

$18,000,000,000 - (9,000,000,000 + 4,000,000,000) = 5,000,000,000$원

2. 증분가치 배분

1) 처리방침

기여도비율에 따른 차액배분법의 논리는 "구입비한도액비"에 따른 증분가치 배분에 해당한다.

2) B토지에 배분되는 증분가치 산정

(1) 배분배율

$$\frac{(18,000,000,000 - 9,000,000,000)}{(18,000,000,000 - 9,000,000,000) + (18,000,000,000 - 4,000,000,000)} \risingdotseq 39\%$$

(2) B토지 배분되는 증분가치

$5,000,000,000 \times 0.39 = 1,950,000,000$원

3. B토지의 적정매입가격

4,000,000,000 + 1,950,000,000 = 5,950,000,000원

III. 지상의 공장에 대한 평가액

1. 재조달원가(직접법, 단위 : 억원)

20 + 10 + 10 + 2* + 4 = 46억원

*) 일반관리비, 이윤을 제외한 공사비(40억원)의 5%를 초과하는바, 5%를 적정한 일반관리비로 본다.(이윤율은 현재
10%로서 15%를 초과하지 않는바, 적정하다)

2. 적산가액

$4,600,000,000 \times 0.1^{1/20} ≒ 4,099,754,000$원

Answer 20점

04

Ⅰ. (물음 1)

1. 기하평균수익률과 산술평균수익률

과거 20년 동안의 부동산 및 주식에 대한 평균수익률추이에 대한 분석이기 때문에 "기하평균수익률(geometric mean return)"을 채택하는 것이 합리적이다.

과거의 역사적 데이터는 시장예측에 있어서 가장 기본적인 통계자료이다. 과거의 데이터를 이용하여 평균수익률, 표준편차 및 상관관계 등을 분석한다. "산술평균수익률(arithmetic mean return)"은 1기간(single period)의 수익률을 추계하는 데에는 적절하지만 여러 기간의 수익률 추계에는 적절하지 못하다. 위험자산의 경우 기하평균수익률은 산술평균수익률에 비하여 항상 낮다.

2. A의 표준편차 및 시계열 상관계수가 높은 특징

일반적으로 감정평가액은 실제 시장의 변동성에 비하여 낮은 변동성을 나타내는 경우가 많다. (Smoothing Data) 이는 데이터의 표준편차를 낮게 만드는 원인이다.[표준편차를 실제보다 낮게 보이게 만든다.(Downward bias)]

또한 감정평가액은 예전의 감정평가액에 영향을 받는다. 시계열계수란 시계열분석(Time-series analysis)에서 전기와 다음 기수의 변동성의 관계로서 전기의 수치가 다음 기수의 수치에 영향을 주면 시계열계수가 높게 산출된다. 따라서 감정평가액은 평가선례의 영향을 받게 되는 특징으로 인하여 실제시장지수보다 시계열지수가 높게 나타난다.

감정평가액의 한계점을 극복하기 위해서 실제시장자료(거래자료, 수익자료 등)를 병용하여 통계분석하는 것이 타당하다.

II. (물음 2)

1. 내재된 임차권 수익률

1) 임대권의 가치

$$9,000,000 \times \frac{1.09^{10} - 1}{0.09 \times 1.09^{10}} + 120,000,000 \times \frac{1}{1.09^{10}} \fallingdotseq 108,448,000원$$

2) 내재된 임차된 수익률

(1) 내재된(implied) 임차권 가치

$$120,000,000 - 108,448,000 = 11,552,000원$$

(2) 내재된 임차권의 수익률

$$11,552,000 = (12,000,000 - 9,000,000) \times \frac{(1+r)^{10} - 1}{r \times (1+r)^{10}}$$

$$r \fallingdotseq 22.58\%$$

2. 등식이 성립하지 않는 경우

임차인이 해당 부동산을 최유효이용으로 이용하지 않는 경우, 임차인이 표준적인 임차인의 질과 다른 경우 등이 있다.

제25회 감정평가실무 출제/채점위원 총평

[문제 1]

본 문제는 정비구역 내에 소재하는 용도폐지되는 정비기반시설부지에 대한 처분목적의 평가로서, 논점은 ① 사업시행인가일부터 3년이 경과하여 관계법령에 따라 평가일 현재의 현황에 따른 시가평가에 의하고, ② 사업시행자인 조합이 지출한 개량비는 평가액에 반영하는 것이 아니라 처분가격에서 참작할 사항이라는 것이다. 따라서 기준시점(가격조사 완료일) 현재의 현황인 일단의 재개발사업부지를 기준으로 평가하여야 할 것이다.

한편, 기준시점 현재의 현황을 기준으로 접근한 경우에도 일단의 대규모 정비사업부지와는 비교가능성이 희박한 단독주택이나 주상용 매매사례를 거래사례비교법이나 그 밖의 요인보정이 활용한 점은 적용하지 않는 사유만 언급하면 충분하다는 점을 아울러 밝힌다.

[문제 2]

환매권의 주요논점은 ① 환매 당시 즉, 기준시점의 결정, ② 종전 공익사업의 개발이익은 포함되나 이후의 공익사업의 개발이익은 배제한다는 원칙하에 비교표준지와 적용 공시지가의 선정, ③ 표본지의 선정 및 활용 등에 있다.

관련 규정을 충분히 숙지하고 있는 경우에는 대체로 평이한 물음이었으며 대체로 무난한 문제라고 여겨져서인지 많은 수험생이 큰 오류 없이 답안을 작성하였다.

[문제 3]

합병에 따른 배분과 원가계산서의 조정문제로 이는 원가회계적 배분의 연장선상에 있다. 다만 제시한 예규의 암기를 묻는 문제는 물론 아니었다. 즉, 이윤과 일반관리비의 비율이 문제가 아니라 비율의 대상이 되는 계정과목을 어디까지 포함시켜야 되는가에 주안점을 둔 답안은 극히 드물었다. 과정중시의 사고가 필요한 문제였다고 본다.

[문제 4]

통계문제 역시 그의 해석에 초점을 둔 문제였다. 통계적 관념이 정착된 수험생의 답안은 그 해석이 장단점별로 예리하게 작성되었다. 감정평가기법은 결국 통계의 간편식이어서 기반이 되는 통계의 이해는 중요하다. 감정평가 우월론에만 치우친 답안이 의외로 많았다는 점이 특이했다. 모든 제도는 장단점이 혼재하고 있음에도 말이다. 임대 관련 문제 역시 가격형성의 기본원리를 이해하고 있다면 평이하게 그 과정을 기술할 수 있는 문제이고, 대부분 그렇게 기술하고 있었다.

결론적으로 수험서가 아닌 교과서 위주의 기본에 충실한 수험 준비가 점점 요구되는 시점이다. 몇몇 답안의 경우, 온갖 답안작성의 기법에 때 묻지 아니하고, 담백한 핵심어 중심의 간략한 기술이 매우 훌륭했다.

2015년 감정평가사 제26회

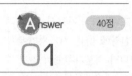

01

Ⅰ. 평가개요

본건은 구분소유권(업무시설)에 대한 시가참조목적의 감정평가로서 2015년 8월 20일을 기준시점으로 관련법령에 의하여 평가한다.

Ⅱ. (물음 1) 층별 효용지수의 결정

1. 처리방침

본건의 전체가 업무시설로 이용 중이라는 점, 사무실과 상가는 서로 다른 층별 격차를 보이는 점, 실무기준해설서는 개별부동산의 특성 반영에 어려움이 있을 수 있는 점을 고려하여 본건과 같은 부동산의 계량분석자료와 유사한 평가선례의 층별 격차를 참작한다.

2. 계량분석을 통한 층별 효용비

구분	지하 1층	1층	2층	3층	4층	5층	6층 이상
층별 단가 (원/㎡)	2,620,000	3,500,000	3,090,000	3,205,000	3,115,000	3,150,000	3,100,000
효용비	75	100	88	92	89	90	89

3. 층별 효용지수의 결정

본건의 특징을 고려하여 최근에 평가된 평가선례 3을 기준으로 층별 격차를 산정하되, 지하층의 효용비는 계량분석결과를 반영하여 결정한다.

구분	지하 1층	1층	2층	3층	4층	5층 이상
효용비	75	100	90	90	90	90

III. (물음 2) 감정평가액 결정

1. 감정평가방법의 결정

구분소유건물로서 「감정평가에 관한 규칙」 제16조에 의거 거래사례비교법으로 평가하되, 원가법 및 수익환원법에 의하여 그 합리성을 검토한다.

2. 거래사례비교법

(1) 사례선택 : 사무소로서 지리적으로 근접하고 용도지역이 유사한 B를 선택한다.[33]

(2) 본건의 401호 비준가액

1) 사례의 거래가격 : 6,780,000,000 ÷ 1,125 ≒ 6,026,667원/㎡(전유면적기준)[34]

2) 시점수정치(2015.2.10~2015.8.20, 오피스 자본수익률)

$(1 + 0.0035 \times 50/90) \times 1.003 \times (1 + 0.003 \times 51/91) ≒ 1.00664$

3) 가치형성요인 비교치 : $1.00 \times 1.00 \times 1.00$[35] = 1.000

4) 비준가액

$6,026,667 \times 1.00 \times 1.00664 \times 1.000 ≒ 6,070,000$원/㎡(× 1,100 = 6,577,000,000원)

(3) 전체 건물의 가격[36]

호수	전유면적(㎡)	단가(원/㎡)	총액(반올림하여 백만원 단위까지 표시)
B101호	2,250	5,060,000	11,385,000,000
101호	1,350	6,740,000	9,099,000,000
201호	1,215	6,070,000	7,375,000,000
301호	1,215	6,070,000	7,375,000,000
401호	1,100	6,070,000	6,677,000,000
501호	1,215	6,070,000	7,375,000,000
601호	900	6,070,000	5,463,000,000
소계	–	–	54,749,000,000

---

33) 지하부분은 거래사례 D로 별도로 비교할 수도 있을 것이다.

34) 본건은 각층별 전용률에 있어서 다소 차이를 보인다. 이는 특정 층에 공용부분이 있으나 이 부분이 다른 층으로 배분되지 않은 경우 등에 있어서 그런 경우가 발생하는데, 집합건물의 경우 전유부분을 기준으로 부속된 공용부분 및 대지권비율이 결정되므로 본 감정평가에 있어서는 전유면적당 단가를 기준으로 하여 해설하였다.(전용률 – 1, 2, 3, 5, 6, B1층 : 45%, 4층 : 41%)

35) 이 부분을 전체 면적을 비교단위로 하였다면 전용률에 대한 보정이 필요했을 것이다. 구체적인 비교는 다음과 같다.[개별요인(면적요인 대등, 전용률 비교) – 본건 전용률 : 40.7%, 사례 전용률 : 45.0%, 따라서 본건이 사례보다 3.0% 열세하다고 판단될 수 있다. 비교요인치 : 0.97]

36) 실무에서는 집합건물은 각 호수별 가액을 산정한다. 다만 수험목적상 아래와 같이 간략한 산식으로 처리하여 총액만 구할 수도 있을 것이다.

$6,070,000 \times [(75/90 \times 2,250 + 100/90 \times 1,350 + 90/90 \times (1,215 + 1,215 + 1,100 + 1,215 + 900)] = 54,715,400,000$원(반올림으로 인한 차이)

3. 원가법에 의한 합리성 검토

  (1) 토지(공시지가기준법)

    1) 비교표준지 선정

      준주거, 업무용으로서 지리적으로 근접한 표준지 다를 선정("나"는 접근조건 보정불가로 배제[37])한다.

    2) 시점수정치[2015.1.1~2015.8.20, 지변율(주거)]

      $1.00435 \times (1 + 0.00020 \times 20/31) ≒ 1.00448$

    3) 지역요인 비교치 : 인근지역으로서 대등함(1.000)

    4) 개별요인 비교치 : $1/0.9 \times 1.00 \times 1/1.10 ≒ 1.010$

    5) 그 밖의 요인비교치

      ① 거래사례 등 선택 : 준주거지역, 업무용으로서 비교표준지와 유사한 사례 1을 선정한다.

      ② 격차율(비교표준지 기준)

$$\frac{5,800,000 \times 1.000 \times 1.00027^* \times 1.000 \times 0.990^{**}}{2,800,000 \times 1.00448} ≒ 2.042$$

        *) 2015.7.10~2015.8.20, 주거 : $(1 + 0.00020 \times 22/31) \times (1 + 0.00020 \times 20/31)$

        **) 개별요인 : $(0.90(도로) \times 1.01(각지) \times 1/0.98(형상) \times 0.97(지하철) \times 1.10(면적)$

      ③ 그 밖의 요인비교치 결정 : 상기의 격차율을 고려하여 104% 증액보정한다(2.04).

    6) 토지평가액

      $2,800,000 \times 1.00448 \times 1.00 \times 1.010 \times 2.04 ≒ 5,790,000$원/㎡$(\times 3,637$ $= 21,058,230,000$원)

  (2) 건물의 평가액

    $1,540,000 \times 53/55 ≒ 1,480,000$원/㎡$(\times 20,800 = 30,784,000,000$원)

  (3) 원가법에 의한 평가액

    $21,058,230,000 + 30,784,000,000 ≒ 51,842,230,000$원[38]

4. 수익환원법

  (1) 기준임대료 결정

    사례 101호의 수익과 본건 101호의 임대차 내역이 유사하다. 보증금 100,000원/㎡, 월임대료 10,000원/㎡, 월관리비 6,000원/㎡을 적정수익으로 본다.

---

37) 표준지 '다'를 선정한 이유는 표준지 '나'의 경우 통계적 자료에 나온 요인비교자료로 개별요인보정이 불가능하기 때문이다. 다만, 통계적 자료의 한계점을 부각시킨다면 다른 개별적인 조건이 우수한 표준지 '나'를 선정할 수 있을 것이다.

38) 실무에서 집합건물의 경우 1동 전체를 평가하는 경우에는 거래사례비교법이 주방식이기 때문에 원가법에 의한 시산가액은 총액에 대한 합리성 검토만 한다. 각 호수별 금액은 산정할 필요가 없을 것이다.

(2) 전체 건물의 총수익

  1) 보증금 운용익 및 임대료 수입

    $(100,000 \times 0.03 + 10,000 \times 12) \times [(75/100 \times 5,000 + 100/100 \times 3,000)$
    $+ 90/100 \times (2,700 + 2,700 + 2,700 + 2,700 + 2,000)] = 2,247,210,000$원

  2) 관리비 수입

    $6,000 \times 12 \times 20,800 = 1,497,600,000$원

  3) 총수익 : 3,744,810,000원

(3) 순수익

  1) 유효총수익 : $3,744,810,000 \times 0.9 = 3,370,329,000$원

  2) 영업경비(관리비는 ㎡당 6,000원 기준함)

    $(6,000 \times 12월 \times 20,800㎡ \times 0.9) \times 0.8 = 1,078,272,000$원

  3) 순수익 : 2,292,057,000원

(4) 수익가액

  $2,292,057,000 \div 0.04 \fallingdotseq 57,301,425,000$원

5. 감정평가액의 결정

(1) 시산가액

거래사례비교법	원가법	수익환원법
54,749,000,000	51,842,230,000	57,301,425,000

(2) 시산가액 조정

  1) 감정평가 관련 규정

    구분소유건물에 대해서는 「감정평가에 관한 규칙」 제16조에 의하여 대지권을 포함한
    일괄 거래사례비교법으로 평가하는 것이 원칙이다.

  2) 원가법에 의한 가액 검토

    원가법에 의한 가액은 토지와 건물의 개별 물건에 대한 가액은 잘 반영하나 시장의 거래
    관행, 개발이익 등의 반영이 미흡하여 거래사례비교법 및 수익환원법에 비하여 낮게 산출
    되었다.

  3) 감정평가액의 결정

    「감정평가에 관한 규칙」 제16조에 의하여 거래사례비교법에 의한 평가액으로 결정하되,
    수익환원법에 의하여 그 합리성이 지지된다.

(3) 감정평가액 : 54,749,000,000원(총액)

  (감정평가명세표에는 거래사례비교법에 의한 각 호수별 금액을 표기해야 한다)

Answer 30점

02

I. 평가개요

본건은 구분지상권에 대한 보상평가로서 2015년 9월 2일을 가격시점으로 하여 각 물음에 답한다.

II. (물음 1) 구분지상권의 평가방법

1. 관계법령

토지보상법 시행규칙 제28조 제2항에서는 "토지에 관한 소유권 외의 권리에 대하여는 거래사례비교법에 의하여 평가함을 원칙으로 하되, 일반적으로 양도성이 없는 경우에는 해당 권리의 유무에 따른 토지의 가격차액 또는 권리설정계약을 기준으로 평가한다."라고 규정하고 있고 실무기준[800-6.6.2]에서도 거래사례비교법을 원칙으로 하되, 일반적으로 양도성이 없는 경우에는 해당 권리의 유무에 따른 토지가액의 차이로 감정평가하는 방법, 권리설정계약을 기준으로 감정평가하는 방법, 해당 권리를 통하여 획득할 수 있는 장래기대이익의 현재가치로 감정평가하는 방법에 따를 수 있도록 규정하고 있다.

2. 구체적인 감정평가방법 및 장단점

(1) 지료의 차이로 감정평가하는 방법

구분지상권 성격에 이론적으로 부합하는 방법이다. 단, 최근 설치된 경우 지료차이가 없을 수 있으며, 영구적인 시설의 경우 환원이 어렵다.

(2) 구분지상권 유무에 따른 토지가액의 차이로 감정평가하는 방법

객관적인 방법이나, 적절한 거래사례의 파악이 어렵다.

(3) 권리설정계약을 기준으로 감정평가하는 방법

최근 설치된 경우 설득력이 있으나 장기간 경과하면 설득력이 떨어진다.

(4) 기준시점에서 구분지상권의 가치로 감정평가하는 방법

현실적으로 영구적인 시설물 설치에 따른 구분지상권 설정이라는 특성에 부합하나, 설정 이후 토지의 가치상승이 큰 경우 설정금액(지급받은 보상액)에 비하여 구분지상권의 가치가 너무 크게 산출될 수 있다.

(5) 구분지상권의 보상사례기준

　　　　인근 및 동일수급권 내 유사지역에서의 동일, 유사한 보상선례 등을 기준으로 비교하여 산
　　　　정하는 방법으로 최근 유사사례가 있는 경우 타당한 방법이나, 최근이 아니거나 유사하지
　　　　않을 경우에는 비교가능성이 없으므로 적용이 곤란한다.

Ⅲ. (물음 2) 구분지상권의 보상평가액

1. 기준시점에서의 구분지상권 가치에 의한 방법

　　(1) 토지의 나지상태 감정평가액

　　　　1) 적용 공시지가 및 비교표준지 선정

　　　　　택지개발지구지정(사업인정일) 이전 2011년 공시지가를 선정하되, 해당 사업으로 인한
　　　　　용도지역변경은 고려하지 아니하며(자연녹지), 현황인 전을 기준으로 사업지 내의 표준
　　　　　지인 표준지 '가'를 선정한다.

　　　　2) 시점수정치(2011.1.1~2015.9.2, 녹지)

　　　　　$1.03085 \times 1.02072 \times 1.02085 \times 1.03082 \times (1 - 0.00120) \times (1 + 0.00072 \times 33/31)$
　　　　　$≒ 1.10677$

　　　　3) 토지의 평가액

　　　　　$300,000 \times 1.10677 \times 1.00 \times 1.10^{*39)} \times 1.30 ≒ 475,000$원/㎡
　　　　　*) 공법상 제한 차이는 개별요인에 포함된 것으로 본다.

　　(2) 보정률(입체이용률은 주변의 표준적 이용상황인 택지후보지대 적용)

　　　　1) 기본률(입체이용저해율)

　　　　　지상 송전선로로 인한 건축가능층수(표준적 층수 2층)의 저해가 없으므로 건물 등 이용저
　　　　　해 없으며, 지상 구조물로서 지하이용저해도 없다.
　　　　　∴ $0.15 \times 3/4$(지상부분 최대치) $= 11.25\%$

　　　　2) 추가보정률

　　　　　쾌적성(중), 시장성(상), 기타(상)으로서 27.5%임.

　　　　3) 보정률 : 38.75%

　　(3) 평가액

　　　　$475,000 \times 0.3875 ≒ 184,000$원/㎡($\times 300 = 55,200,000$원)

---

39) 이 부분에 대하여 개별요인의 경우 도시계획시설 저촉에 대한 보정률이 제시되었으므로 이를 반영할 수도
　　있을 것이다.

2. 권리설정계약기준 방법

(1) 권리설정계약금액 : 32,000,000 ÷ 300 ≒ 106,667원/㎡

(2) 시점수정치(2010.3.3~2015.9.2, 녹지)

  (1 + 0.02758 × 304/365) × 1.10677 ≒ 1.13219

(3) 평가액

  106,667 × 1.13219 ≒ 121,000원/㎡(× 300 = 36,300,000원)

3. 구분지상권 설정사례에 의한 방법

(1) 구분지상권 설정사례가격 : 37,400,000 ÷ 280 ≒ 133,571원/㎡

(2) 시점수정치(2015.7.31~2015.9.2, 녹지)

  1 + 0.00072 × 34/31 ≒ 1.00079

(3) 평가액

  133,571 × 1.00079 × 1.10 × 1.00 ≒ 147,000원/㎡(× 300 = 44,100,000원)

4. 평가액 결정

(1) 시산가액

기준시점 구분지상권가액	권리설정계약기준	구분지상권 설정사례
55,200,000	36,300,000	44,100,000

(2) 감정평가액 결정

각 방법은 일면타당성이 있으나, 본건의 경우 동일수급권 내 유사지역의 비교가능성이 높은 최근의 보상사례가 포착되는 바, 이를 기준으로 결정하는 것이 보상평가의 형평성을 기할 수 있다고 판단되는 바, 구분지상권 설정사례에 의한 방법인 44,100,000원으로 결정한다.

※ 이 부분에 대하여 권리설정계약을 기준으로 하여 보상평가액을 결정하는 논리도 타당할 것으로 판단된다. 그 사유로서는 ① 보상대상자가 구분지상권 설정권자라는 점, ② 구분지상권 설정금액 이상으로 보상할 경우 과다보상이 될 수 있다는 점(반대로 토지소유자에게는 과대한 침해가 될 수 있다는 점), ③ 본건 등기부의 설정가액 기준이므로 객관적일 수 있다는 점을 근거로 할 수 있을 것이다.

※ 이 부분에 대하여 토지보상법 시행규칙 제31조 제1항, 전기사업법 시행령 제50조 및 별표에 의하여 토지가치에 적정한 비율을 곱한 금액을 기준으로 결정하는 방법으로 결정할 수 있을 것이다. 해당 토지는 택지개발사업 등 성숙으로 인하여 설정 당시와 가격시점 당시의 토지가액 차이로 인하여 다른 평가방식과 시산가액의 차이가 발생한 것으로 판단된다.

Answer 20점

03

Ⅰ. 평가개요

본건은 택지개발사업에 편입된 토지 및 농업손실보상에 대한 이의재결목적의 보상평가로서 수용재결일인(토지보상법 제67조) 2015.8.25를 가격시점으로 하여 평가한다.

Ⅱ. (물음 1) 토지보상평가액

1. 적용 공시지가의 선정

(1) 사업인정고시일 : 택지개발지구지정·고시일인 2014.1.2이다.

(2) 주민의견청취 공고로 인하여 취득하여야 할 토지가치가 변동되었는지 여부

1) 사업지 내 표준지 가격변동률(2013~2014)

표준지 가	표준지 나	표준지 다	평균
8.82%	9.52%	13.33%	10.56%

2) 결정

사업지가 소재하는 P시의 변동률인 3.51%에 비하여 3%포인트 이상 높으며, 30% 이상 차이가 나므로 토지가치가 변동된 것으로 판단된다.

(3) 적용 공시지가의 선정

토지보상법 시행령 제38조의2에 의하여 해당 공익사업의 면적이 20만제곱미터 이상이며, 취득하여야 할 토지가치가 변동되었다고 인정되므로, 토지보상법 제70조 제5항에 의하여 주민의견청취 공고일 이전의 공시지가인 2013년을 선정한다.

2. 비교표준지 선정

불법형질변경토지로서 임야기준, 계획관리지역으로서 표준지 나를 선정한다.

3. 시점수정치(2013.1.1~2015.8.25, 계획관리)

인접한 시·군·구의 지가변동률이 미제시되어 지가변동 여부의 판단을 생략한다.

$1.04213 \times 1.02765 \times 1.01175 \times (1 + 0.00167 \times 25/31) ≒ 1.08499$

4. 지역요인 비교치 : 인근지역으로서 대등함.(1.000)

5. 개별요인 비교치 : 0.75/0.72 × 1.00 × 1.00 ≒ 1.042

6. 보상평가액

21,000 × 1.08499 × 1.000 × 1.042 × 1.80 ≒ 43,000원/㎡(× 1,200 = 51,600,000원)

Ⅲ. (물음 2) 농업손실보상평가

1. 보상 여부(토지보상법 시행규칙 제48조)

농지법 제2조 제1호 가목에 해당하는 농지로서 불법형질변경토지 여부와 무관하게 농업손실보상대상이다.

2. 보상자별 보상평가액

(1) 전체 농업손실보상평가액

1) 실제소득 입증금액

(6,847,050 × 0.542) ÷ 1,200㎡ ≒ 3,093원/㎡

2) 작물별 평균소득

1,885,742 ÷ 1,000㎡ ≒ 1,886원/㎡

3) 결정

평균소득의 2배 이내인바, 실제소득 입증금액을 기준한다.

(2년분 : 3,093 × 2년 = 6,186원/㎡)(× 1,200 = 7,423,200원)

(2) 보상 대상자별 보상액

1) 소유자(이대한)

실제소득 인정된 경우로서 도별 농작물총수입 기준 보상가의 1/2로 보상한다.

3,402(2년분) ÷ 2 = 1,701원/㎡(× 1,200㎡ = 2,041,200원)

2) 실제경작자

6,186 - 1,701 = 4,485원/㎡(× 1,200 = 5,382,000원)

Answer 10점

04

I. 평가개요

1. 본건은 토지, 건물에 대한 경매목적의 감정평가로서 2015년 9월 19일을 기준시점으로 평가한다.

2. 제시 외 건물의 구조, 이용상황, 면적 등으로 보아 ㉠은 면적, 이용상황, 부착상태 등을 고려시 부합물로 판단되는 바, 본건 토지에 미치는 영향이 별무할 것으로 판단되고, ㉡은 본 토지의 소유권 행사에 제한을 줄 수 있을 것으로 판단된다. 감정평가의 목적을 고려하여 나지상태로 평가하되, 지상권 설정시의 가액을 병기한다.

II. 토지의 감정평가액

6,530,000원/㎡(×200 = 1,306,000,000원)

(지상권 설정시 : 6,530,000 × 0.88 = 5,750,000원/㎡)

III. 건물의 평가액

1. 주택

(1) 기존부분 : 750,000 × 43/50* = 645,000원/㎡(×100 = 64,500,000원)

*) (가)의 사용승인일과 완공일이 1년 이상 차이가 발생하는 바, 물리적 감가를 고려시 완공일을 기준으로 감가수정한다.

(2) 증축부분 : 600,000 × 42/45* = 560,000원/㎡(×12 = 6,720,000원)

*) 주체부분의 잔존내용연수 및 증축부분의 경제적 내용연수를 고려하여 결정한다.

(3) 소계 : 71,220,000원

2. 제시 외 건물

(1) 제시 외 건물 ㉠ : 100,000 × 4 = 400,000원

(2) 제시 외 건물 ㉡ : 600,000 × 20/45 ≒ 267,000원/㎡(×48 = 12,816,000원)

(3) 소계 : 13,216,000원

IV. 감정평가액의 결정

1,306,000,000 + 71,220,000 + 13,216,000 = 1,390,436,000원

제26회 감정평가실무 출제/채점위원 총평

감정평가실무과목은 감정평가법규와 감정평가이론에 관한 지식을 활용하는 경우가 많아 고득점을 위해서는 이들 과목에 대한 이해가 선행되어야 할 것이다. 이번 시험에서는 수험생의 기본적인 실무능력을 평가하는 데 중점을 두고 실제 현업에 종사하는 경우 필요한 지식을 중심으로 출제하였다. 수험생은 출제의도와 핵심을 파악하고 논점에 대해 빠짐없이 기술하려고 노력하여야 할 것이다. 또한, 항목별 배점을 고려하여 답안 분량을 배분하고 포기하는 문제가 없어야 할 것이다.

[문제 1]

본 문제는 집합건축물(업무용)의 매각을 위한 일반거래(시가참고)목적의 감정평가로서, 첫째, 자료해석능력과 둘째, 감정평가 관련 제 규정 숙지 여부에 초점을 두고 출제되었다. 자료(data)분석 및 해석은 감정평가액을 도출하는 일련의 과정으로 이를 얼마나 충실히 하였는가에 따라 감정평가서의 질과 객관성 등이 달라지며, 감정평가서 작성시 감정평가 관련 법령 등의 준수(예를 들어 감정평가실무기준서상의 내용준수)는 감정평가사라면 반드시 지켜야 하는 원칙이기 때문이다.

우리는 자료를 분석하는 방법을 통상 통계분석이라 한다. 통계분석기법에는 평균분석, 분산분석, 횡단면분석, 시계열분석, 패널분석 등 다양한 용어로 표현되는 기법들이 있다. 혹자는 통계가 만능인 것처럼 말한다. 그러나 통계는 완벽한 것이 아니다. 통계의 한계는 자료의 한계(공간 및 시간적 한계)에서 기인한 것으로 결국 통계분석은 자료의 평균과 오차에 대한 이야기일 뿐이다(그렇기 때문에 통계치에 대한 해석이 더 중요할 수 있다). 따라서 통계치는 유일한 정답이 아니며 전문가에 의해 해석되고 활용되어야 할 대상인 것이다.

본 문제에서 주어진 자료(헤도닉모형 및 실무기준해설서상의 통계치) 역시 모두 시간적·공간적 한계를 가지고 있었는데 수험생 중 일부는 이를 잘 해석하여 답안을 작성하였으나, 많은 수험생들이 주어진 자료를 해석하지 않고 맹목적으로 채택하여 답안을 작성하고 있었다. 한편, 예상 외로 표준지 선정, 시점수정, 집합건축물의 평가방법 등에서 틀린 답안지가 많았다. 수험생이라면 좀 더 기본에 충실할 필요가 있어 보인다.

[문제 2]

가공 송전선로를 위한 구분지상권의 보상평가에 관한 문제로서 업계에서 화두가 되고 있는 주제이나 핵심을 파악하고 답안을 작성한 수험생이 많지 않았다. 수험생 중 일부는 구분지상권이 설정된 토지의 보상평가로 이해하였으며, 과락방지를 위해 서술형(10점)을 추가하였음에도 포기한 수험생이 많았다. 설정사례나 보상사례를 기준으로 평가하거나, 구분지상권의 유무에 따른 감가율이나 새로이 설정하는 경우의 보상액 등 다양한 방법을 통해 시산가액을 도출하고 이를 조정하는 것이 필요하다.

[문제 3]

택지개발사업 시행에 따른 이의재결목적의 보상평가에 있어서 토지보상액, 농업손실보상액을 평가하는 문제였다. 보상평가에 관한 기본적인 문제이다. 이의재결평가의 기준시점(가격시점), 불법형질변경토지의 평가방법, 공익사업의 고시로 인한 토지가격의 변동 여부, 농업손실보상의 대상자 판단, 농업손실보상액 산정기준 등이 핵심이다. 보상평가는 일반평가와는 다른 법정평가이므로 그 내용에 대해 충분히 이해하여야 하나 절대적인 공부량이 부족한 수험생이 많음을 느꼈다.

물음1) 토지보상액 산정시 적용 공시지가 선정, 불법형질변경토지의 보상방법이 주된 논점이었으나 일부 수험생은 가격변동 여부의 검토과정을 누락한 경우가 있었고, 의외로 시점수정치를 정확하게 계산한 답안지가 많지 않았다.

물음2-1) 농업손실보상대상 여부 검토의 경우 문제의 출제의도를 정확히 파악하고 기술한 답안지도 있었으나, 별도로 검토부분에 배점이 부여되었음에도 불구하고 간단히 결론만 언급하는 안타까운 경우도 상당수 있었다.

물음2-2) 보상대상자별로 농업손실보상액을 산정하는 문제로 대부분 관련규정에 대한 기본적인 이해를 바탕으로 정확히 산정하였으나, 일부 수험생은 규정에 대한 이해가 부족한 답안지도 많았다. 수험생은 곧 미래에는 감정평가업무를 수행할 사람으로서, 공정한 평가를 위해 평가 관련 제 규정의 변화에 관심을 기울이고, 숙지할 필요가 있다.

[문제 4]

제시 외 건물이 있는 토지, 건물 복합부동산의 경매목적의 평가로서, 제시 외 건물에 대한 이해 및 토지에 미치는 영향을 어떻게 감안해야 할지가 논점인 문제로서, 핵심논점만 파악되면 짧은 시간에 기술할 수 있는 단순한 문제였음에도 불구하고, 시간배분에 실패하여 전혀 기술하지 못한 학생들이 있었다.

2016년 감정평가사 제27회

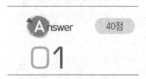

Answer 40점

01

Ⅰ. 평가개요

본건은 복합부동산에 대한 일반거래목적의 감정평가 및 이에 대한 투자자문으로서 2016년 7월 1일을 기준시점으로 평가한다.

Ⅱ. (물음 1) 복합부동산의 감정평가[40]

1. 개별평가(건물을 원가법으로 하는 공시지가기준법)

(1) 토지의 평가액

1) 처리방침

「감정평가에 관한 규칙」 제14조에 의거하여 공시지가기준법에 의하되, 거래사례비교법에 의하여 그 합리성을 검토[41]하며, 일단지로서 일단의 토지특성을 기준한다.

2) 공시지가기준법

① 비교표준지 선정 : 일반상업지역, 상업용으로서 인근지역에 위치하였으며, 주변환경 및 도로조건(간선도로 접함)이 유사한 표준지 4를 선정한다.

② 시점수정치(2016.1.1~2016.7.1, 지가변동률)

1.01687 × (1 + 0.00323 × 31/31) ≒ 1.02015

③ 지역요인 비교치 : 인근지역으로서 대등

④ 개별요인 비교치 : 0.97 × 1.00 × 1.00 = 0.970

⑤ 그 밖의 요인비교치

(ㄱ) 평가선례 선정 : 일반상업지역의 상업용으로서 평가목적과 유사한 평가선례 2를 선정한다.

---

40) 풀이의 순서는 문제에 제시된 바에 따라 "비교방식, 수익방식, 건물을 원가법으로 하는 공시지가기준법"으로 풀이하여도 무방하나, 「감정평가에 관한 규칙」에 의하여 본건과 같은 복합부동산의 일반적인 감정평가방법에 따라 개별평가를 먼저 처리하였다.

41) 문제에 공시지가기준법에 의한 가격이라는 표현이 있으나 이 문구가 합리성 검토를 배제하라는 취지로 판단하지 않아 합리성 검토를 하였다.

(ㄴ) 격차율(비교표준지 기준)

$$\frac{3,400,000 \times 1.02015^* \times 1.00 \times 1.000^{**}}{3,000,000 \times 1.02015} ≒ 1.133$$

*) 시점수정치(2016.1.1.~2016.7.1. 지변률)

**) 개별요인 비교(표준지 4 / 사례 #2) : 1.00 × 1.00

(ㄷ) 결정 : 상기 격차율을 고려하여 1.13으로 결정한다.

⑥ 평가액 결정

3,000,000 × 1.02015 × 1.00 × 0.970 × 1.13 ≒ 3,350,000원/㎡

3) 거래사례비교법[42]

① 거래사례 선정 : 일반상업지역, 상업용으로서 주변환경과 유사한 거래사례 3을 선정한다.

② 사례거래가격(철거비 보정) : 2,850,000,000 + 30,000,000 = 2,880,000,000원 (@3,840,000)

③ 시점수정치(2016.5.1~2016.7.1. 지가변동률)

1.00323 × (1 + 0.00323 × 31/31) ≒ 1.00647

④ 개별요인 비교치 : 1.00 × 0.96 = 0.960

⑤ 비준가액 : @3,840,000 × 1.00647 × 1.00 × 0.960 ≒ 3,710,000원/㎡

4) 평가액 결정

「감정평가에 관한 규칙」 제14조에 의거 공시지가 기준가액으로 결정한다. 거래사례비교법에 의한 시산가액은 사정개입(철거비)으로 인하여 괴리되는 것으로 판단된다.(×800 = 2,680,000,000원)

(2) 건물의 평가액(원가법)

1) 경제적 내용연수 결정

토지보상평가지침 및 건축물 신축단가표 등에 의하여 철근콘크리트 건물의 일반적인 경제적 내용연수인 50년으로 결정한다.[43]

---

42) "건물을 원가법으로 하는 공시지가기준법"이므로 토지에 대한 합리성 검토는 하지 않아도 무방할 것이다.

43) 이 부분은 제시되어야 할 부분이 제시되지 않은 것으로 판단된다. 거래사례 #1을 기준으로 하여 경제적 내용연수를 추출하는 방법 역시 실제 시험에서는 큰 감점요소가 되지 않은 것으로 판단된다.(문제의 출제의도는 아니었던 것으로 판단됨)

- 거래사례의 선택 : 본건 건물과 유사성이 있는 거래사례 #1 선택
- 건물의 거래가격 : 56억 × 0.4 = 2,240,000,000원
- 경제적 내용연수 추정 : 770,000 × 1 × 1 × (1 − 0.9×9/N) × 3,200 = 2,240,000,000원
- 경제적 내용연수 결정 : N ≒ 89년

2) 평가액 결정

@770,000 × (1 - 0.9 × 11/50) ≒ @617,000(×2,740 = 1,690,580,000원)

(3) 개별평가액 합 : 2,680,000,000 + 1,690,580,000 ≒ 4,370,580,000원

2. 비교방식

(1) 거래사례 선택 : 일반상업지역의 상업용으로서 인근지역에 복합부동산 사례는 없는바, 유사지역에 소재하는 거래사례 1을 선정한다.

(2) 시점수정치(2016.1.1~2016.7.1, 복합부동산 자본수익률 기준)

1.02113 × (1 + 0.00356 × 31/31) ≒ 1.02477

(3) 지역요인 비교치 : 100/103 ≒ 0.971

(4) 개별요인 비교치

1) 토지요인 비교치 : 1.00 × 1.00 × 800/900 ≒ 0.889

2) 건물요인 비교치 : 1.00(건물요인 대등) × $\dfrac{1-0.9\times11/50}{1-0.9\times9/50}$ × 2,740/3,200 ≒ 0.819

(5) 비준가액

5,600,000,000 × 1.00 × 1.02477 × 0.971 × (0.6 × 0.889 + 0.4 × 0.819)
≒ 4,798,000,000원

3. 수익가액

(1) 순영업소득 결정

1) PGI(임대사례기준)

(160,000 + 120,000 + 100,000 + 100,000) × 100/110 × 520[44] + 90,000 × 100/110 × 400 ≒ 259,636,000원

2) 순영업소득

① EGI : 259,636,000 × (1 - 0.05[45]) ≒ 246,654,000원

② 운영경비 : 25,000 × 2,480[46] ≒ 62,000,000원

③ 순영업소득 : 246,654,000 - 62,000,000 = 184,654,000원

---

44) 임대면적은 전유면적과 공용면적으로 구성되어 있으며, 본건 건물의 지하층은 공용면적으로서 지상층 임대부분에 면적에 비례하여 안분하여 임대면적을 결정하는 것이 타당하다. 다만 문제에서 임대내역을 주면서 면적을 각층의 바닥면적으로 제시한 취지를 고려하여 별도로 임대면적을 산정하지는 않았다.

45) 본건의 현재 공실률인 약 15% 정도를 적용하는 것보다 표준적 공실률을 적용하는 것이 합리적이라 판단된다.

46) 문제 본문의 "각층별 면적기준"이라는 문구를 바탕으로 각층별 임대면적으로 판단한다.

(2) 환원이율(시장추출법)

   1) 사례 선택 : 사례 1, 2를 기준하며, 사례 3은 사정개입으로 제외한다.

   2) 시장추출률 및 환원이율 결정

     사례 #1 : 4%(140/3,500), 사례 #2 : 4%(88/2,200)로서 4.0%로 결정함.

(3) 수익가액 : 184,654,000 ÷ 0.04 ≒ 4,616,000,000원

4. 대상 부동산의 시장가치

개별평가액	비준가액	수익가액
4,370,580,000원	4,798,000,000	4,616,000,000

「감정평가에 관한 규칙」 제7조에 의거하여 개별평가액으로 결정한다. 다른 평가방법에 의한 시산가액에 의하여 그 합리성이 인정되는 것으로 판단된다.(4,370,580,000원)

(비준가액의 경우 개별평가액과 다소 괴리되는 것으로 판단되나, 이는 인근지역에 적정한 사례가 없어 유사지역의 사례를 비준하였으며, 본건은 업무용 부동산이나 거래사례는 상업용 부동산으로서 이용상황의 차이도 존재하여 시산가액이 괴리되는 것으로 서술할 수도 있을 것임)

III. (물음 2) 투자타당성 및 의견제시

1. 보유기간 중 현금흐름

(1) 처리방침

   현재의 임대차 내역을 기준함이 원칙이나, P은행(1, 2층)은 계약기간이 만료되었으며, R회사(3, 4층)는 중도명도조건이고, 5층은 공실로서 전체를 시장임대료로서 기준한다.

(2) 1차년도 EGI

   1) PGI : 259,636,000원

   2) EGI : 246,654,000원

(3) 매기 현금흐름

구분	1	2	3	4
EGI(5% 증가)	246,654,000	258,987,000	271,936,000	285,533,000
OE(4% 증가)	62,000,000	64,480,000	67,059,000	69,741,000
NOI	184,654,000	194,507,000	204,877,000	215,792,000
현가합(6%)	519,331,000원			−

2. 기말복귀가치 현가

(1) 4기 NOI : 215,792,000원

(2) 기말복귀가치 : 215,792,000 ÷ (0.04+0.005) × (1 − 0.03) ≒ 4,651,516,000원

(3) 현가 : 4,651,516,000 × $\dfrac{1}{1.06^3}$ ≒ 3,905,503,000원

3. NPV

(1) 순현재가치 : 519,331,000 + 3,905,503,000 = 4,424,834,000원

(2) 현금유출 : 42억(투자금액)

(3) NPV = 4,424,834,000 − 4,200,000,000 = (+)224,834,000원

4. 의견제시

현금흐름의 현재가치가 투자금액에 비하여 큰 바, 본 투자의 타당성은 인정된다. 이는 ① 제시된 투자금액은 시장가치수준 대비 적정한 것으로 판단되며, ② 유효조소득 증가율이 경비의 증가율을 상회하여 순영업소득이 지속적으로 개선되고 있다는 점, ③ 요구수익률이 본 부동산의 수익률에 비하여 다소 높지만 수익가치 대비 저렴한 비용으로 매수하여 높은 요구수익률 달성이 가능한 점, ④ 저렴한 현행 임대차가 종료 또는 중도해지되고 높은 임대료로 계약할 수 있는 점, ⑤ 유사지역에 종합유통센터가 오픈하면서 향후 상권이 개선될 수 있다는 점 등을 들 수 있을 것이다.

Answer   30점

02

Ⅰ. 평가개요

본건은 집합건물의 투자와 관련된 매수타당성 등에 대한 분석으로서 2016년 7월 1일을 기준시점으로 판단한다.

Ⅱ. (물음 1) 乙의 투자수익률 및 요구수익률 충족매매가

1. 투자수익률 산정

(1) 처리방침

해당 집합상가를 시장가치수준으로 매수시 투자수익률을 분석한다. 투자수익률은 소득수익률과 자본수익률의 합으로 구성된다.[47]

---

47) 이 부분을 보유기간 중 IRR로 풀이하는 것도 가능할 것이나 "투자수익률"의 문언적인 개념에 입각하여 소득

(2) 시장가치(「감정평가에 관한 규칙」 제16조 기준 거래사례비교법)

    1) 사례선택 : 본건과 같은 상업용이고 2층으로서 유사하며, 면적요인 등 개별적 조건이 유사한 거래사례 3을 선정한다.(540,000,000 ÷ 92 ≒ 5,870,000원/㎡)

    2) 비준가액

        $5,870,000 \times 1.00 \times 1.00 \times 1.03^{48)}$ ≒ @6,050,000(×100 = 605,000,000원)

(3) 투자수익률의 결정

    1) 소득수익률

        ① 순수익 : 100,000,000 × 0.02 + 1,500,000 × 12월 = 20,000,000원

        ② 소득수익률 : 20,000,000 ÷ 605,000,000 ≒ 3.31%

    2) 자본수익률(매도시까지 4년 남음)

        $(1 + g)^4 = 0.95$ ∴ g ≒ −1.27%

    3) 투자수익률 : 3.31 − 1.27 = 2.04%

2. 乙의 요구수익률 충족매매가

(1) 乙의 요구수익률 : 1.39%(국고채) + 1.20%(spread) = 2.59%

(2) 요구수익률 충족매매가(x)

    현재 임대차 내역 및 향후 부동산가격의 하락을 반영한다.

$$20,000,000 \times \frac{1.0259^4 - 1}{0.0259 \times 1.0259^4} + (x \times 0.95) \times \frac{1}{1.0259^4} ≒ x$$

∴ x ≒ 527,361,000원

III. (물음 2) 완전소유권으로의 수익가치

1. 환원이율(본건 부동산의 완전소유권에 기초한 수익률)

(1) 처리방침

    완전소유권에 기초한 수익률(환원율)은 자본수익률 + 자본회수율의 방법으로 산정한다.

수익률과 자본수익률의 합으로 풀이하였다.

48) 매매사례의 평점으로 볼 수 있으나 매매사례 #1의 요인비교치가 0.5인 점을 고려하여 본건과의 개별요인보정치 자체인 것으로 해석하였다.

(2) 자본수익률

조성법(1.39 + 1.20 = 2.59%)과 회사채(AA-)(1.943%) 중 본건의 위험도를 잘 반영하는 조성법(요구수익률)을 기준함.(2.59%)

(3) 자본회수율

본 자산은 향후 자산가치가 하락하는바, 이를 환원이율에 반영한다.(가치하락으로서 +로 반영)

$$5\% \times \frac{0.0259}{1.0259^4 - 1} \fallingdotseq 1.20\%$$

(4) 완전소유권에 기초한 수익률 : 2.59 + 1.20 = 3.79%

2. 순수익(표준적 임대차기준)

1,100,000 × 0.02 + 16,500 × 12월 = @220,000(×100 = 22,000,000원)

3. 수익가치 : 22,000,000 ÷ 0.0379 ≒ 580,475,000원

IV. (물음 3) 내재된 임차권 수익률 결정 및 임대권 수익률과 비교

1. 임차권 가치

580,475,000(수익가치) = 527,361,000(임대권) + 임차권가치

∴ 임차권가치 = 53,114,000원

2. 내재된 수익률

(1) 귀속임대료 : 표준적 임대료와 현재 임대료의 차이임. ∴ 2,000,000원/연

(2) 내재된 수익률[49] : 2,000,000 ÷ 53,114,000 ≒ 3.77%

3. 임대권 수익률(2.59%)과 임차권 수익률(3.77%)의 비교

임대권 수익률은 일반금리수준과 부동산 투자수익률과의 격차 등을 벤치마크로 하여 결정된다. 공급이 우려되는 상황에서 소득수익률 대비 자본수익률은 떨어지며, 임대권의 요구수익률도 떨어지게 된다. 반면 임차권 수익률은 임대차계약의 종료시 부동산 원본가치의 하방위험이 없으며, 표준적 임대료 수준 대비 낮은 임대차계약을 할 경우 높은 수익률이 실현될 수 있다.

임차권 수익률은 외부 시장변동, 임대료의 변동성에 노출되어 있기 때문에 그 수익률이 더 크게 나타날 수 있다. 그 밖의 임차자의 질, 최유효이용의 이용 여부 등에 따라 차이가 날 수 있다.

---

49) 내재된 수익률(Implied return)은 임차권 수익의 존속기간인 4년을 기준으로한 IRR을 산출해야 하나, 제시된 문제의 조건으로는 적정한 수익률의 산출이 되지 않아 부득이 단순 비율로 산출하였다.

Answer 20점

03

I. 평가개요

본건은 기계기구(사출기 라인)에 대한 일반거래목적의 감정평가로서 2016년 7월 1일을 기준시점으로 각 라인별로 적정한 평가방법을 적용하여 감정평가한다.

II. (물음 1) 제1라인 적정가격

1. 감정평가액의 산출근거 및 결정의견

가. 대상물건의 개요

(1) 대상물건의 형상, 이용상황 등

국산 사출기 1라인(10대)으로서 현재 운휴시설임.

(2) 기준시점 결정 및 그 이유

2016년 7월 1일, 귀 제시일

(3) 실지조사 실시기간 및 내용

생산효율이 높지 않고 전용이 불가하여 운휴시설로 철거 후 매각예정임.

나. 기준가치 및 감정평가조건

(1) 기준가치 결정 및 그 이유 : 시장가치

(2) 의뢰인이 제시한 감정평가조건에 대한 검토 : 없음

다. 감정평가액의 산출근거

(1) 감정평가방법의 적용

1) 대상물건에 대한 감정평가방법 적용 규정

「감정평가에 관한 규칙」 제26조 및 감정평가실무기준에 의한다.

2) 대상물건에 적용한 주된 방법과 다른 감정평가방법

원가법에 의하여 평가하되, 제1라인의 경우 철거를 전제로 매각할 예정으로서 해체비와 처분비를 고려한 처분가격으로 평가한다.

3) 일괄·구분·부분 감정평가를 시행한 경우 그 이유 및 내용

각 라인별 사출기들은 일련의 공정과정을 담당하고 있으며, 용도상 불가분 관계로서 이를 일괄로 평가한다.

(2) 감정평가액의 산출과정

1) 재조달원가

① 처리방침 : 부가가치세는 제외하며, 분리하여 처분대상으로서 설치비와 시운전비를 제외한다. 설치 이후의 자본적 지출을 고려한다.(수익적 지출은 재산가치의 상승과 무관하다)

② 재조달원가

(50,000,000 + 20,000,000) × 1.10 + 20,000,000 = 97,000,000

2) 잔존가치

① 처리방침 : 실무기준에 의하여 경제적 내용연수(10년)를 기준하며, 제1라인은 내용연수가 도과하여 최종잔가만 남은 상태이다.

② 잔존가치 : 97,000,000 × 10% = 9,700,000원

3) 해체비 및 철거비

해당 자산의 매각가는 해체 및 포장된 상태에서 이루어지므로 해체비 및 철거비만 고려하며, 운반비 등 및 설치비는 고려대상이 아니다.[50]

1,000,000 + 1,000,000 = 2,000,000원

4) 감정평가액(1라인) : 9,700,000 − 2,000,000 = 7,700,000원

III. (물음 2) 제2라인 적정가격

1. 감정평가액의 산출근거 및 결정의견

가. 대상물건의 개요

(1) 대상물건의 형상, 이용상황 등

국산 사출기 2라인(10대)으로서 현재 정상가동 중임.

(2) 기준시점 결정 및 그 이유

2016년 7월 1일, 귀 제시일

---

50) 〈자료 5〉의 1번 내용에 대한 해석 방향에 따라 운반비 등의 포함 여부는 달라질 수 있다. 다만, 일반적으로 불용품 감정평가시 해당 불용품 현장 인수도 가격(현장 도착도 가격)을 기준으로 평가하며, 운반비는 포함하지 않고 평가하는 바, 이러한 관행을 고려하여 운반비 등은 고려하지 않았다.

만약 매각조건에 판매자가 "운반비 등"을 부담하는 조항이 포함된 것이 전제된 경우 "운반비 등"이 포함되어야 할 것이다.

[감정평가실무기준 620.1.3.5] 과잉유휴시설의 감정평가 ① 다른 사업으로 전용이 가능한 과잉유휴시설은 정상적으로 감정평가하되, 전환 후의 용도와 전환에 드는 비용 및 시차 등을 고려하여야 한다. ② 다른 사업으로 전용이 불가능하여 해체처분을 하여야 하는 과잉유휴시설은 해체·철거에 드는 비용 및 운반비 등을 고려하여 처분이 가능한 금액으로 감정평가한다.

(3) 실지조사 실시기간 및 내용

유지보수상태 양호함.

나. 기준가치 및 감정평가조건

(1) 기준가치 결정 및 그 이유 : 시장가치

(2) 의뢰인이 제시한 감정평가조건에 대한 검토 : 없음

다. 감정평가액의 산출근거

(1) 감정평가방법의 적용

1) 대상물건에 대한 감정평가방법 적용 규정

「감정평가에 관한 규칙」 제26조 및 감정평가실무기준에 의한다.

2) 대상물건에 적용한 주된 방법과 다른 감정평가방법

원가법에 의하여 평가한다. 재조달원가는 기준시점 당시 같거나 비슷한 물건을 재조달하는 데 드는 비용을 기준하며, 감가수정방식은 경제적 내용연수를 기준으로 정률법에 의한다.

3) 일괄·구분·부분 감정평가를 시행한 경우 그 이유 및 내용

각 라인별 사출기들은 일련의 공정과정을 담당하고 있으며, 용도상 불가분 관계로서 이를 일괄로 평가한다.

(2) 감정평가액의 산출과정

1) 재조달원가

① 처리방침 : 부가가치세는 제외하며, 설치 이후의 자본적 지출을 고려한다.(수익적 지출은 재산가치의 상승과 무관하다)

② 재조달원가

$80,000,000 + 30,000,000 + 5,000,000 + 5,000,000 + 10,000,000$

$= 130,000,000$원

2) 잔존가치(감가수정은 정률법을 기준한다)

$130,000,000 \times 0.1^{5/10} \coloneqq 41,100,000$원

Answer 04 10점

I. 평가개요

본건은 S시장이 시행하는 도시계획시설도로에 편입되는 영업손실에 대한 보상평가로서 휴업손실 액과 일부 편입에 따른 보상액과 비교하여 보상평가액을 결정한다.(가격시점 : 2016년 7월 1일)

II. 전체 이전보상시 평가액

1. 처리방침

토지보상법 시행규칙 제47조 제1항에 의하여 평가한다.(휴업기간 중 영업이익, 영업장소 이전 후 발생하는 영업이익 감소액, 고정적 비용, 이전비 및 감손상당액, 부대비용)

2. 보상평가액

(1) 휴업기간 중 영업이익 : $60,000,000 \times 4/12 = 20,000,000$원

(2) 영업장소 이전 후 발생하는 영업이익 감소액 : $20,000,000 \times 20\%$[51] = $4,000,000$원

(3) 고정적 경비 : $2,000,000 \times 4$월 = $8,000,000$원

(4) 전체 이전비 및 감손상당액 : 4,000,000원

(5) 부대비용 : 1,000,000원

(6) 전체 이전시 보상액 : 37,000,000원

III. 일부 편입에 따른 보상시 평가액

1. 처리방침

토지보상법 시행규칙 제47조 제3항에 의하여 평가한다.(휴업기간 중 영업이익, 해당 시설 보수 비, 축소에 따른 자산 등 매각손실액) 또한 고정적 비용의 경우 그 손실이 발생할 것으로 예견 된 경우 이를 반영할 수 있을 것이다.(판례)[52]

---

51) 영업장소 이전 후 발생하는 영업이익 감소액은 영업장소 이전에 따른 고객 및 매출이 당장 증가하지 않는 부분에 대한 보상으로서 휴업기간 중 발생하는 영업이익의 20%로서 상한이 1천만원(재량 없음)이다.

52) 〈판례소개〉 대판 2005.11.25, 2003두11230 판결 【재결처분취소 및 손실보상금 】
[판시사항]
영업장소를 이전하지 않는 영업의 경우에도 (구)공공용지의 취득 및 손실보상에 관한 특례법 시행규칙 제25조 제1항을 유추적용하여 보수기간 중의 인건비 등 고정적 비용을 보상하여야 하는지 여부(적극)

2. 보상평가액

   (1) 보수기간 중 영업익 : 60,000,000 × 4/12 = 20,000,000원

   (2) 해당 시설의 보수비 등 : 18,000,000 + 2,000,000 × 4(고정적 비용) = 26,000,000원

   (3) 영업규모 축소에 따른 매각손실액 : 5,000,000원

   (4) 보수에 따른 보상평가액 : 51,000,000원

Ⅳ. 보상평가액의 결정

일부 편입에 따른 손실보상은 전체 이전보상액을 초과할 수 없는바, 전체 이전보상평가액인 37,000,000원으로 결정한다.

[판결요지]

(구)공공용지의 취득 및 손실보상에 관한 특례법 시행규칙(2002.12.31. 국토교통부령 제344호 공익사업을 위한 토지 등의 취득 및 보상에 관한 법률 시행규칙 부칙 제2조로 폐지) 제25조 제3항은 "영업시설의 일부가 편입됨으로 인하여 잔여시설에 그 시설을 새로이 설치하거나 보수하지 아니하고는 해당 영업을 계속할 수 없는 경우에는 3개월의 범위 내에서 그 시설의 설치 등에 소요되는 기간의 영업이익에 그 시설의 설치 등에 소요되는 통상비용을 더한 금액으로 평가한다."고 규정하고 있을 뿐 그 보수기간 중의 인건비 등 고정적 비용을 보상한다는 명문의 규정을 두고 있지는 아니하지만, 그와 같은 경우라도 고정적 비용에 대한 보상을 금하는 취지로 볼 것은 아니고, 휴업 및 보수기간 중에도 고정적 비용이 소요된다는 점에 있어서 영업장소를 이전하는 영업의 경우와 그렇지 않은 경우를 달리 볼 아무런 이유가 없으며, 영업장소의 이전을 불문하고 휴업 및 보수기간 중 소요되는 고정적 비용을 보상함이 적정보상의 원칙에도 부합하는 점에 비추어 보면, 영업장소를 이전하지 않는 영업의 경우에도 같은 법 시행규칙 제25조 제1항을 유추적용하여 영업장소를 이전하는 경우와 마찬가지로 그 보수기간 중의 인건비 등 고정적 비용을 보상함이 타당하다.

제27회 감정평가실무 채점평

□ 감정평가실무과목은 감정평가법규와 감정평가이론에 관한 지식을 활용하여 문제의 핵심요소를 파악하여 해결해 나가는 과목으로, 고득점을 위해서는 이들 과목에 대한 이해가 선행되고 이를 활용할 줄 알아야 한다. 따라서 이번 시험에서는 수험생의 기본적인 실무능력을 평가하는 데 중점을 두고 실제 현업에 필요한 사항을 중심으로 출제하였다. 수험생은 출제의도와 핵심을 파악하고 제시된 논점에 대해 수험생으로서 의견을 빠짐없이 기술하려고 노력하여야 할 것이다.

[문제 1]

□ 본 문제는 감정평가사 甲이 부동산투자자 乙로부터 상업용 부동산 매수를 위한 정보제공 요청에 따른 자문목적의 평가로서, 첫째, 3방식을 활용하여 대상 부동산의 시장가치를 평가할 수 있는지 여부, 둘째, 투자자가 대상 부동산을 3년 보유 후 매각한다고 했을 때, 투자계획에 대한 순현재가치(NPV) 등을 산정하여 적정한 투자의견을 제시할 수 있는지 여부 등에 초점을 두고 출제되었다.

□ 물음 1-1)

감정평가 3방식은 감정평가사로서 활용할 수 있는 기초적인 평가방식이므로, 관련규정과 이론에 따라 산출근거를 적시하고 시산가격을 제시하여야 하며, 주어진 자료를 정확하게 분석하되, 제시된 자료가 없다면 관련규정과 이론에 따라 적용할 수 있어야 한다.

특히 문제에서 비교방식, 수익방식, 건물을 원가법으로 하는 공시지가기준법에 의한 가격을 제시하도록 하였는데, 일부 수험생들은 제시된 접근방식 이외에 다른 방식으로 접근하여 가격을 제시하는 경우가 있었는데, 그러한 경우에는 논리적 근거와 사유를 제시하면서 시장가치를 제시할 필요가 있었다.

그리고 3방식 적용시 시점수정, 지역요인 및 개별요인 비교 등을 정확하게 적용하여야 하나, 일부 수험생들이 자료를 정확하게 분석하지 않아 지가변동률 산정오류, 개별요인 비교치 산정 등에 오류가 있어 안타까웠다.

□ 물음 1-2)

순현재가치(NPV)는 대상 부동산의 장래 기대편익을 정확하게 분석하여 요구수익률을 적용하여 현재시점으로 할인하여 산정한 다음, 감정평가사로서 의뢰인의 투자계획에 대한 의견을 순현재가치, 기타 근거(요구수익률, 기타 시장상황 등)를 적시하면서 설명할 수 있어야 한다.

순현재가치를 산정할 때, 순영업소득(NOI)은 시장가치 평가를 위하여 대상 부동산의 계약임대료가 아니라 시장임대료를 기준으로 적용하고, 재매도가치 산정을 위한 환원이율은 시장추출법에 의한 환원이율에 장기위험프리미엄 등을 고려하여 적용하는 등 주어진 조건에 따라 정확하게 산정하여야 하나, 이를 고려하지 않은 수험생들이 있었다.

특히 투자의견은 투자자의 투자금액과 대상 부동산의 현재가치를 고려하여 비교하는 순현재가치(NPV)가 0보다 큰지 산정하고, 그 여부에 따라 감정평가사로서 전문의견을 제시하여야 하나, 단순히 수치만 제시하는 경우도 있어 1번 문제가 정보제공을 위한 자문목적의 평가라는 취지에 맞지 않은 경우도 있었다. 하지만 일부 수험생들은 문제 취지에 맞게 다양한 투자의견을 제시하여 충실하게 작성하였다.

[문제 2]

▢ 본 문제의 해결을 위해서는 ① 투자기간, ② 재매도가격, ③ 계약임대료 흐름, ④ 시장임대료 흐름, ⑤ 자본회수 등의 분석이 선행되어야 하며, 임대차의 수익과 위험에 관한 이론적 이해도 필요하다. 많은 수험생들이 문제의 흐름을 파악하는 데 어려움이 있었던 것으로 보이며, 또한 할인 및 환원의 개념에서 혼동을 보였다.

감정평가실무를 위해서는 감정평가이론에 관한 지식을 활용해야 하는 경우가 많다. 수험생들 역시 실무를 위한 실무도 중요하지만 평가이론에 관한 깊은 이해의 선행이 필요하다.

[문제 3]

▢ 본 문제의 주요 논점은 ① 과잉유휴시설의 평가방법, ② 재조달원가 산정방법, ③ 정률법의 적용 등이었다. 대체로 평이한 문제이고, 현장 실무적 문제였지만 간편식 및 결과만 기재한 경우 고득점을 받기 어려웠다. 산정과정이 상세하지 않으면 조그만 실수도 감점으로 연결될 수밖에 없다는 점을 인지하여야 한다.

한편, 정률계산에서도 실수가 많은 답안지가 보여 안타까움을 더하였다.

[문제 4]

▢ 본 문제는 '도시계획시설도로 개설사업'에 일부 편입되는 소규모 봉제공장에 대하여 '영업의 휴업손실'에 대한 보상평가(규칙 47조 등)로서, 관계법령에 따라 ① 일부 편입에 따른 잔여시설 보수 후 재사용할 경우의 금액과, ② 영업장소 이전에 따른 금액을 산정하여, 보상평가액을 결정하는 기초적인 보상평가문제이다.

(「공익사업을 위한 토지 등의 취득 및 보상에 관한 법률 시행규칙」 제47조 제3항 : 공익사업에 영업시설의 일부가 편입됨으로 인하여 잔여시설에 그 시설을 새로이 설치하거나 잔여시설을 보수하지 아니하고는 그 영업을 계속할 수 없는 경우의 영업손실 및 영업규모의 축소에 따른 영업손실은 다음 각 호에 해당하는 금액을 더한 금액으로 평가한다. 이 경우 보상액은 제1항에 따른 평가액을 초과하지 못한다)

따라서 관련법령에 따라 주어진 자료를 산식에 대입하여 보상액을 산정하고, 잔여시설 보수에 따른 보상액(제3항)과 이전에 따른 보상액(제1항)을 비교하여 보상액을 결정하는 문제였으나, 정확한 규정을 알지 못하여 상당한 수험생들이 정확하게 기술하지 못하였다. 감정평가사는 관련법령 등을 숙지하여 평가하는 전문자격자임을 명심하여 관련규정을 정확하게 이해하고 적용해야 한다.

2017년 감정평가사 제28회

Answer 40점

01

I. 평가개요

1. 본건은 도시계획시설(도로)에 편입된 토지에 대한 협의 보상감정평가로서 가격시점은 제시일인 2017년 7월 1일이다.

2. 적용 공시지가는 토지보상법 제70조 제4항에 따라 사업인정고시(2016.12.15) 이전 최근 공시지가인 2016년 공시지가이다.(각 물음 공통)

II. 물음 1

1. **미지급용지의 개념 및 평가기준**(토지보상법 시행규칙 제25조)

   미지급용지란 종전에 시행된 공익사업의 부지로서 보상금이 지급되지 아니한 토지로서, 종전의 공익사업에 편입될 당시의 이용상황을 상정하여 평가한다. 다만, 종전의 공익사업에 편입될 당시의 이용상황을 알 수 없는 경우에는 편입될 당시의 지목과 인근 토지의 이용상황 등을 참작하여 평가한다.

2. **처리방침**

   종전의 용도지역 및 이용상황을 기준으로 평가한다.(2종일주, 주거나지(귀 제시), 부정형, 맹지)

3. **비교표준지 선정**

   2종일주, 주거나지로서 유사한 표준지 A를 선정한다.(770,000원/㎡)

4. **시점수정치**(2016.1.1~2017.7.1)

   $1.03257 \times 1.01426 \times (1 + 0.00431 \times 31/31) ≒ 1.05181$

5. **지역요인** : 인근지역으로서 대등함(1.000)

6. **개별요인** : 0.93(도로접면) × 0.92(형상) ≒ 0.856

7. 그 밖의 요인비교치

(1) 거래사례 등 선정 : 2종일주 보상선례가 없는바, 2종일주, 주거나지의 거래사례인 Ⓑ을 선정함.

(2) 격차율 산정(비교표준지 기준)

$$\frac{1,000,000 \times 1.000 \times 1.01863^* \times 1.000 \times 0.979^{**}}{770,000 \times 1.05181} \fallingdotseq 1.231$$

*) 시점 : 2017.1.1~2017.7.1 : 1.01426 × (1 + 0.00431 × 31/31)

**) 개별 : 0.95 × 1.03

(3) 결정 : 상기 격차율 및 거래사례를 반영하여 1.20으로 결정함.

8. 감정평가액의 결정

770,000 × 1.05181 × 1.000 × 0.856 × 1.20 ≒ 832,000원/㎡(×381 = 316,992,000원)

III. 물음 2

1. 사실상 사도의 개념 및 평가기준(「토지보상법 시행규칙」 제26조)

사실상의 사도라 함은 「사도법」에 의한 사도 외의 도로(「국토의 계획 및 이용에 관한 법률」에 의한 도시·군관리계획에 의하여 도로로 결정된 후부터 도로로 사용되고 있는 것을 제외한다)로서 다음의 어느 하나에 해당하는 도로를 말한다.

(1) 도로개설 당시의 토지소유자가 자기 토지의 편익을 위하여 스스로 설치한 도로

(2) 토지소유자가 그 의사에 의하여 타인의 통행을 제한할 수 없는 도로

(3) 「건축법」 제45조에 따라 건축허가권자가 그 위치를 지정·공고한 도로

(4) 도로개설 당시의 토지소유자가 대지 또는 공장용지 등을 조성하기 위하여 설치한 도로

사실상의 사도의 부지는 인근 토지에 대한 평가액의 3분의 1 이내로 평가한다. 인근 토지라 함은 해당 도로부지 또는 구거부지가 도로 또는 구거로 이용되지 아니하였을 경우에 예상되는 표준적인 이용상황과 유사한 토지로서 해당 토지와 위치상 가까운 토지를 말한다.

2. 비교표준지 선정

준주거지역 다세대로 이용상황이 유사한 표준지 B를 선정한다.(1,050,000원/㎡)

3. 시점수정치(2016.1.1~2017.7.1)

1.03257 × 1.01426 × (1 + 0.00431 × 31/31) ≒ 1.05181

4. 지역요인 : 인근지역으로서 대등함(1.000)

5. 개별요인(M동 100-2기준 세로(가), 가장형)

1.00(가로접면) × 1.02(형상) × 1/3(=0.33) ≒ 0.336

6. 그 밖의 요인비교치

(1) 거래사례 등 선정

준주거, 다세대주택으로서 유사한 보상선례 ⓒ을 선정한다.

(2) 격차율 산정

$$\frac{1,500,000 \times 1.01863 \times 1.000 \times 1.000^*}{1,050,000 \times 1.05181} \fallingdotseq 1.384$$

*) 개별요인 : 1.00×1.00

(3) 결정 : 상기 격차율 및 거래사례를 반영하여 1.35로 결정한다.

7. 평가액 결정

$1,050,000 \times 1.05181 \times 1.000 \times 0.336 \times 1.35 \fallingdotseq 500,000$원/㎡(절사)($\times 381$ = 190,500,000원)

Ⅳ. 물음 3

1. 예정공도의 개념 및 평가기준

예정공도란 국토계획법에 따른 도시・군관리계획에 의하여 도로로 결정된 후부터 도로로 사용되고 있는 도로를 말한다.

예정공도부지는 「사도법」에 따른 사도부지 및 사실상의 사도부지가 아닌 도로부지이므로 「토지보상법 시행규칙」 제22조의 규정에서 정하는 방법에 따라 감정평가하며, 공도부지의 감정평가방법에 따라 평가한다.

2. 처리방침

인근 토지의 표준적인 이용상황을 기준으로 평가한다.[53]

3. 비교표준지 선정

준주거지역 다세대로 이용상황이 유사한 표준지 B를 선정한다.(1,050,000원/㎡)

4. 시점수정치(2016.1.1~2017.7.1)

$1.03257 \times 1.01426 \times (1 + 0.00431 \times 31/31) \fallingdotseq 1.05181$

5. 지역요인 : 인근지역으로서 대등함(1.000).

---

[53] 실무상 예정공도의 평가는 도시계획시설이 지정(2010년)된 이후에 도로(2012년)가 되면 예정공도로 보기 때문에 도시계획시설사업의 시행절차 등이 없다고 하더라도 계획선의 지정이 우선이 되면 예정공도로 판단한다.

6. 개별요인(분할 전 토지기준, 해당 토지기준, 세로(가)[54], 사다리[55])

   1.00(가로접면) × 0.99(형상) × 1/1.3(개발이익)[56] ≒ 0.761

7. 그 밖의 요인비교치 : 물음 2와 동일하다.(1.35)

8. 평가액

   1,050,000 × 1.05181 × 1.000 × 0.761 × 1.35 ≒ @1,150,000(×381 = 438,150,000원)

 30점

Ⅰ. (물음 1) 오염 전 토지가격

1. 처리방침

거래사례비교법 기준, 인근에 적정한 거래사례가 없는 바, 유사지역의 준공업, 공업용으로 유사한 사례 3을 선정한다.

2. 시점수정치(2016.11.6~2017.7.1, 사례가 소재한 C구 공업지역)

$(1 + 0.0002 × 25/30) × 1.01080 × 1.01500 × 1.01670 × 1.01080 × 1.01020 × 1.00750 × (1 + 0.00750 × 31/31) ≒ 1.08133$

3. 지역요인 : 100/115 ≒ 0.870

4. 개별요인 : 100/135 ≒ 0.741

5. 평가액

4,666,000 × 1.000(사정) × 1.08133 × 0.870 × 0.741 ≒ @3,252,000(천원 절사, 이하 동일)(×9,999 ≒ 32,516,000,000원)

※ 매입금액인 29,997,000,000원(철거비 별도)은 매입시점 등 고려시 적정한 금액으로 판단됨.

---

54) 도로조건을 세로(가)로 본 이유는 대상토지의 지적도를 볼 때 모지번(분할 전 토지)이 세로(가)에 접한다고 판단한 것이며, M동 100-1번지가 지목과 관계없이 현황도로로 이용 중으로 제시되어 해당 사업의 지정 전부터 본건 토지는 세로(가)에 접한 것으로 보는 것이 타당하다고 판단해서이다.
55) 예정공도의 획지조건은 모지번 기준으로 판정한다.
56) 해당 도로의 개설에 의한 개발이익이 표준지에 반영되어 있다고 판단하여 이를 개별요인으로 배제하였다.

II. (물음 2) 오염 후 토지가격

1. 거래사례비교법[57]

(1) 사례선택 : 인근지역에 위치하며 본건과 오염정도가 유사한 거래사례 1을 선정한다.

(2) 시점수정치(2016.9.23~2017.7.1, A구 공업지역)

$(1 - 0.00041 \times 8/30) \times (1 - 0.00042) \times (1 - 0.00040) \times (1 - 0.00044) \times 1.01$
$025 \times 1.01124 \times 1.02013 \times (1 - 0.01012) \times 1.00051 \times (1 + 0.00051 \times 31/31)$
$≒ 1.03126$

(3) 지역요인 : 인근지역으로서 대등(1.000)함.

(4) 개별요인 : 100/95 ≒ 1.053

(5) 평가액

$1,722,000 \times 1.000(사정) \times 1.03126 \times 1.000 \times 1.053 ≒ 1,869,000원/㎡$
$(\times 9,999 = 18,688,000,000원)$

2. 원가법(공제방법)

(1) 오염 전 토지가격 : 32,516,000,000원(물음 1)

(2) 정화비용 등(정신적 손실은 주관적 가치로서 배제한다)

  1) 오염조사비 : $1,000,000 \times 2,000 = 2,000,000,000원$
  2) 정화비용 : $600,000 \times 2,000 \times 2.673012(PVAF(6\%, 3년)) ≒ 3,207,000,000원$
  3) 임대료 손실 : $(3,000,000,000 \times 0.02 + 600,000,000) \times 2.673012(PVAF(6\%, 3년)) ≒ 1,764,000,000원$
  4) 소계 : 6,971,000,000원

(3) 스티그마

  1) 오염조사 전문업체보고서 기준 : $32,516,000,000 \times 30\% = 9,754,800,000원$
  2) 시장조사자료 : $32,516,000,000 \times 20\% = 6,503,200,000원$
  3) 평균 : 8,129,000,000원(백만원 절사)

(4) 오염 후 토지가격

$32,516,000,000 - 6,971,000,000 - 8,129,000,000 = 17,416,000,000원$

---

57) 오염 정도의 차이가 있어 비교가 어렵다는 합리적인 근거를 적시하고 배제한 답안도 합리적이라 판단된다.

3. 오염 후 토지가격

「감정평가에 관한 규칙」 제25조에 의하여 본건의 원상회복비용 등이 고려된 방법에 의하여 17,416,000,000원으로 결정한다. 오염 후 토지의 거래가격과의 합리성이 인정된다.

Ⅲ. (물음 3) 오염된 토지의 스티그마(Stigma) 감정평가방법

스티그마는 환경오염의 영향을 받는 부동산에 대해 일반인들이 갖는 '무형의 또는 양을 잴 수 없는 불리한 인식'을 말한다. 즉, 스티그마는 환경오염으로 인해 증가되는 위험(Risk)을 시장참여자들이 인식함으로 인하여 부동산의 가치가 하락되게 되는 부정적인 효과를 의미한다. 환경오염의 영향을 받는 부동산은 시장참여자들에게 '오염부동산'이란 부정적 낙인이 붙여지고, 이 낙인으로 인해 오염정화가 관련 기준에 부합되게 완료된 후에도 그 가치가 하락된다. 이와 같이 스티그마는 불확실성과 위험할지도 모른다는 인식의 결과로 인해 평가 대상 부동산에 부정적인 영향을 미치는 외부적 감가요인을 말한다. 스티그마는 무형적이고, 심리적 측면이 강하며, 언제 나타날지 모르는 건강상의 부가적인 위험요소에 대한 대중의 염려·공포에서부터 현재로서는 기술적 한계 등으로 인하여 알려지지 않은 오염피해에 대한 우려까지 부동산의 가치에 영향을 주는 모든 무형의 요인들을 포함한다.

스티그마에 대한 감정평가방법은 기본적으로 아래의 산식을 통하여 구할 수 있으며,

> 부동산 가치하락분 = 오염 전 가치 − 오염 후 가치 = 복구비용 및 관리비용 + 스티그마

시장에서 가격형성이 되지 않기 때문에 아래와 같은 특수한 방법을 통해 평가할 수 있다.

(1) 특성가격접근법(Hedonic Price Method)

회귀분석으로 가치에 부정적인 제요인과 부동산의 가치와의 관계를 파악하여 평가할 수 있다.

(2) 조건부가치접근법(Contingent Valuation Method)

전문가나 일반인들에게 환경오염에 대한 대가를 얼마만큼 지불할지에 대하여 질문하여 평가할 수 있다.

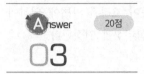

03

I. (물음 1) 기초가액

1. 2013.7.1 기준

(1) 비교표준지 선정 : 2013년 공시지가 중 2종일주, 단독주택으로서 주변환경과 유사한 표준지 라를 선정한다.(2,650,000원/㎡)

(2) 시점수정치 : 1.02000 × (1 + 0.00350 × 1/31) ≒ 1.02012

(3) 지역요인 : 인근지역으로서 대등함.(1.000)

(4) 개별요인
(0.85 × 1.01) / (0.88 × 1.01) × 0.99/0.99 ≒ 0.966

(5) 그 밖의 요인
1) 사례선택 : 2종일주, 단독주택으로서 유사한 사례 2를 선정한다.
2) 격차율 산정

$$\frac{4,000,000 \times 1.000 \times 1.00011^* \times 1.000 \times 1.046}{2,650,000 \times 1.02012} \fallingdotseq 1.548$$

*) 2013.7.1~2013.7.1, 지변률 : 1 + 0.00350 × 1/31

3) 결정 : 상기 격차율 및 거래가격을 반영하여 1.54로 결정한다.

(6) 평가액
2,650,000 × 1.02012 × 1.000 × 0.966 × 1.54 ≒ 4,020,000원/㎡(×200
= 804,000,000원)

2. 2017.7.1 기준

(1) 비교표준지 선정 : 2017년 공시지가 중 2종일주, 단독주택으로 주변환경이 유사한 표준지 나를 선정한다.(2,920,000원/㎡)

(2) 시점수정치(2017.1.1~2017.7.1)
1.01500 × (1 + 0.00200 × 31/31) ≒ 1.01703

(3) 지역요인 : 인근지역으로서 대등함.(1.000)

(4) 개별요인

0.85/0.85 × 1.01/1.00 × 0.99/0.99 = 1.010

(5) 그 밖의 요인

1) 사례선택 : 2종일주, 단독주택, 주변환경과 유사한 사례 4를 선정한다.

2) 격차율 산정

$$\frac{5,400,000 \times 1.000 \times 1.00142^* \times 1.000 \times 0.956^{**}}{2,920,000 \times 1.01703} ≒ 1.740$$

*) 2017.6.10.~2017.7.1. : 1 + 0.00200 × 22/31

**) 0.85/0.88 × 1.00/1.01 × 0.99/0.99

3) 결정 : 상기 격차율 및 거래가격을 반영하여 1.74로 결정한다.

(6) 평가액

2,920,000 × 1.01703 × 1.000 × 1.010 × 1.74 ≒ 5,220,000원/㎡(×200
= 1,044,000,000원)

II. (물음 2) 기대이율 및 토지임대료

1. 기대이율 결정

(1) 2013.7.1 기준

1) 기대이율 적용기준표 기준(2016년 이전) : 일반단독, 최유효기준 4.0%(중간값)

2) CD금리 기준 : 단독, 표준적 이용 3.00(CD수익률) + (−) 0.5%(중간값) = 2.5%

3) 결정 : CD금리는 금리변동에 따른 변동성이 있는바, 적용기준표를 기준한다.(4.0%)

(2) 2017.7.1 기준

1) 기대이율 적용기준표 기준(2016년 이후) : 일반단독, 최유효기준 2.5%(중간값)

2) CD금리 기준 : 단독, 표준적 이용 2.00(CD수익률) + (−) 0.5%(중간값) = 1.5%

3) 결정 : 최저수준의 기대이율이 제시된 바, 적용기준표를 기준한다.(2.5%)

2. 토지임대료 결정(필요제경비 미고려)

(1) 2013.7.1.~2014.6.30 : 804,000,000 × 0.04 = 32,160,000원

(2) 2017.7.1.~2018.6.30 : 1,044,000,000 × 0.025 = 26,100,000원

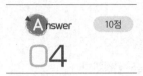

1. **처리방침** : 「감정평가에 관한 규칙」 제16조 기준 거래사례비교법을 적용하며, 다른 방식에 의한 합리성 검토는 생략한다.(기준시점은 2017년 7월 1일이다)

2. **거래사례 선택**
   본건과 같은 동, 층 유사, 향 유사한 거래사례 3을 선정한다.(#1 : 시적격차, #2 : 향 차이, #4, 5 : 동 차이)

3. **시점수정**(2017.7.1~2017.3.25, 아파트 매매가격지수)
   2017.6월 ÷ 2017.3월 = 105.0 ÷ 104.5 ≒ 1.00478

4. **가치형성요인 비교치**
   (1) 외부요인 및 건물요인은 같은 건물로서 대등함.(1.00)
   (2) 개별적 요인
      1) 관리상태 : 100/101 ≒ 0.99
      2) 발코니 확장(거래사례 4, 5를 통한 추출, 발코니 확장/발코니비 확장)
   $$\frac{345,000,000 \times 102/101}{338,000,000} ≒ 1.03$$
      3) 개별적 요인 : 0.99 × 1.03 ≒ 1.02
   (3) 가치형성요인 비교치 : 1.00 × 1.00 × 1.02 = 1.020

5. **평가액의 결정**
   350,000,000 × 1.000 × 1.00478 × 1.020 ≒ 359,000,000원

제28회 감정평가실무 출제/채점위원 총평

감정평가실무과목은 실제 현업과 가장 밀접한 시험과목으로써 감정평가관련법규 및 이론 등의 포괄적인 숙지와 이해뿐만 아니라 현업의 실무적인 감각도 요구되는 시험과목입니다.

【문제 1】

☐ 이 문제는 도시계획시설사업에 편입되는 현황도로인 토지에 대한 보상평가로 동일한 대상토지가 미지급용지인 경우, 사실상 사도인 경우, 예정공도인 경우에 있어서 각각의 개념과 평가기준을 정확히 숙지하고 각 사례별로 평가기준을 적용하여 대상토지를 평가할 수 있는지 여부와 구체적인 도면을 통해 대상토지의 확정에 기초가 되는 토지특성의 판단과 표준지 선정 등의 기준이 되는 인근의 표준적 이용상황의 판단 등 예비 감정평가사로서의 전문가적 판단과 의견을 잘 기술하는 것이 중요하다 하겠습니다.

【문제 2】

☐ 이 문제는 오염된 토지의 감정평가에 대한 것이며, 물음은 크게 3개로 이루어져 있습니다. (물음 1)은 오염 전의 토지가액을 구하는 것입니다. 수험생들이 오염 전의 토지가액을 비교적 잘 구했으나, 몇몇 수험생들은 시점수정 계산에 오류가 있거나 요인비교치를 정확하게 구하지 못한 경우가 있었습니다. (물음 2)는 오염 후의 토지가액을 구하는 것으로서 관련법령 등을 참고하고 주어진 자료를 통하여 문제해결을 하는 것이 필요한 문제였습니다. 문제해결을 하기 위해서는 주어진 자료를 정확하게 분석하고 시험시간 및 분량을 고려하여 기술하는 것이 중요합니다.

☐ 일부 수험생들은 문제에서 제시한 사항을 정확하게 파악하지 않고 답안을 기술한 경우가 많았습니다. (물음 3)은 스티그마 감정평가방법을 기술하는 것이므로 관련규정과 적용 가능한 방법을 기술하는 것이 필요하다고 생각합니다.

【문제 3】

☐ 이 문제는 첫째, 토지의 기초가액을 구하는 부분, 둘째, 기대이율을 산정하고 결정하는 부분, 셋째, 앞서 결정한 기초가액과 기대이율을 활용하여 최종적으로 임대료를 결정하는 부분 등에 초점이 있었습니다. 기초가액과 관련해서는 시점수정 및 개별요인 등에서 실수를 한 수험생이 보입니다. 한편, 기대이율과 관련해서는 주어진 자료에 대한 이해 부족으로 기대이율 산정에 미흡한 점이 많았습니다. 끝으로 산정된 기초가액과 기대이율을 적용하여 토지의 임대료를 구하는 과정에서는 기대이율 결정이유를 기술하라고 문제에서 묻고 있으나 수험생들에게는 해석의 문제가 조금 생소했는지 기계적인 답변이 많아 아쉬웠습니다.

【문제 4】

□ 이 문제는 구분소유건물(아파트)의 시가참고용 감정평가로서 감정평가관련법규 및 이론을 숙지하고 자료분석 및 해석능력을 통해 문제를 해결하는 것으로서 거래사례비교법 기본을 물어보는 문제입니다.

□ 첫째, 대상물건의 개요를 확인한 후 인근 아파트 거래사례 중 제시된 자료에 따라 비교가능성이 상대적으로 높은 사례를 선정하되 그 선정사유를 기술하고, 나머지 선정되지 못한 사례의 선정하지 않은 각각의 사유를 기재해야 함에도 불구하고, 대부분 선정사유는 기술하였으나 미선정사유는 기술하지 않은 답안도 있었으며, 둘째, 사례선정 후 본 건과의 비교시 사정보정, 시점수정, 관리상태 및 층 등의 개별요인들은 주어진 자료를 활용하여 대체적으로 반영하였으나 발코니 확장에 따른 요인비교치는 대부분 간과한 경우도 있었습니다. 마지막으로 아쉬운 점이 있다면 수험자 입장에서는 제시된 자료를 충실하게 반영하는 것이 필요한데도 주관적인 관점으로 응용하거나 확대해석하여 반영하는 자세는 지양해야 할 것입니다.

2018년 감정평가사 제29회

Answer 40점

01

Ⅰ. 평가개요

본건은 철도건설사업으로 인한 지하공간 사용에 따른 보상목적의 감정평가로서 가격시점은 2018년 6월 1일이다.

Ⅱ. (물음 1) 지역분석

1. 인근지역의 개념[58]

인근지역이란 감정평가의 대상이 된 부동산이 속한 지역으로서 부동산의 이용이 동질적이고 가치형성요인 중 지역요인을 공유하는 지역을 말한다.

2. 인근지역의 판정기준[59]

인근지역의 판단은 토지의 용도적 관점에 있어서의 동질성을 기준으로 하되, 일반적으로 지형・지물 등 다음의 사항을 확인하여 인근지역의 범위를 정한다.

1. 지반・지세・지질
2. 하천・수로・철도・공원・도로・광장・구릉 등
3. 토지의 이용상황
4. 공법상 용도지역・지구・구역 등
5. 역세권, 통학권 및 통작권역

3. 인근지역 여부 판정[60]

(1) 표준지 기호 1

본건과 대체・경쟁관계가 성립하며 가치형성에 서로 영향을 미치고 있는 지역으로서 인근지역으로 판단된다.

---

58) 감정평가에 관한 규칙 제2조
59) 표준지 조사평가기준 제9조
60) 부동산 감정평가의 인근지역 분석 참조(감정평가학 논집, 2011.12월, 서경규)

(2) 표준지 기호 2

본건과 대체·경쟁관계가 성립하며 가치형성에 서로 영향을 미치고 있으나 공법상 제한이 상이하여 유사지역으로 판단된다.

(3) 보상선례

본건과 대체·경쟁관계가 성립하며 가치형성에 서로 영향을 미치고 있으나 공법상 제한이 상이하여 유사지역으로 판단된다. 또한 표준지 기호 2와는 인근지역으로 판단된다.

III. (물음 2) 대상토지의 적정가격

1. 적용공시지가 선택(사업인정 이전임)

가격시점 이전 최근 공시지가인 2018년 공시지가를 선정한다.

2. 비교표준지 선정

(1) 평가기준

- 본건에 설정된 도시·군계획시설 공원은 개별적 계획제한으로서 구애됨 없이 감정평가 한다.[61]
- 본건 지상에 설정된 구분지상권은 소유권 이외의 권리가 설정된 토지로서 이를 개별요인(기타조건)으로 반영하여 평가한다.
- 인근지역의 표준지로서 자연녹지지역의 자연림으로 가치형성요인이 유사한 표준지 1을 선정하되, 공법상 제한에 대한 차이는 개별요인으로 보정한다.

3. 시점수정치(2018.1.1~2018.6.1)

비교표준지가 소재하는 B시 녹지지역의 지가변동률을 적용한다.(생산자물가지수는 고려치 않는다.)

$1.00890 \times (1 - 0.00005 \times 32/30) ≒ 1.00885$

4. 지역요인 비교치

인근지역으로서 대등한 것으로 본다.(1.000)

5. 개별요인 비교치(임야지대)

(1) 접근조건 : 1.03(도로의 상태 및 취락과의 거리에서 우세)[62]

---

61) 토지정책과 - 1477(2014.3.5)에 의하여 도시·군계획시설 공원에 저촉된 토지에 대한 공중선로 설치에 따른 사용료 감정평가시 이를 반영하여 평가하도록 해석한 사례가 있으나 구체적인 사항은 관계법령 및 사실관계를 검토하여 개별적으로 판단할 수 있음. 최근 중앙토지수용위원회 재결례(중토위 2018.4.12)에서 공중선로 설치시 설정된 도시·군계획시설 공원은 이에 구애됨 없이 평가하도록 해석한 사례가 있었고 개별적 계획제한은 보상감정 평가시 해당사업과 무관하더라도 이에 구애됨 없이 평가해야 한다는 원칙, 금년 기출문제의 출제의도를 고려하였을 때 개별적 계획제한인 도시·군계획시설에 구애됨 없이 감정평가하였음.(감정평가기준팀-144(2019.1.28))

62) 격차율은 감정평가사가 판단할 사항이라는 문제의 조건이 있으나 구체적인 수치가 제시되지 않아 3% 우세한 것으로 판단함.(다른 수치를 적용하더라도 무방하다고 본다)(이하 우세 및 열세를 3% 격차율로 보정함)

(2) 자연조건 : 0.97(경사도, 임야특성상 형상은 가치형성요인에 미치는 영향이 미미함, 방위는 입목의 생육 등에 중요한 요소이나 경사도에 포함된 것으로 봄)

(3) 행정적 조건 : 1.67(=1/0.6)(도시계획시설 공원 지정 여부에 따른 보정)

(4) 기타조건 : 0.80(선하지비율 : 본건 - 15%, 표준지 - 구애됨 없이 평가됨)

(5) 개별요인 비교치 : 1.03 × 0.97 × 1.67 × 0.80 ≒ 1.335

6. 그 밖의 요인 비교치

(1) 보상선례 : 인근지역의 적정한 선례는 없으나 유사지역의 선례로서 자연녹지지역, 자연림으로서 유사하다.

(2) 시점수정치(2018.5.1~2018.6.1, E시 녹지지역) : 1 + 0.00002 × 32/30 ≒ 1.00002

(3) 지역요인 : 유사지역이나 지가수준이 유사한 것으로 본다.(1.000)

(4) 개별요인

1) 접근조건 : 1.00(대등함)

2) 자연조건 : 1.03(경사도와 방위에서 비교표준지가 우세함)

3) 행정조건 : 1.00(도시계획시설 공원/도시자연공원구역으로 대등함)

4) 기타조건 : 1.00(보상선례 : 설정없음, 비교표준지 : 구애됨 없이 평가됨)

5) 개별요인 비교치 : 1.00 × 1.03 × 1.00 × 1.00 ≒ 1.030

(5) 격차율 : $\dfrac{80,000 \times 1.00002 \times 1.000 \times 1.030}{66,000 \times 1.00885}$ ≒ 1.238

(6) 결정 : 1.23으로 결정한다.

7. 감정평가액

66,000 × 1.00885 × 1.000 × 1.335 × 1.23 ≒ 109,000원/㎡

Ⅳ. (물음 3) 지하공간 사용에 대한 보상금

1. 입체이용저해율 산정

(1) 건물등이용저해율 : 없음

(2) 지하이용저해율(한계심도 20m, 토피 18m) : 0.025

(3) 기타이용저해율(지하부분 최대치) : 0.1 × 1/2 = 0.05

(4) 입체이용저해율 : 0.025 + 0.05 = 0.075

2. 지하공간 사용에 대한 보상금

109,000 × 0.075 ≒ 8,200원/㎡(×1,200 = 9,840,000원)

V. (물음 4) 지하공간 사용에 대한 보상금 감정평가기준의 문제점

- "토지의 적정가격×입체이용률"을 근거로 한 손실보상액은 실질적인 가치손실을 반영하는 데 한계가 있음.
- 토지의 적정가격 평가시 당초 설정된 구분지상권으로 인하여 발생하는 가치하락을 반영하게 되면 결과적으로 완전보상이 이루어지지 못하게 될 수 있음.
- 지하공간에 대한 보상금 평가시 해당 토지에 대한 시장성 등의 가치하락요인을 충분하게 반영할 필요가 있음.
- 한계심도를 초과하는 지하공간의 사용에 대한 보상평가기준이 일률적으로 규정되어 있어 실질적인 가치하락분을 반영하는 데 한계가 있음.
- 토지의 일부분에 구분지상권 설정시 잔여토지에 대한 가치하락손실을 반영할 수 있어야 함.

Answer 30점

I. 평가개요

구분건물에 대한 임대료 감정평가로서 기준시점은 2018년 7월 1일이다.

II. (물음 1) 적산법에 의한 임대료

1. 처리방침

적산임대료 = 기초가액 × 기대이율 + 필요제경비이며, 기초가액은 감정평가에 관한 규칙 제16조에 의하여 거래사례비교법이 원칙이나 적절한 거래사례가 없어 원가법에 의한다.

2. 토지의 감정평가액(공시지가기준법, 합리성 검토 생략)

(1) 비교표준지 선정

근린상업지역, 상업용으로서 주변환경과 유사한 표준지 1을 선정한다.(기호 2는 중로한면으로 도로조건 상이, 기호 3은 용도지역 상이로 배제)

(2) 시점수정치(2018.1.1~2018.7.1, 상업지역)

$$1.01396 × (1 + 0.00227 × 31/31) ≒ 1.01626$$

(3) 지역요인 : 인근지역으로서 대등하다.(1.000)

(4) 개별요인 비교치

1.00(가로) × 1.03(접근) × 1.00(환경) × 1.03(행정)* × 0.96(획지) × 1.00(기타)
≒ 1.018

*) 1/(0.8 + 0.2 × 0.85)

(5) 그 밖의 요인 비교치

1) 평가선례 선택 : 근린상업지역, 상업용으로서 평가목적이 유사한 b 선정(a는 평가목적,
c는 용도지역의 상이로 배제함)

2) 격차율 : $\dfrac{7,000,000 \times 1.02756^* \times 1.000 \times 0.980^{**}}{4,300,000 \times 1.01626}$ ≒ 1.613

*) 시점(2017.1.1~2018.7.1, 상업) : 1.01112 × 1.01396 ×
(1 + 0.00227 × 31/31)

**) 개별요인
1.00(가로) × 1.00(접근, 대등) × 1.00(환경) × 0.97(행정, 0.8 + 0.2 × 0.85) × 1.01(획지)
× 1.00(기타)

3) 그 밖의 요인 비교치 결정 : 상기 격차율을 고려하여 1.61으로 결정

(6) 토지평가액

4,300,000 × 1.01626 × 1.000 × 1.018 × 1.61 ≒ 7,160,000원/㎡
(×350 = 2,506,000,000원)

3. 건물평가액

(1) 재조달원가(건축사례 활용)

1) 건축비 명목가액 : 2,000,000,000원

2) 건축공사비 현가

$500,000,000 + [\,1,500,000,000 \times \dfrac{0.04 \times 1.04^{10}}{1.04^{10}-1} \times \dfrac{1.05^5-1}{0.05 \times 1.05^5} + 1,500,000,000 \times$

$(1 - \dfrac{1.04^5-1}{1.04^{10}-1}) \times \dfrac{1}{1.05^5}\,] \times \dfrac{1}{1.05}$ ≒ 1,876,913,000원

(÷1,980 ≒ @950,000)

∴ 재조달원가를 @950,000으로 결정한다.

(2) 건물평가액

950,000 × 32/50 = @608,000(×1,740 = 1,057,920,000원)

4. 전체 토지, 건물 감정평가액 : 3,563,920,000원

5. 101호의 감정평가액(원가법)

   (1) 101호의 효용비율

      1) 층별 효용비율 : (100 × 188) / 69,166 ≒ 0.272

      2) 호별 효용비율(1층 내) : (60 × 100) / 17,795 ≒ 0.337

      3) 효용비율 : 0.272 × 0.337 ≒ 0.092

   (2) 101호의 감정평가액

      3,563,920,000 × 0.092 ≒ 328,000,000원

6. 적산임대료

   (1) 순임대료 : 328,000,000 × 0.05 = 16,400,000원

   (2) 필요제경비 : 16,400,000 × 0.07 = 1,148,000원

   (3) 적산임대료 : 17,548,000원

III. (물음 2) 임대사례비교법

1. 사례 선택

   제시된 임대사례는 본건과 임대료 형성요인이 유사하여 적절하다.(부가가치세 제외)

   30,000,000 × 0.04 + 2,750,000 × 1/1.1 × 12월 = 31,200,000원(@446,000)

2. 시점수정치(2017.2.2~2018.7.1)

   임대료지수의 적용이 우선시되나 집합상가의 가치변동을 잘 반영하는 자본수익률을 기준으로 수정하였음.

   (1 + 0.02930 × 333/365) × 1.00731 × (1 + 0.00731 × 92/90) ≒ 1.04196

3. 임대료 형성요인 비교치

   0.75 × 0.90 × 0.91 × 1.00 ≒ 0.614

4. 임대사례비교법에 의한 임대료

   446,000 × 1.000 × 1.04196 × 0.614 ≒ @285,000(×60[63]) = 17,100,000원

5. 임대료 감정평가액 결정

   「감정평가에 관한 규칙」 제22조에 의하여 임대사례비교법에 의한 임대료로 결정하며, 적산법에 의한 합리성이 인정된다.(17,100,000원)

---

63) 문제의 제시된 조건은 임대면적(전유면적+공용면적)으로 제시되어 있으나 이를 전유면적으로 해석하여 풀이함. 문제 풀이시 이를 임대면적(전유면적+공용면적)으로 해석하고 본건의 임대면적을 산정하여 계산해도 무방하다고 판단됨.

Ⅰ. 평가개요

2018년 6월 30일을 기준시점으로 비운영폐선 각 운영방안에 대한 시산가액을 결정한다.

Ⅱ. (물음 1)

1. 해체처분가격 성격

선박이 노후화되었거나 용도 폐지가 예정된 경우에는 해체처분에 따른 가격 등으로 감정평가할 수 있다. 따라서 선박을 해체처분가격으로 감정평가하는 경우는 실제 해체상태에 있는 선박의 부분품으로서 감정평가하는 경우와 감정평가조건에서 해체를 전제로 감정평가하는 경우이다. 이때 해체 후 전용할 수 있는 부품은 전용가치 등을 고려하여 감정평가하여야 할 것이다.[64]

2. 매각처별 해체처분가격

(1) 파키스탄 : 260,000 × 15,000 - 900,000,000 = 3,000,000,000원

(2) 한국 : 240,000 × 15,000 - 600,000,000 = 3,000,000,000원

(3) 싱가포르 : 200,000 × 15,000 = 3,000,000,000원

Ⅲ. (물음 2) 분리하여 매각할 경우 전체 시산가액 등

1. 분리하여 매각할 경우 전체 시산가액

(1) 재사용이 가능한 기관 : $300,000 \times 0.1^{15/20} ≒ @53,000(\times 2,000 \times 2 = 212,000,000$원)

(2) 저장품 : 5,000,000,000 × 0.2 = 1,000,000,000원

(3) 정박료 및 대기비용 : 200,000,000 × 4개월 = 800,000,000원(작업 직접비용은 매수자 부담)

(4) 고철매각가액 : 200,000 × (15,000 - 900 - 100) = 2,800,000,000원

(5) 분리하여 매각할 경우 시산가액

   212,000,000 + 1,000,000,000 - 800,000,000 + 2,800,000,000 = 3,212,000,000원

2. 유리한 매각방식 결정

매각처별 시산가액은 매입금액과 운반비를 고려시 모두 동일한 수준으로 시산되며, 재사용이 가능한 부분을 분리하여 매각하는 경우의 매각방식은 전용가치가 전용비용보다 커서 가장 유리하게 시산되었다.

---

64) 문제의 취지상 기존의 효용을 반영하지 않은 상태를 기준으로 한다는 점, 현장도 가격(운반비 등 고려)을 기준으로 가장 유리한 방식(전용가치가 있는 경우 전용가치와 전용비용을 고려한 방법)으로 처분하는 가액을 기준한다는 점을 중심으로 서술하면 됨.

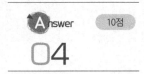

Ⅰ. 평가개요

단지형 연립주택에 대한 조소득승수법에 의한 감정평가이다.

Ⅱ. (물음 1) 조소득승수법에 의한 가치검토

1. 조소득승수

(1) 사례 (a) : $\dfrac{1,200,000,000}{700,000 \times 12 \times 20} \fallingdotseq 7.14$

(2) 사례 (b) : $\dfrac{1,600,000,000}{900,000 \times 12 \times 20} \fallingdotseq 7.41$

(3) 조소득승수 결정 : $\dfrac{7.14 + 7.41}{2} \fallingdotseq 7.28$

2. 조소득승수법에 의한 가치

(500,000 × 12월 × 20개호) × 7.28 ≒ 873,600,000원

Ⅲ. (물음 2) 甲의 가치산정 논리에 대한 검토

甲은 단위 룸당 가격을 통하여 시산가치를 산정하였으며, 수익을 기준으로 산정한 가액과 유사성이 인정된다. 이유는 매매가격의 경우 룸당 거래가격이 20,000,000원/룸으로 동일한데, 룸당 임대료 역시 각 타입별로 유사하기 때문이다.[65]

2개룸	3개룸	4개룸
500,000 ÷ 2 = 250,000원/룸	700,000 ÷ 3 ≒ 233,000원/룸	900,000 ÷ 4 ≒ 225,000원/룸

---

[65] 혹은 소형주택일수록 가격은 대등하나 룸당 조소득(수익성)이 증가하며 이러한 점이 조소득승수법에는 반영되었기 때문에 甲이 산정한 결과와 달라질 수 있다는 취지로 언급해도 무방할 것으로 보임.

2018년도 제29회 감정평가사 2차시험
감정평가실무 채점평

◈ **2018년도 제29회 감정평가사 시험에 응시한 모든 수험생들의 노고에 감사의 마음을 전합니다.**

감정평가실무는 전문자격자인 감정평가사로서의 구체적인 실무능력을 평가하기 위한 과목입니다. 따라서 이 과목은 감정평가법규와 감정평가이론에 관한 충분한 지식을 바탕으로 문제의 핵심 파악, 필요한 자료의 선택 및 해석, 가치형성요인의 분석, 감정평가방법의 적용 등에 관한 수험생의 능력을 상세히 기술하는 것이 중요합니다.

【문제 1】

이 문제는 감정평가실무에서 꼭 필요한 지식과 능력을 복합적으로 평가하고자 지하공간의 사용에 따른 보상 목적의 감정평가사례를 활용하는 문제입니다.

□ 물음 1)은 인근지역의 개념을 옳게 기술하지 못한 수험생들이 많았습니다. 또한, 구체적인 판정기준을 제시하지 못하거나, 설명한 판정기준과 판정결과가 다른 수험생들이 많았습니다.

□ 물음 2)는 물음 1)의 결과를 반영하여 비교표준지를 선정하고, 나지상정 감정평가와 공법상 제한에 관한 법규를 적용하는 것이 중요합니다.

□ 물음 3) 또한 물음 2)의 결과를 반영하되, 입체이용저해율에 관한 지식과 능력이 필요한 문제입니다. 구분지상권 설정(예정)면적 적용과 입체이용저해율 산정시 실수한 수험생들이 많았습니다.

□ 물음 4)는 최근 지하공간 사용을 위한 공익사업이 증가함에 따라 보상금 산정에 관한 법규의 문제점을 물은 문제입니다. 전문가는 관련법규의 내용뿐만 아니라, 그 문제점에 대해서도 충분히 인식할 필요가 있습니다.

【문제 2】

이 문제는 임대사례비교법과 적산법을 활용하여 임대료를 결정하는 방법에 관한 기본적인 지식을 확인하는 문제입니다. 수험생들은 대체로 비교표준지의 선정, 그 밖의 요인 산정시 사례선정과 보정치의 산정방법, 시산가액 조정 등은 비교적 잘 기술하였으나, 좀 더 학습해야 할 부분이 많았습니다. 예를 들면 감정평가 3방식의 기본개념을 제대로 숙지하여 혼용하는 경우는 없어야 합니다.

【문제 3】

이 문제는 선박 매각평가에 관한 것으로서 해체처분가격의 성격을 서술하고, 해체처분과 분리매각에 따른 시산가액을 구한 후, 유리한 매각방식을 결정하여 결론을 구하는 문제임에도 불구하고, 수험생 대부분이 해체처분가격의 성격을 서술하지 못하고 해체처분가격의 의의를 적은 경우가 많았습니다. 또한 매각처(나라)별로 산정하거나, 또는 수입항목만 감안하고, 비용항목은 간과하여 이를 감안하지 않은 경우가 많았습니다.

【문제 4】

이 문제는 조소득승수의 개념과 적용에 대한 기본적인 문제입니다. 물음에 따라 매매사례의 평균으로 조소득승수를 결정한 후 대상물건의 임대자료를 적용하여 산출한 가치와 룸당 평균단가를 기준으로 산정한 가치를 비교하여야 합니다.

2019년 감정평가사 제30회

 Answer 〔40점〕

01

Ⅰ. 평가개요

- 감칙 제24조에 의하여 수익환원법에 의하여 기업가치를 평가한다.
- 특허권 및 영업권의 감정평가는 감칙 제23조에 의하여 수익환원법에 의한다.
- 다른 방식에 의한 합리성 검토는 생략한다.

Ⅱ. (물음 1) (주)A 기업가치 평가

1. 매기 FCFF 추정

(1) 매출액 성장률 : 과거 증가율 고려 5% 증가

(2) 매출원가율 : 50%

(3) 판관비율 : 10%

(4) 운전자본소요율 : $\dfrac{1}{8} + \dfrac{1}{10} - \dfrac{1}{20} = 17.5\%$

(5) FCFF 추정(5개년, 단위 : 천원)

Y	2020	2021	2022	2023	2024
Sales	2,315,000	2,431,000	2,553,000	2,680,000	2,814,000
EBIT	926,000	972,400	1,021,200	1,072,000	1,125,600
EBIT(1-t)	722,280	758,482	796,536	836,160	877,968
DEP	115,000	120,000	125,000	130,000	135,000
Capex	69,450	72,930	76,590	80,400	84,420
△NWC	19,250[66]	20,300	21,350	22,225	23,450
FCFF	748,580	785,242	823,596	863,535	905,098

2. WACC

(1) Ke : 3.5 + 0.9767(평균치) × (12 - 3.5) = 11.80%

(2) Kd : 7.0 × (1 - 0.22) = 5.46%

---

66) (2,315,000,000-2,205,000,000) × 0.175

(3) WACC : $0.4 \times 11.80 + 0.6 \times 5.46 \fallingdotseq 8.0\%$

3. 기업의 영업가치

(1) 1~5기 FCFF 현가합(8%) : 3,271,000,000원

(2) 추정기간 후 기업가치 현가 : $\dfrac{905,098,000}{0.08} \times \dfrac{1}{1.08^5} \fallingdotseq 7,700,000,000$

(3) 기업의 영업가치 : 10,971,000,000원

4. 기업가치

10,971,000,000 + 1,000,000,000(비영업자산) = 11,971,000,000원

III. (물음 2) 특허권

1. 특허권의 유효잔존수명

(1) 경제적 수명 : $9 \times (1 + \dfrac{6}{20}) \fallingdotseq 11$년(절사)

(2) 법적 잔존수명 : 20년

(3) 유효잔존수명 : 경제적 수명을 기준하되, 특허권 출원일(등록일)로부터 6년 경과하였으므로 잔존수명은 5년이 남음.

2. 기술기여도

(1) 산업기술요소 : $67.5\% \times 76.0\% = 51.3\%$

(2) 개별기술강도 : $(36 + 34)/100 = 70\%$

(3) 기술기여도 : $51.3\% \times 70\% = 35.91\%$

3. 특허권 가치 평가액

3,271,000,000(잔존수명간 FCFF 현가합) $\times$ 35.91% $\fallingdotseq$ 1,175,000,000원

IV. (물음 3) 영업권 가치

1. 산식

기업의 영업가치 − 영업투하자본 − 특허권 가치

2. 영업투하자본 : 영업자산 − 영업부채

= 5,400,000,000 − 1,100,000,000[67] = 4,300,000,000

3. 영업권 가치

10,971,000,000 − 4,300,000,000 − 1,175,000,000 = 5,496,000,000원

---

67) 유동부채는 매입채무, 미지급금, 예수금, 선수금, 단기차입금 등 영업채무와 비영업채무가 같이 존재할 수 있으나, 본 평가에서는 차입금 성격의 항목과 별도로 제시된 것으로 보아 영업채무로 판단하였음.

Ⅰ. 평가개요

공원 조성사업에 대한 사업인정 전 보상평가로서 가격시점은 2019년 6월 29일이다.

Ⅱ. 적용공시지가 선정

1. 토지보상법 제70조 제5항 적용 검토

2018년 중 해당 사업의 공고·고시(공람공고일 : 2018.1.10)로 인하여 취득하여야 할 토지가 치가 변동되었는지 여부를 검토한다.

2. 사업지 내 표준지 공시지가 변동률

표준지 1	표준지 2	표준지 3	평균
2.564%	3.012%	3.571%	3.049%

3. 결론

B도 C시의 표준지 공시지가 평균변동률과 3%포인트, 30% 이상 차이가 있는 바, 취득하여야 할 토지가치가 변동된 것으로 판단된다.

4. 적용공시지가 선정

공람공고 이전 최근 공시지가인 2018년 공시지가를 적용한다.

Ⅲ. 비교표준지 선정

1. 사업지역 내 표준지를 선정하지 못하는 이유

사업지구 내 표준지 선정이 원칙이나 사업지구 내 표준지는 공원에 저촉된 상태로서, 공원저촉 여부에 따른 가격편차가 이용상황에 따라 상당히 크고 이에 대한 적정한 보정이 어렵다 판단하여 부득이 사업지 밖의 표준지를 선정하도록 한다.

2. 비교표준지 선정

자연녹지지역의 전을 기준하되, 해당 사업지 내 적정한 표준지가 존재하지 않는 것으로 판단되는 바, 사업지 밖의 표준지 ④를 선정한다.

Ⅳ. 시점수정치(2018.1.1~2019.6.29, 녹지지역)[68] : 1.04202

Ⅴ. 지역요인 비교치 : 인근지역으로서 대등함.(1.000)

Ⅵ. 개별요인 비교치 : 0.90

Ⅶ. 그 밖의 요인 비교치

1. 평가선례 기준 격차율

자연녹지, 전으로서 지리적으로 인접하고, 사업유형이 유사한 평가선례 "ㄴ"을 선정한다.
(평가선례 "ㄱ"은 낮은 협의율로 정당보상 반영하지 못한다고 판단됨)

$$\frac{380,000 \times 1.03112 \times 1.000}{260,000 \times 1.04202} ≒ 1.446$$

2. 거래사례 기준 격차율

자연녹지, 전으로서 공람공고일 이전의 거래사례인 거래사례 나를 선정한다.

$$\frac{360,000 \times 1.03892 \times 1/0.97}{260,000 \times 1.04202} ≒ 1.423$$

3. 결정

양자 유사하게 산출되었으며, 거래사례는 해당 사업에 의한 영향이 없는 적절한 사례로서 거래사례를 기준으로 하여 1.42로 결정한다.

Ⅷ. 감정평가액

260,000 × 1.04202 × 1.000 × 0.90 × 1.42 ≒ @346,000
(×1,235 = 427,310,000원)

---

[68] 사업인정 전 협의평가로서 토지보상법 시행령 제37조 제2항 및 제3항에 따른 검토는 하지 아니한다.

03

Ⅰ. 평가개요

NPV법에 의하여 타당성을 검토한다.

Ⅱ. 매수예정 부동산의 가치

1. 토지의 가치

(1) 공시지가 기준법

1) 비교표준지 선정 : 준주거, 상업용으로서 가치형성요인이 유사한 2를 선정한다.

2) 공시지가 기준가액

$1,870,000 \times 1.01752 \times 1.000 \times 0.990 \times 1.25 ≒ @2,350,000$

(2) 거래사례비교법

1) 현금등가

$1,150,000,000 \times (0.7+0.3/1.08) ÷ 490 ≒ @2,290,000$

2) 비준가액

$2,290,000 \times 1.000 \times 1.00697 \times 1.000 \times 1.020 ≒ @2,350,000$

(3) 결정

감칙 제14조 기준 공시지가 기준법에 의하되, 거래사례비교법 합리성이 인정된다.

$(@2,350,000)(\times 530 = 1,245,500,000원)$

2. 건물의 가치 : 150,000,000원

3. 매수예정 부동산 가치 : 1,395,500,000원

Ⅲ. 타당성 분석

1. 비용(현금유출 현가)

(1) 부동산 매입가 : 1,395,500,000원

(2) 공사비 현가

$900,000 \times 2,700 \times (0.3+0.7/1.08) ≒ 2,304,000,000원$

(3) 소계 : 3,699,500,000원

2. 편익(현금유입 현가)

(1) 순수익 : 145,000 × (2,700×0.7) = 274,050,000원

(2) 환원이율

1) 산식 : $R = y(\text{자기자본수익률}) - L/V \times (y + p \times SFF - MC) \pm \triangle SFF$

2) 주요 계수

$$p = \frac{(1 + 0.07 / 12)^{60} - 1}{(1 + 0.07 / 12)^{240} - 1} \fallingdotseq 0.1374$$

$$SFF = \frac{0.1}{1.1^5 - 1} \fallingdotseq 0.1638$$

$$MC = \frac{0.07 \times (1 + 0.07 / 12)^{240}}{(1 + 0.07 / 12)^{240} - 1} \fallingdotseq 0.0930$$

3) 환원이율

$0.1 - 0.6 \times (0.1 + 0.1374 \times 0.1638 - 0.0930) - (1.02^5 - 1) \times 0.1638 \fallingdotseq 6.52\%$

(3) 준공 후 부동산가치 현가

(274,050,000 ÷ 0.0652) ÷ 1.08 ≒ 3,892,000,000원

Ⅳ. 타당성 결론

NPV > 0으로서 타당성이 인정됨.

Answer 　10점

04

I. (물음 1) 사정보정률

1. 임대권가치(매매가격)

$$22,000,000 \times \frac{1.05^4 - 1}{0.05 \times 1.05^4} + \frac{650,000,000}{1.05^4} ≒ 612,770,000원$$

2. 시장가치

$$30,000,000 \times \frac{1.05^4 - 1}{0.05 \times 1.05^4} + \frac{650,000,000}{1.05^4} ≒ 641,140,000원$$

3. 사정보정률

$\frac{612,770,000}{641,140,000} ≒ 0.96$ 로서 매매가격의 사정보정률은 4%임.(4% 낮게 거래됨)

II. (물음 2) 환원이율 차이 등

1. 계약임대료 기준 : $\frac{22,000,000}{641,140,000} = 3.43\%$

2. 시장임대료 기준 : $\frac{30,000,000}{641,140,000} = 4.68\%$

3. 차이가 나는 이유

계약사례는 임대차기간(5년)이 일반적인 오피스텔의 임대차기간보다 긴 점, 계약기간 중 임대차조건의 변경이 없는 내용의 특약이 있는 점으로 인하여 시장임대료 기준 환원율 대비 낮게 산출되었다.

또한 계약임대료는 확정된 계약조건을 기준으로 산출되어 위험도가 적으나, 시장임대료는 표준적 계약조건으로서 실제 임대차계약시 변동가능한 점으로 계약임대료대비 높은 위험도를 보일 수 있다. 환원이율 검토시 위험정도에 따른 고려가 필요할 것이다.

2019년도 제30회 감정평가사 2차시험
감정평가실무 채점평

◈ 2019년도 제30회 감정평가사 시험에 응시한 모든 수험생들의 노고에 감사의 마음을 전합니다.

【문제 1】

본 문제는 일반거래(시가참고) 목적의 감정평가로 대상기업의 기업가치와 특허권 가치, 영업권 가치 평가에 초점을 두고 기업가치와 무형자산 평가 등에 대해 논리적인 접근을 필요로 하는 주제였습니다.

☐ 물음 1)은 대부분 수험생이 문제풀이 방향을 잘 잡고 결과를 도출하였으나 WACC 산정시 타인자본 비용의 세금효과를 누락하거나 기업가치를 도출할 때 비영업용 자산의 처리를 하지 않은 수험생들도 많이 있었습니다. 그리고 수익방식 이외 다른 방식으로의 검토여부에 대해 언급한 답안이 많지 않은 점이 아쉬웠습니다.

☐ 물음 2)는 특허권 가치 평가인데 특허권의 유효잔존수명 산출시 법적 잔존기간과 경제적 잔존기간의 비교를 하지 아니하거나 경과연수를 고려하지 않은 답안이 많이 있었습니다.

☐ 물음 3)은 영업권 가치 평가인데 영업투하자본의 개념이 정립이 안 되어 있는 수험생들이 많았던 점은 아쉬웠습니다.

【문제 2】

본 문제는 공원 조성사업 보상 목적의 감정평가입니다. 공통 유의사항에 제시된 도출과정 기재, 단가 및 그밖의 요인 보정치 관련 절사를 하지 않은 답안이 상당수 있었으며 문제에서 주어진 사업과 관련하여 이를 사업인정고시 의제일로 판단하여 서술한 오류답안도 많았습니다. 문제에서 제시된 자료를 충분히 검토 후 답안 작성이 요구되며 단순 암기를 한듯한 답안은 지양해야 할 것입니다.

【문제 3】

본 문제는 제시된 자료를 활용하여 현금유출의 현가와 현금유입의 현가를 산출한 후 이를 기초로 당해 개발계획의 타당성을 분석하는 것이 핵심이라 할 수 있습니다. 수험생들은 타당성 분석의 기본적인 개념과 내용 등을 대체로 잘 숙지하고 있는 것으로 보였으나 기존 건물의 매수가격 처리, 환원율 산정, 기준시점으로의 현가 등 세부적인 사항에는 미흡한 경우가 많았습니다.

【문제 4】

본 문제는 1년 전 임대차 계약이 체결되어 있는 오피스텔에 계약임대료 기준 환원율과 시장임대료 기준 환원율의 차이가 의미하는 바를 제시할 수 있는지 물어보는 문제입니다.

먼저, 매매가가 시장 수익률 5.0%를 기준으로 산출되는 임대권의 가치를 기준으로 결정되었다고 제시하고 있으나 수익률과 환원이율의 개념을 명확히 잡지 못하고 직접환원법으로 접근한 답안이 많았으며, 현재가치로 접근은 했지만 재매도가치의 현가를 누락하거나 임대차 계약이 1년 경과한 점을 놓친 수험생들이 많았습니다.

물음 2)의 환원율의 차이가 의미하는 바에 대해서는 대부분의 수험생들이 이론적 배경 지식을 풀어내는 답안을 작성하였으나 계약임대료와 시장임대료 간 위험의 차이로 설명을 해낸 수험생이 드물어 아쉬웠습니다.

2020년 감정평가사 제31회

Answer ⬤ 40점
01

Ⅰ. 평가개요

집합건물의 감정평가 및 영업권의 평가임.(기준시점 : 2020년 9월 19일)

Ⅱ. (물음 1) 주식회사B 소유 부동산의 공정가치

1. 평가방법

「감정평가에 관한 규칙」 제16조에 의하여 거래사례비교법에 의하되, 원가법 및 수익환원법에 의한 합리성을 검토한다.

2. 거래사례비교법

(1) 거래사례의 선택

가치형성요인이 유사한 사례로서 근린생활시설부분은 거래사례 2를, 업무시설부분은 거래사례 4를 선정한다.(거래사례 1 : 용도지역 상이, 거래사례 3 : 개별적 유사성 상이)
(#2 : @13,000,000, #4 : @6,500,000)

(2) 시점수정치(집합상가의 자본수익률 기준)[69]

1) 2020.3.20~2020.9.19(거래사례 #2 기준)

$(1 + 0.0035 \times 12/91) \times 1.0032 \times (1 + 0.0032 \times 81/91) ≒ 1.00652$

2) 2020.1.20~2020.9.19(거래사례 #4 기준)

$(1 + 0.0035 \times 72/91) \times 1.0032 \times (1 + 0.0032 \times 81/91) ≒ 1.00884$

(3) 평가액 결정

---

69) 오피스의 경우 오피스 자본수익률을 쓰는 것으로 판단할 수 있으나, 오피스 자본수익률은 토지/건물의 유형에 적용하는바, 실무상 적용 관행에 따라 매장용(집합)의 자본수익률을 적용하였음.(S⁺기본서 제7판 기준 252페이지 참조)

> ※ 한국감정원 상업용 부동산 조사대상 건물의 분류
> – 자본수익률(오피스) : 업무시설 등(토지/건물의 유형)
> – 자본수익률(매장용(집합)) : 집합건물의 유형으로서 근린생활시설, 점포, 판매시설, 업무시설 등의 경우

1) 지하 1층 : @13,000,000 × 1.000(사정) × 1.00652 × 35/100 ≒ @4,570,000

    (×1,200㎡ = 5,484,000,000원)

2) 지상 1층 : @13,000,000 × 1.000(사정) × 1.00652 × 1.000 ≒ @13,000,000

    (×950㎡ = 12,350,000,000원)

3) 지상 2층 이상 : @6,500,000 × 1.000(사정) × 1.00884 × 1.000 ≒ @6,550,000

    (2, 3, 4층(1,200㎡) : 각 7,860,000,000원, 5층(1,000㎡) : 6,550,000,000원)

4) 소계 : 47,964,000,000원

3. 원가법

(1) 토지의 평가액

1) 공시지가기준법

① 비교표준지 선정 : 일반상업, 상업용인 표준지 A를 선정한다.

② 시점수정치(K구 상업) : 1.01323 × (1 + 0.00254 × 19/31) ≒ 1.01481

③ 지역요인 : 인근지역(1.00)

④ 개별요인 : 1.00(가로) × 1.00(접근) × 1.00(환경) × 1.05/1.03(≒1.02)(획지)

    × 1/(0.85 + 0.15 × 0.85)(≒ 1.02)(행정) × 1.00(기타) ≒ 1.043

⑤ 그 밖의 요인 비교치

    (평가선례 "ㄴ" 선정, "ㄱ"은 주위환경, "ㄷ"은 평가목적상으로 배제)

$$\frac{19,800,000 \times 1.01481 \times 1.000 \times 0.978^*}{14,500,000 \times 1.01481} ≒ 1.335(1.33으로 결정한다)$$

    *) 개별(표준지/선례) : 1.02/1.00(형상) × 1.03/1.05(각지) × (0.85 + 0.15 × 0.85)

⑥ 공시지가기준가액

    14,500,000 × 1.01481 × 1.000 × 1.043 × 1.33 ≒ @20,400,000

2) 거래사례비교법

① 거래사례 선택 : 일반상업, 상업용으로서 거래사례 b를 선정한다.(a : 사정개입으로 배제)

    ※ 토지단가 : (12,500,000,000 − 1,300,000 × 32/55 × 3,250) ÷ 520 ≒ @19,311,189

② 시점수정치(K구 상업) : 1.01745 × 1.01323 × (1 + 0.00251 × 19/31) ≒ 1.03252

③ 지역요인 : 인근지역(1.00)

④ 개별요인 : 1.00(가로) × 1.00(접근) × 1.00(환경) × 1.05/1.00(1.05)(획지) × 1.00(행정) × 1.00(기타) = 1.050

⑤ 비준가액 : @19,311,189 × 1.000(사정) × 1.03252 × 1.000 × 1.050 ≒ @20,900,000

3) 토지평가액 : 감칙 제14조 공시지가기준법 기준, 거래사례비교법에 의한 합리성이 인정된다.

    @20,400,000(×1,800 = 36,720,000,000원)

(2) 건물의 평가액

1) 지하 1, 2층 : $1,300,000 \times 0.7 \times 36/55 \fallingdotseq$ @595,000(×3,390 = 2,017,050,000원)

2) 지상 1층 : $1,300,000 \times 36/55 \fallingdotseq$ @850,000(×1,150 = 977,500,000원)

3) 지상 2~5층 : $1,500,000 \times 36/55 \fallingdotseq$ @981,000(×5,750 = 5,640,750,000원)

4) 소계 : 8,635,300,000원

(3) 원가법에 의한 시산가액

$36,720,000,000 + 8,635,300,000 = 45,355,300,000$원

4. 수익환원법

(1) 총수익(자가사용부분은 2층 기준 적용)

1) 보증금

$150,000 \times 1,830 + 450,000 \times 1,450 + 190,000 \times (1,830 + 1,830 + 1,830 + 1,520) = 2,258,900,000$원

2) 월임대료

$15,000 \times 1,830 + 45,000 \times 1,450 + 19,000 \times (1,830 + 1,830 + 1,830 + 1,520) = 225,890,000$원

3) 관리비

$3,000 \times 1,830 + 5,000 \times (1,450 + 1,830 + 1,830 + 1,830 + 1,520) = 47,790,000$원

4) 총수익 : $2,258,900,000 \times 0.02 + (225,890,000 + 47,790,000) \times 12$월 $= 3,329,338,000$원

(2) 순수익

$3,329,338,000 \times (1 - 0.1) - 47,790,000 \times 12$월 $\times (1 - 0.1) \times 0.75$
$= 2,609,305,200$원

(3) 환원이율(시장추출률 기준)

순영업소득 ÷ 거래가 기준

사례1	사례2	사례3	결정
5.0%	5.0%	6.0%	5.3%

※ 각 사례들의 평균적인 수준을 기준으로 결정한다.[70]

(4) 수익가액

$2,609,305,200 \div 0.053 \fallingdotseq 49,232,000,000$원

---

70) 근린생활시설을 5.5%, 업무시설을 5.0%로 보아 각 용도별 가치의 가중평균치를 기준으로 결정할 수도 있을 것이다.

5. 감정평가액 결정

거래사례비교법	원가법	수익환원법
47,964,000,000	45,355,300,000	49,232,000,000

감칙 제16조에 의하여 거래사례비교법으로 결정하되, 다른 방식에 의한 합리성이 인정되는 것으로 판단된다.(47,964,000,000원)

III. (물음 2) 영업권가치의 평가

1. 처리방침

영업 관련 기업가치 - 투하자본을 기준하며, 기업가치에서는 비영업자산을 제외하고 투하자본은 영업자산과 영업부채의 차를 기준한다.

2. 영업 관련 기업가치

(1) 비영업자산가액(임대대상 부분)

5,484,000,000(지하 1층) + 12,350,000,000(지상 1층) + 7,860,000,000(지상 2층)
= 25,694,000,000원

(2) 영업 관련 기업가치 : 70,000,000,000 - 25,694,000,000 = 44,306,000,000원

3. 투하자본

(1) 영업자산

영업권 감정평가의 목적을 고려하여 유동자산은 일시적인 증감을 고려하지 않고, 회사의 평균적인 유동자산규모를 반영하여 결정하며, 비유동자산은 자가사용부분인 3, 4, 5층의 평가액의 합계를 기준으로 판단한다.

40,000,000,000 + 22,270,000,000[71] = 62,270,000,000원

(2) 영업부채(외상매입금) : 20,000,000,000원

(3) 투하자본 : 42,270,000,000원

4. 영업권가치 : 44,306,000,000 - 42,270,000,000 = 2,036,000,000원

---

71) 자가사용부분의 가액(3, 4, 5층)

Answer 30점

Ⅰ. (물음 1) 각 점포별 할인율 및 재매도환원율

1. 할인율 결정

(1) 처리방침

할인율은 환원이율과 다르게 자본이득에 대한 부분이 고려되지 않은 개념으로서(환원이율 = 할인율 − 자본이득) 공공기관 통계자료 기초는 "투자수익률"을 기준으로 하며, 자산운용사 자료 기준으로는 장기 목표 배당수익률(Levered IRR)을 기준한다.

(2) 각 자료별 할인율의 산출

단위 : %	a점포	b점포	c점포
공공기관 통계 기초	$\dfrac{6.5 + 7.7}{2} = 7.1$	$\dfrac{5.8 + 7.1}{2} ≒ 6.5$	$\dfrac{5.2 + 6}{2} = 5.6$
자산운용사자료 기준	$0.35 × 8.0 + 0.65$ $× 3.5 ≒ 5.1$	$0.35 × 8.3 + 0.65$ $× 3.5 ≒ 5.2$	$0.35 × 8.6 + 0.65$ $× 3.5 ≒ 5.3$

(3) 자료분석 및 할인율 결정

공공기관 통계자료는 사후적인 수익률로서 지역별 적절한 균형이 이루어지지 않은 것으로 보이며, 자산운용사자료는 펀드의 목표수익률(차입후 수익률)에 초점이 맞춰져 있는 것으로 보인다. 운용기간 중 건물가치의 회수율이 c점포가 가장 큰 점, 지역의 특성상 매출이나 현금흐름의 변동가능성이 큰 점을 고려하여 할인율은 a지역이 가장 낮고, c지역이 가장 높아야 할 것으로 판단되어 아래와 같이 결정한다.

−	a점포	b점포	c점포
할인율(%)	5.0%	5.5%	6.0%

2. 재매도환원율(환원이율)의 결정

(1) 처리방침

공공기관 통계자료 기초는 "소득수익률"을 기준으로 하며, 자산운용사자료 기준으로는 초년도 배당수익률(R_E)을 기준한다.

(2) 각 자료별 환원이율(재매도환원이율) 결정

단위 : %	a점포	b점포	c점포
공공기관 통계 기초	$\dfrac{5.0+6.2}{2}=5.6$	$\dfrac{4.8+6.0}{2} ≒ 5.4$	$\dfrac{4.7+5.6}{2}=5.2$
자산운용사자료 기준	$0.35 × 6.8 + 0.65$ $× 3.5 ≒ 4.7$	$0.35 × 7.5 + 0.65$ $× 3.5 ≒ 4.9$	$0.35 × 7.8 + 0.65$ $× 3.5 ≒ 5.0$

(3) 자료분석 및 재매도할인율 결정

재매도환원이율은 보유기간 중 가치변동분을 적절하게 반영해야 하며, A지역은 향후의 자산 가치상승이 예상되고, C지역은 자산가치의 보합이나 하락이 예상되는 것으로 판단된다. 공공 기관 통계자료는 이러한 광역적인 균형유지가 되지 않는 것으로 보이며, 자산운용사자료는 차입 후 수익률 기준이며, 불확실한 매도차익을 크게 반영하지 않은 것으로 판단된다. 따라서 재매도환원이율은 각 지역별 특성, 토지의 가격구성비율을 고려하여 아래와 같이 결정한다.

–	a점포	b점포	c점포
재매도환원이율(%)	4.0%	5.0%	6.0%

II. (물음 2) 수익가액 및 시산가액 검토(단위 : 백만원)

1. a점포

연도	1	2	3	4	5	6
매년 순수익	3,800	3,857	3,915	3,974	4,034	4,095
순재매도가액	–	–	–	–	101,044	
현금흐름	3,800	3,857	3,915	3,974	105,078	
현재가치율	0.952	0.907	0.864	0.823	0.784	
할인현금흐름	3,618	3,498	3,383	3,271	82,381	

평가액 : 96,151백만원(원가법 : 72,642백만원)

2. b점포

연도	1	2	3	4	5	6
매년 순수익	3,600	3,654	3,709	3,765	3,821	3,878
순재매도가액	–	–	–	–	76,552	
현금흐름	3,600	3,654	3,709	3,765	80,373	
현재가치율	0.948	0.898	0.852	0.807	0.765	
할인현금흐름	3,413	3,281	3,160	3,038	61,485	

평가액 : 74,377백만원(원가법 : 63,688백만원)

3. C점포

연도	1	2	3	4	5	6
매년 순수익	3,500	3,553	3,606	3,660	3,715	3,771
순재매도가액	–	–	–	–	62,033	
현금흐름	3,500	3,553	3,606	3,660	65,748	
현재가치율	0.943	0.89	0.84	0.792	0.747	
할인현금흐름	3,301	3,162	3,029	2,899	49,114	

평가액 : 61,505백만원(원가법 : 57,414백만원)

4. 점포별 시산가액의 균형

수익의 안정성과 자산가치의 상승이 예상되는 A지역의 경우 수익가액이 원가법에 의한 가액대비 높게 산출되었으며, C지역의 경우 양 시산가액이 유사하게 산출되었다. 각 점포의 임대료수준은 유사하나 향후 자산가치의 상승 여력이나 변동가능성으로 인하여 수익가액이 차등적으로 산출된 것으로 판단된다.

Answer 03 20점

Ⅰ. 평가개요

- 도시철도사업에 편입된 토지에 대한 소송목적의 감정평가로서 제시된 2019년 5월 19일을 가격시점으로 한 적정한 보상액을 산정한다.(사업인정의제일 : 2018년 5월 24일)
- 본건에 저촉된 도시철도 및 10-2, 10-3으로의 분할은 해당 사업에 의한 영향으로 이에 구애됨 없이 평가한다.

Ⅱ. (물음 1) 사업시행자 입장에서의 보상평가

1. 대상토지의 이용상황

해당 토지는 종전의 도시계획도로사업에 편입되었었던 토지이나 변경고시로 제척된 토지로서 공부상 지목이 건축허가 이후 도로인 점, 인접한 11번지 소유자 역시 제척된 이후에 신축하면서 도로로 분할한 점으로 보아 건물의 신축 및 소유자의 편의로 인하여 10-1을 분할하고 이후 도로가 된 것으로 판단해야 한다. 따라서 도로로서 사실상 사도로서 평가되어야 하며, 따라서 인근 토지의 평가액의 1/3 이내로 평가하도록 한다.[72]

2. 적용공시지가 선정

도시철도사업에 따른 사업계획의 승인·고시 이전 최근 공시지가인 2018년 공시지가를 선정한다.

3. 비교표준지 선정

본건에 인접한 토지로서 준주거, 상업용인 표준지 B를 선정한다.

4. 시점수정치(2018.1.1~2019.5.19) : 1.09268

5. 개별요인 비교

$$1.00(도로) \times 1.00(형상) \times \frac{1}{0.7+0.3 \times 0.85}(도시계획시설철도) \times 0.33(기타) = 0.346$$

6. 평가액

$1,500,000 \times 1.09268 \times 1.000(지역) \times 0.346(개별) \times 1.50(그밖) = @850,000(절사)$

$(\times 19 = 16,150,000원)$

*) 종전의 수용재결평가 및 이의재결평가의 기준과 동일함

III. (물음 2) 피수용자 입장에서의 보상평가

1. 대상토지의 이용상황

해당 토지는 건축허가시 도로로 결정 및 지형도면고시된 상태로서 기존부터 상업나지였던 토지이며, 신축에 있어서 해당 도시계획시설도로가 아니었다면 토지를 분할하지 않았을 것이다. 따라서 도시계획시설도로 지정 이후 도로로 이용 중인 예정공도로서 공도부지에 준하여 평가해야 할 것이다.

2. 적용공시지가, 비교표준지, 시점수정치 : 물음 1과 동일하다.

3. 개별요인 비교(도시계획시설 도로로 인한 영향을 배제하여 평가하므로 중로한면, 세장형으로서 평가한다)

$$0.91(도로) \times 1.00(형상) \times \frac{1}{0.7+0.3 \times 0.85}(도시계획시설철도) = 0.953$$

4. 평가액

$1,500,000 \times 1.09268 \times 1.000(지역) \times 0.953(개별) \times 1.50(그밖) = @2,342,000(\times 19 = 44,498,000원)$

---

72) 개정 전 토지보상평가지침 참고(제36조 공도 등 부지의 평가)

⑤ 토지소유자가 토지의 형질변경 허가 등을 받아 대지 또는 공장용지 등을 조성시에 도시계획시설도로에 맞추어 도로를 개설한 경우에서 그 도시계획시설도로의 폭·기능·연속성 그 밖에 당해 토지와 주위토지의 상황 등에 비추어 그 도시계획시설도로의 결정이 없었을 경우에도 토지소유자가 자기토지의 편익을 위하여는 유사한 규모·기능 등의 도로를 개설할 것으로 일반적으로 예상되고 그 도로부분의 가치가 조성된 대지 또는 공장용지 등에 상당부분 화체된 것으로 인정되는 경우에는 제1항에도 불구하고 그 도시계획시설도로를 사실상의 사도로 보고 제35조의2(사실상의 사도부지의 감정평가)를 준용할 수 있다. 이 때에는 평가서에 그 내용을 기재한다.

04

Ⅰ. 평가개요

도시계획시설도로사업에 일부 편입된 영업손실에 대한 보상평가로서 시행규칙 제47조 제3항에 의하여 2020년 9월 19일을 가격시점으로 평가한다.

Ⅱ. 일부 편입에 따른 보상평가액

1. 해당 시설의 설치 등에 소요되는 기간의 영업이익

1개월간 영업이익을 기준하며, 3년 평균 영업이익을 기준한다.

$$\frac{3,650,000 + 3,950,000 + 4,250,000}{3} ≒ 3,950,000원(법인사업자로 하한액 미고려)$$

2. 해당 시설의 설치 등에 통상 소요되는 비용

발전기실은 지장물로서 보상된바, 발전기 및 부대설비 이전·설치비를 기준한다.

3,500,000 + 500,000 = 4,000,000원

3. 영업규모 축소에 따른 영업용 고정자산·원재료·제품 및 상품 등의 매각손실액 : 없음

4. 보상평가액

3,950,000 + 4,000,000 = 7,950,000원(휴업보상액인 25,000,000원 이내임)

2021년 감정평가사 제32회

40점

01

Ⅰ. 평가개요

본건은 토지, 건물에 대한 시가참조목적의 감정평가로서 기준시점은 2021년 8월 7일이다.

Ⅱ. (물음 1) 개별평가에 의한 시산가액

1. 토지의 감정평가액

(1) 공시지가 기준법

1) 비교표준지 선정

일반상업, 업무용으로서 주위환경과 유사한 표준지 2를 선정한다.

(표준지 #1 : 용도지역 상이, 표준지 #3 : 주위환경 상이)

2) 시점수정치(2021.1.1~2021.8.7, 상업지역)

$1.02645 \times (1 + 0.00420 \times 38/30) ≒ 1.03191$

3) 지역요인 : 인근지역으로 대등하다.(1.000)

4) 개별요인 : $1.05 \times 0.95 \times 1.02 ≒ 1.017$

5) 그 밖의 요인 비교치

① 평가선례의 선정 : 일반상업, 업무용으로서 평가목적을 고려하여 선례 나를 선정한다.

(#가 : 용도지역 상이, #다 : 3년 이상 선례, #라 : 평가목적 상이, #마 : 주위환경 상이)

② 격차율 산정 : $\dfrac{62{,}000{,}000 \times 1.02387^* \times 1.000(지역) \times 1.000^{**}}{41{,}000{,}000 \times 1.03191} ≒ 1.500$

*) 시점(2021.3.1 ~ 2021.8.7, 상업지역) : $1.01845 \times (1 + 0.00420 \times 38/30)$

**) 개별요인 : $1.00 \times 1.00 \times 1.00$

③ 결정 : 상기 격차율을 고려하여 1.50으로 결정한다.

6) 공시지가 기준가액

$41{,}000{,}000 \times 1.03191 \times 1.000 \times 1.017 \times 1.50 ≒ 64{,}500{,}000$원/㎡

(2) 거래사례비교법

1) 사례선택

토지만의 거래사례로서 본건과 이용상황(최유효이용)이 유사한 거래사례 2를 선정한다.
(거래사례 #1 : 이용상황 상이)[73]

2) 시점수정(2021.2.1 ~ 2021.8.7, 상업지역)

$1.02285 \times (1 + 0.00420 \times 38/30) \fallingdotseq 1.02829$

3) 지역요인 : 인근지역으로 대등하다.(1.000)

4) 개별요인 : $1.00 \times 1.00 \times 1.02 = 1.020$

5) 비준가액

$61,500,000* \times 1.000(사정) \times 1.02829 \times 1.000 \times 1.020 \fallingdotseq 64,500,000원/㎡$

*) $98,400,000,000 \div 1,600$

(3) 토지 감정평가액 결정

감정평가에 관한 규칙 제14조에 의하여 공시지가 기준법에 의하되 거래사례비교법에 의하여
그 합리성이 인정된다. 64,500,000원/㎡($\times 1,500 = 96,750,000,000원$)

2. 건물의 감정평가액

(1) 지하부분(3급기준, 이하 동일)

$(1,200,000 + 10,000 + 10,000 + 30,000) \times 45/50* = 1,125,000원/㎡($\times 950 \times 4$(지하
부분) $= 4,275,000,000원$)

 *) 사용승인일 기준 만년감가(이하 동일)

(2) 지상부분(기존부분)

$(1,200,000 + 10,000 + 10,000 + 50,000 + 140,000 + 30,000)* \times 45/50 =$
$1,296,000원/㎡($\times 8,000 = 10,368,000,000원$)

 *) 재조달원가 : 1,440,000원/㎡

(3) 지상부분(증축부분)

$1,440,000 \times 45/48 = 1,350,000원/㎡($\times 2,000 = 2,700,000,000원$)

(4) 건물의 감정평가액 : 17,343,000,000원

3. 개별평가액 합계 : 약 114,100,000,000원(억단위까지 표시)

---

73) 해당 배제사유는 일괄거래사례비교법에 기재해도 무방할 것이다.

III. (물음 2) 일괄거래사례비교법에 의한 시산가액

1. 사례의 선택

업무시설로서의 가치형성요인인 건물의 규모, 연식 및 입지 등이 본건과 유사한 거래사례 5를 선정한다.(거래사례 #3 : 급매로서 사정개입, 거래사례 #4 : 구매의 목적은 정상적이나 주변환경이 본건과 상이하다. 거래사례 #6 : 구분건물로서 개별분양을 위하여 구입하여 가치형성요인이 상이하다. 거래사례 #7 : 양도세는 매도인이 부담함이 원칙이나 이를 매수인이 부담하는 사정이 개입되어 있으며, 이에 대한 적절한 사정보정이 어려워 배제한다. 또한 건물의 연식이나 품등조건(용적률)에서의 차이도 있다)

2. 거래사례의 거래단가

$111,573,000,000 \div 14,700 = 7,590,000$원/㎡

3. 시점수정치(2020.10.1~2021.8.7, 오피스빌딩 자본수익률)

$1.0046 \times 1.0050 \times 1.0054 \times (1 + 0.0054 \times 38/91) \fallingdotseq 1.01736$

4. 가치형성요인 비교치 : $105/100 \times 102/100 \times 100/100 \fallingdotseq 1.071$

5. 비준가액

$7,590,000 \times 1.000$(사정) $\times 1.01736 \times 1.071 \fallingdotseq 8,270,000$원/㎡
$$(\times 13,800 \fallingdotseq 114,100,000,000원)$$

IV. (물음 3) 일괄수익환원법에 의한 시산가액

1. 순영업소득의 산정

(1) 가능총수입

1) 처리방침

대상부동산 중 사정이 개입된 부분을 제외한 부분의 임대차현황과 표준적인 임대현황이 유사한바, 표준적인 임대차내역을 기준으로 하되, 관리비 수입은 본건의 개별적인 특성을 고려하여 본건의 관리비를 기준으로 한다.[74]

한편, 렌트프리는 본건 및 주변 업무시설의 일반적인 관행인바, 이를 고려하여 총수입을 산정한다.(렌트프리는 임대료에만 반영하여 관리비는 정상적으로 수취한다.)

---

74) 표준적인 임대차내역을 기준하는 것도 무방할 것으로 판단된다.

2) 가능총수입

① 보증금운용이익 : $(470,000 \times 1,000 + 350,000 \times 9,000) \times 0.02 = 72,400,000$원

② 연간임대료수입

$(47,000 \times 1,000 + 35,000 \times 9,000) \times 11$개월(렌트프리반영) $= 3,982,000,000$원

③ 연간관리비수입 : $12,000 \times 10,000 \times 12$개월 $= 1,440,000,000$원

④ 가능총수입 : $5,494,000,000$원

3) 유효총수입 : $5,494,400,000 \times (1 - 0.05) = 5,219,680,000$원

4) 운영경비 : $1,440,000,000 \times (1 - 0.05) \times 65\% = 889,200,000$원

5) 순영업소득 : $4,330,480,000$원

2. 환원이율의 결정

(1) 처리방침

시장추출법을 기준으로 하되, 본건과 가치형성요인, 수익성 및 투자성 등 제반 조건이 유사한 #103을 기준으로 한다.(전체 지분이 이전된 사례로서 적정한 사례임)(#101 : 유치권 행사 중으로서 사정개입, #102 : 저가임대료로서 적정한 환원이율 추정이 어려움, #104 : 용도지역이 상이하여 본건과 개별적인 유사성이 결여됨)

(2) 시장추출법

1) 사례의 순수익

① 사례의 유효총수입

$(350,000 \times 0.02 + 35,000 \times 11$월* $+ 14,000 \times 12$월$) \times 12,000 \times (1 - 0.05)$
$= 6,384,000,000$원

*) 렌트프리 1개월 반영

② 사례의 운영경비

$14,000 \times 12,000 \times 12$월 $\times (1-0.95) \times 0.65 = 1,244,880,000$원

③ 사례의 순수익 : $6,384,000,000 - 1,244,880,000 = 5,139,120,000$원

2) 시장추출률

$5,139,120,000 \div 132,960,000,000 ≒ 3.9\%$

3. 수익가액

$4,330,480,000 \div 3.9\% ≒ 111,000,000,000$원

V. 시산가액 조정 및 감정평가액 결정

1. 시산가액

개별평가액	일괄거래사례비교법	일괄수익환원법
114,100,000,000	114,100,000,000	111,000,000,000

2. 시산가액에 대한 검토

개별평가액 합계는 토지, 건물의 각 물건별 감정평가액을 잘 반영하며, 거래사례비교법은 적정한 거래사례가 있는 경우 시장성을 잘 반영한다. 수익환원법은 가치는 미래 편익의 현재가치합이라는 이론적인 근거에 부합하고 본건과 같은 수익성 부동산의 감정평가에 적합하다.

본건의 경우 3가지의 시산가액이 상호 적절한 균형을 유지하는 것으로 판단된다.[75]

3. 감정평가액 결정

감정평가에 관한 규칙 제7조에 의하여 개별평가액 합계로 결정한다.(1,141억)

Answer 30점

02

I. (물음 1) 피고 주장의 타당성 여부 등

1. 피고가 제기한 주장의 타당성 여부

피고가 제기한 주장은 타당한 것으로 판단된다.

2. 피고 주장에 대한 근거 검토

해당 토지의 경우 원예농업에 할당되어 사용되는 토지로서 해당 사업에 대한 임대수요 및 임대료의 시가수준이 존재하므로 해당 임대료 시가수준으로 감정평가가 이루어져야 할 것이다. 또한 제시된 임대차계약서 사본의 임대차현황이 인근의 표준적인 임대료 수준과 부합하고 있는 것으로 볼 때 임대료에 대한 시가수준이 존재하는 것으로 판단된다.

3. 관련 감정평가법령 및 이론

감정평가에 관한 규칙 제22조에 의하여 임대료를 감정평가할 때에는 임대사례비교법을 적용하여 감정평가하여야 하며, 동 규칙 제12조에 의하면 주된 방법을 적용하는 것이 곤란하거나 부적절한 경우 다른 감정평가방법을 적용할 수 있도록 규정되어 있다.

따라서 해당 사안의 경우에는 임대사례비교법으로 평가가 되어야 하며, 적산법을 적용할 경우 실제 임대가능 수준의 임대료가 시산될 수 있도록 평가가 되어야 할 것이다.

---

75) 수익환원법에 의한 시산가액이 다소 낮게 산출된 점에 대해서는 감염병 확산에 따른 재택근무 증가로 오피스 임대수요의 감소 등의 요인(렌트프리 포함)을 언급해도 좋을 것으로 보인다.

II. (물음 2) 기대이율

1. 기대이율의 개념

기대이율이란 투입된 자본에 대하여 기대되는 임대수입의 비율로서 순임대료와 기초가액의 비율을 의미한다.

2. 기대이율의 결정

(1) 2018년 5월 1일 기준

1) 순임대료의 결정(순임대료 = 실질임대료 − 필요제경비)

① 실질임대료 : @4,500 × 1,652㎡ = 7,434,000원

② 필요제경비 : @360,000 × 0.7 × 1,652㎡ × 0.07% × 1.2 ≒ 349,695원

③ 순임대료 : 7,434,000 − 349,695 = 7,084,305원

2) 기대이율 : 7,084,305 ÷ 1,486,800,000 ≒ 0.48%

(2) 2019년 5월 1일 기준

1) 순임대료의 결정

① 실질임대료 : @4,500 × 1.067(연간 약 6.7% 상승)* × 1,652㎡ = 7,932,078원

*) 3년간 20% 상승하는바, 연간 6.7% 상승을 가정한다.

② 필요제경비 : @382,000 × 0.7 × 1,652㎡ × 0.07% × 1.2 ≒ 371,066원

③ 순임대료 : 7,932,078 − 371,066 = 7,561,012원

2) 기대이율 : 7,561,012 ÷ 1,579,312,000 ≒ 0.48%

(3) 2020년 5월 1일 기준

1) 순임대료의 결정

① 실질임대료 : @4,500 × 1.067^2 × 1,652㎡ = 8,463,527원

② 필요제경비 : @406,000 × 0.7 × 1,652㎡ × 0.07% × 1.2 ≒ 394,379원

③ 순임대료 : 8,463,527 − 394,379 = 8,069,149원

2) 기대이율 : 8,049,149 ÷ 1,678,432,000 ≒ 0.48%

3. 상기 기대이율에 대한 검토

해당 토지의 시가수준의 상승과 임대료 상승률이 상호 유사하여 기대이율의 연도별 차이가 거의 없는 것으로 산출되었다.

III. (물음 3) 연도별 적산임대료

1. 2018.05.01.~2019.04.30.

1,486,800,000 × 0.0048 + 349,695 ≒ 7,486,000원

2. 2019.05.01.~2020.04.30.

  1,579,312,000 × 0.0048 + 371,066 ≒ 7,952,000원

3. 2020.05.01.~2021.04.30.

  1,678,432,000 × 0.0048 + 394,379 ≒ 8,451,000원

IV. (물음 4) 적산법의 장단점 및 적용상 유의사항

1. 적산법의 장점 및 단점

적산법은 임대료의 성격으로 원본가치에 대한 과실관계를 적절하게 설명할 수 있는 방법이며, 인근의 적절한 임대료 수준이 존재하지 않는 경우 적용이 용이한 방법이다. 또한 다른 방식에 의하여 시산된 임대료의 검증방법으로 사용되기에 용이한 방법이다.

다만 다른 방식에 의한 임대료 검토 없이 적산법만 단독으로 사용되게 될 경우 정확한 기대이율의 결정 및 필요제경비를 적절하게 추계하는 데 어려움이 있을 수 있다.

2. 적용상 유의사항

기대이율은 물건의 특성에 따라 크게 변동될 수 있으며, 실무상 사용되는 기대이율 적용기준표는 이러한 점에서 한계점(시간적·공간적 한계점)이 존재할 수 있다. 따라서 기대이율표를 기준으로 적용하는 경우 실질적인 임대료수준이 시산될 수 있도록 평가사가 임대료시세 및 가격수준을 정확하게 조사할 필요가 있을 것이다.

토지의 경우 필요제경비의 비중이 작아 이를 생략하는 경우가 많이 있지만 최소의 보유세나 일반관리비 정도의 수준의 비용은 소요될 수 있으므로 이에 대한 적정한 반영이 필요하겠다. 또한 기초가액의 성격은 일반적으로 시장가치이나 용익가치로 구하는 경우 이에 대한 검토가 필요하다.

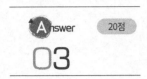

Answer 20점

03

I. 평가개요

- 본건은 민자고속화도로 주식회사가 시행하는 민자고속화도로사업에 편입된 토지 및 지장물(개간비)에 대한 이의재결목적의 보상감정평가로서 가격시점은 토지보상법 제67조 제1항에 의하여 수용재결일인 2021년 4월 1일이며, 사업인정일은 2020년 10월 2일이다.
- 토지 기호 #2는 둘 이상 용도지역에 속한 토지로서 용도지역별로 구분하여 감정평가한다.
- 토지 기호 #2 임지상에 자생하는 자연생 활잡목은 임지가치에 포함하여 평가한다.
- 토지 기호 #2는 공유지분으로서 위치확인되지 않는 바, 지분비율을 기준으로 평가한다.

II. 토지의 보상평가

1. **적용공시지가 선정** : 사업인정일 이전 최근 공시지가인 2020년 공시지가를 선정한다.(토지보상법 제70조 제4항)

2. **비교표준지 선정**
   (1) 기호 #1 : 자연녹지지역, 전으로서 표준지 B를 선정한다.
   (2) 기호 #2 : 자연녹지지역, 임야 부분은 표준지 E[76]를 선정하고, 보전녹지지역, 임야 부분은 표준지 D를 선정한다.

3. **시점수정치**(2020.1.1 ~ 2021.4.1, 녹지지역, 생산자물가지수는 미제시로 미고려)
   $1.02972 \times 1.00282 \times 1.00221 \times 1.00235 \times (1 + 0.00310 \times 1/30) ≒ 1.03745$

4. **지역요인비교치** : 인근지역으로서 대등하다.(1.000)

5. **개별요인비교치**
   (1) 기호 #1 : 1.05
   (2) 기호 #2 : 자연녹지부분 1.10, 보전녹지부분 1.08

---

76) 표준지 기호 C의 선정과 경합할 수 있으나, 표준지 C는 등록전환된 임야로서 조림된 임야로 본건의 이용상황과 다소 차이가 있으며, 경사 등에 대한 요인은 개별요인으로 비교가 가능하여 용도지역, 이용상황이 유사한 표준지 E를 선정하였다.

6. 그 밖의 요인 비교치

(1) 표준지 B 기준(본건 기호 #1)

1) 거래사례 등 선정 : 자연녹지, 전으로서 거래사례 ㈁을 선정한다.(평가사례 ㈀ : 평가목적
상이(담보), 평가사례 ㈁ : 해당사업에 의한 선례로서 배제, 거래사례 ㈂ : 사정개입으로
배제)

2) 격차율 산정 및 결정

$$\frac{256,000^* \times 1.000(\text{사정}) \times 1.02046^{**} \times 1.000(\text{지역}) \times 0.85(\text{개별})}{120,000 \times 1.03745}$$

≒ 1.783(1.78로 결정한다)

*) 399,360,000 ÷ 1,560

**) 시점(2020.7.31 ~ 2021.4.1)

: $(1 + 0.00363 \times 1/31) \times 1.00230 \times 1.00280 \times 1.00223 \times 1.00223 \times 1.00312$
$\times 1.00282 \times 1.00221 \times 1.00235 \times (1 + 0.00310 \times 1/30)$

(2) 표준지 E 기준(본건 기호 #2 중 자연녹지부분)

1) 거래사례 등 선정 : 자연녹지, 자연림으로서 거래사례 ㈄을 선정한다.(평가사례 ㈃은 처분
절차가 진행 중으로 종결된 거래사례가 아니므로 배제한다)

2) 격차율 산정 및 결정

$$\frac{110,000^* \times 1.000(\text{사정}) \times 1.02405^{**} \times 1.000(\text{지역}) \times 0.65(\text{개별})}{15,000 \times 1.03745}$$

≒ 4.705(4.70으로 결정한다)

*) (562,500,000 − 500,000×300) ÷ 3,750

**) 시점(2020.7.1~2021.4.1)

: $1.00363 \times 1.00230 \times 1.00280 \times 1.00223 \times 1.00223 \times 1.00312 \times 1.00282$
$\times 1.00221 \times 1.00235 \times (1 + 0.00310 \times 1/30)$

(3) 표준지 D 기준(본건 기호 #2 중 보전녹지부분)

1) 거래사례 등 선정 : 보전녹지, 자연림으로서 사업인정 이전 선례인 보상선례 ㈃을 선정한
다.(거래사례 ㈅은 사업인정 이후에 거래되어 해당사업에 의한 개발이익이 포함될 수 있어
배제한다)

2) 격차율 산정 및 결정

$$\frac{75,000 \times 1.01800^* \times 1.000(\text{지역}) \times 0.90(\text{개별})}{35,000 \times 1.03745}$$ ≒ 1.892(1.89로 결정한다.)

*) 시점(2020.9.1 ~ 2021.4.1)

: $1.00280 \times 1.00223 \times 1.00223 \times 1.00312 \times 1.00282 \times 1.00221 \times 1.00235$
$\times (1 + 0.00310 \times 1/30)$

7. 보상평가액 결정

(1) 기호 #1

$120,000 \times 1.03745 \times 1.000 \times 1.05 \times 1.78 = 233,000원/㎡^*(\times 3,000 = 699,000,000원)$

*) 개간비 차감 전 토지단가

(2) 기호 #2

1) 자연녹지부분 : $15,000 \times 1.03745 \times 1.000 \times 1.1 \times 4.70 = 80,454원/㎡$

2) 보전녹지부분 : $35,000 \times 1.03745 \times 1.000 \times 1.08 \times 1.89 = 74,118원/㎡$

3) 평균단가 : $80,454 \times 0.6 + 74,118 \times 0.4 = 78,000원/㎡(5,000 \times 1/2 = 195,000,000원)$

III. 지장물(개간비)보상액

1. 처리방침

토지보상법 시행규칙 제27조에 의하여 가격시점을 기준으로 한 개간에 통상 필요한 비용상당액을 기준으로 한다. 300,000,000원(㎡당 100,000원)

2. 상한에 대한 검토

(1) 개간 후 토지가치 : 상기 기호 #1의 토지평가액과 동일하다.(233,000원/㎡)

(2) 개간 전 토지가치(자연녹지지역, 임야 기준 표준지 E를 기준한다.)

$15,000 \times 1.03745 \times 1.000(지역) \times 1.15 \times 4.70 = 84,000원/㎡$

(3) 한도액 및 검토 : $233,000 - 84,000 = 149,000원/㎡$로서 한도액 이내임.

3. 개간비 평가액 : 100,000원/㎡(300,000,000원)

Answer 10점

04

I. 평가개요

- 본건은 도시계획도로사업에 편입되는 지장물(보수비)에 대한 협의 보상감정평가로서 가격시점
  은 2021년 8월 7일이며, 사업인정일은 2020년 11월 30일이다.
- 이전불가로서 이전비는 고려하지 아니한다.
- 보수 후 사용이 가능한 지장물로서 보수비를 포함하여 평가한다.

II. 편입부분의 보상액

1. 재조달원가

1,060,000 + (20,000 + 50,000×0.8 + 60,000*) = 1,180,000원/㎡

*) 6,000,000 × 2개 ÷ 200㎡

2. 평가액

1,180,000 × 30/45 ≒ 787,000원/㎡(×6㎡ = 4,722,000원)

III. 보수비

1. 처리방침

보수비란 건축물의 잔여부분을 종래의 목적대로 사용할 수 있도록 그 유용성을 동일하게 유지
하는 데 통상 필요하다고 볼 수 있는 공사에 사용되는 비용으로서 시설개선비를 제외한 금액을
말한다. 객관적 보상 기준에 의하여 소유자의 주관적 사정(소유자 제시내역)이 아닌 시장조사
내역을 기준으로 보상액을 산정한다.

2. 보수비 산정(시설개선비는 제외한다)

(800,000 × 23.79㎡ + 1,300,000 + 1,000,000*) × 1.2 = 25,598,400원(잔여건축물의
가격 이내이다)

*) 보일러실이 편입되었으므로 보수공사비를 포함한다.

IV. 보상평가액

4,722,000 + 25,598,400 = 30,320,400원

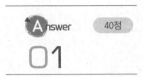

2022년 감정평가사 제33회

Answer 40점

01

I. 평가개요

- 본건은 A군수가 시행하는 도로건설공사에 편입되는 토지 및 지장물 등에 대한 협의보상평가이다.
- 사업인정일 : 도로법 제82조에 의하여 도로구역 결정고시일인 2021.12.31
- 가격시점 : 귀 제시 2022.7.31(토지보상법 제67조 제1항)
- 기준가치 : 적정가치

II. (물음 1) 토지에 대한 보상액

1. 적용공시지가 선정

- 도로 사업으로서 토지보상법 제70조 제5항의 검토대상이 아니다.
- 토지보상법 제70조 제4항에 의하여 사업인정 이전 최근 공시지가인 2021년 공시지가를 선정한다.

2. 비교표준지 선정

1) 비교표준지 선정기준(규칙 제22조 제3항)

- 용도지역, 용도지구, 용도구역 등 공법상 제한이 같거나 유사할 것
- 실제이용상황이 같거나 유사할 것
- 주위 환경이 같거나 유사할 것
- 지리적으로 가까울 것

2) 비교표준지 선정

계획관리지역, 단독주택으로 가치형성요인이 유사한 표준지 다를 선정한다.

3. 시점수정치

   1) 적용기준

   도로사업으로서 인근 시·군·구 지가변동률 적용여부 검토대상이 아니며, 토지보상법 시행령 제37조에 의하여 비교표준지(혹은 사례)가 소재하는 시·군·구의 용도지역별 지가변동률을 기준한다.

   2) 시점수정치(2021.1.1 ∼ 2022.7.31, A군 계획관리)

   $1.08340 \times 1.05270 \times (1 + 0.00132 \times 61/31) \fallingdotseq 1.14346$

   (생산자물가지수는 미고려함)

4. 지역요인 비교치

   인근지역에 소재하여 대등하다.(1.000)

5. 개별요인 비교치(주택지대)

조건	보정치	사유(세항목)
가로조건	0.85	세로(가)/소로한면, 가로의 폭에서 열세하다.
접근조건	0.80	교통시설·상가·편익시설과의 접근조건에서 열세하다.
환경조건	0.90	인근환경 등에서 본건에 열세하다.
획지조건	0.91	형상항목 대등, 지세조건에서 본건이 열세(완경사/평지)하다.
행정적조건	1.04	비교표준지 도시계획시설 저촉으로 본건이 우세하다. ($\frac{1}{0.75 + 0.25 \times 0.85}$)
기타조건	1.00	장래의 동향에서 대등하다.
비교치		$0.85 \times 0.80 \times 0.90 \times 0.91 \times 1.04 \times 1.00 \fallingdotseq 0.579$

6. 그 밖의 요인 비교치

   1) 거래사례 등 선정

   인근지역에 위치하며, 계획관리, 단독주택으로 가치형성요인이 유사한 거래사례 B를 선정한다. (거래가액은 배분단가로 본다.)

   2) 거래사례 등 기준 격차율 산정

   (1) 거래사례 기준 가액

   ① 사정보정치 : 사정개입되지 않았다.(1.000)

   ② 시점수정치(2021.12.1 ∼ 2022.7.31)(거래사례가 속한 D군 계획관리지역 기준)

   $1.00130 \times 1.05070 \times (1 + 0.00145 \times 61/31) \fallingdotseq 1.05507$

   ③ 지역요인 비교치 : 인근지역에 위치하여 대등하다.(1.000)

④ 개별요인 비교치(표준지 다 / 거래사례 B)

조건	보정치	사유(세항목)
가로조건	1.18	소로한면/세로(가), 가로의 폭에서 우세하다.
접근조건	1.20	교통시설·상가·편익시설과의 접근조건에서 우세하다.
환경조건	1.10	인근환경 등에서 비교표준지가 우세하다.
획지조건	1.10	형상항목 대등, 지세조건에서 비교표준지가 거래사례에 비하여 우세(평지/완경사)하다.
행정적조건	0.96	비교표준지가 도시계획시설도로 저촉에서 열세하다. $(0.75 + 0.25 \times 0.85)$
기타조건	1.00	장래의 동향에서 대등하다.
비교치	\multicolumn{2}{l}{$1.18 \times 1.20 \times 1.10 \times 1.10 \times 0.96 \times 1.00 ≒ 1.645$}

⑤ 거래사례 기준 가액

$$390,000 \times 1.000 \times 1.05507 \times 1.000 \times 1.645 ≒ 676,880원/㎡$$

(2) 격차율 산정

$$676,880 \div (300,000 \times 1.14346) ≒ 1.973$$

3) 결정

상기 격차율 및 인근 유사 실거래사례 등을 통한 검증결과 보정치를 1.97로 결정한다.

7. 감정평가액

$$300,000 \times 1.14346 \times 1.000 \times 0.579 \times 1.97 ≒ 391,000원/㎡(\times 330 = 129,030,000원)$$

III. (물음 2) 건축물에 대한 보상액

1. 처리방침

– 토지보상법 시행규칙 제33조에 의하여 건축물에 대하여는 이전비 등이 원칙이나, 이전이 불가하여 해당 물건의 가액으로 평가한다.

– 건축물의 가격은 원가법으로 평가한다. 다만, 주거용 건축물로서 거래사례비교법에 의하여 평가한 금액을 고려한다.

2. 원가법에 의한 평가액

1) 단독주택

$$(1,400,000 + 100,000) \times 45/50 = 1,350,000원/㎡(\times 88 = 118,800,000원)$$

2) 창고

$$360,000 \times 40/45 = 320,000원/㎡(\times 8 = 2,560,000원)$$

3) 화장실

1,100,000 × 40/45 ≒ 977,000원/㎡(×3 = 2,931,000원)

4) 소계 : 124,291,000원

3. 거래사례비교법에 의한 평가액

1) 거래사례 적부

주거용 건축물의 거래사례는 건물의 구조, 이용상황 등 유사하여 적정한 것으로 판단되며, 이주대책 등으로 인한 가격상승분이 포함되지 않은 거래로서 적정하다.

2) 시점수정치(2022.6.1 ~ 2022.7.31, 건축비 상승률 기준)

1 + 0.06 × 61/365 ≒ 1.01003

3) 개별요인 비교치 : 1.05

4) 거래사례비교법에 의한 평가액

130,000,000 × 1.000(사정) × 1.01003 × 1.05 ≒ 137,869,000원[77]

4. 평가액 결정

거래사례비교법에 의한 평가액이 원가법에 의한 평가액보다 큰 바, 거래사례비교법에 의한 평가액인 137,869,000원으로 결정한다.(최저보상액 600만원 이상이다.)

Ⅳ. (물음 3) 수목의 보상평가

1. 수목의 보상평가 방법

1) 보상평가방법(토지보상법 시행규칙 제37조)

－ (제1항) 관상수에 대하여는 수종·규격·수령·수량·식수면적·관리상태·수익성·이식가능성 및 이식의 난이도 그 밖에 가격형성에 관련되는 제요인을 종합적으로 고려하여 평가한다.

－ (제4항) 관상수의 경우에는 감수액을 고려하지 아니한다.

2) 이전비(관상수로서 감수액은 미고려)

(1) 이식비 : 330,000원

(2) 고손액 : 400,000 × 0.2 = 80,000원

(3) 이전비 : 410,000원

3) 수목의 가격 : 400,000원

---

77) 수량요소가 동일하여 총액으로 비교하였다.

4) 평가액

이전비가 수목가격을 초과하는바, 수목가격인 400,000원으로 평가한다.

V. (물음 4) 乙이 수령할 수 있는 보상액

1. 주거이전비(시행규칙 제54조)

1) 처리방침

소유자로서 가구원수에 따라 2개월분의 주거이전비를 보상받되, 실제 거주하지 않고 있는 인원을 제외한 2명을 기준한다.[78]

2) 주거이전비 : 3,334,200원 × 2월 = 6,668,400원

2. 이사비(시행규칙 제55조)

부속건물을 합한 건물면적이 99㎡인바, 1,790,000원을 보상한다.

3. 이주정착금(시행규칙 제53조)

1) 처리방침

주거용 건축물에 대한 평가액의 30%에 해당하는 금액으로 하되, 그 금액이 1천2백만원 미만인 경우에는 1천2백만원으로 하고, 2천4백만원을 초과하는 경우에는 2천4백만원으로 한다.

2) 이주정착금

137,869,000원 × 0.3 = 41,360,700원으로서 이주정착금으로 24,000,000원을 보상한다.

4. 이농비(법 제78조 및 시행규칙 제56조)

농민이 받을 보상금이 없거나 그 총액이 가구원수별 1년분의 평균생계비에 미치지 못하는 경우에는 그 금액 또는 차액을 보상하여야 한다. 다만, 乙의 경우 지급받는 보상액이 가구원수별 1년분의 평균생계비(15,106,000 × 2명 = 30,212,000원)를 초과하므로 이농비 지급대상이 아니다.

---

[78] 토지정책과 – 5288, 2018.8.20(질병으로 인한 요양 등의 경우 계속 거주하지 않았거나 예외적으로 대상자에 포함하는 것이고, 실제 거주 하지 아니한 자는 주거이전비 보상대상에 해당하지 아니한다.)

해당 내용 요약 : 이주대책 대상자와 관련해서는 토지보상법 시행령 제40조 제5항을 통하여 징집으로 인한 입영의 경우에는 예외적으로 이주대책의 대상자에 포함할 수 있도록 규정한 것이나 토지보상법령에서는 이주대책과 주거이전비 보상에 대한 요건을 별도로 규정하고 있는바, 실제 거주하고 있지 않다면 주거이전비 보상대상은 아니라는 판단임.

Ⅵ. (물음 5) 축산업 보상평가

1. 축산업 손실보상 대상여부(시행규칙 제49조)

- 영업손실보상의 요건이 성립하며, 토지보상법 시행규칙 별표 3의 기준마리수 이상을 기르는 경우로서 축산업 손실보상 대상이다.

- 휴업기간 중 영업이익, 고정적 경비, 이전비 및 감손상당액을 합산하여 평가한다.(영업장소 이전 후 발생하는 영업이익 감소액은 보상대상이 아니다.)

2. 휴업기간 중 영업이익

1) 연간 영업이익

240,000 × 30(꿀벌) + 3,600 × 20(닭) = 7,272,000원

2) 휴업기간 중 영업이익

7,272,000 × 4/12 = 2,424,000원(개인사업자 영업보상 하한을 준용하지 않는다. 규칙 제49조 제1항)

3. 이전비 등

(5,000 × 30 + 25,000 × 30)(꿀벌) + (200 × 20 + 1,300 × 20)(닭) = 930,000원

4. 보상평가액

2,424,000 + 930,000 = 3,354,000원

 30점

02

Ⅰ. (물음 1) – 거래사례 (1) – 공사가 중단된 건물의 거래사례

1. 공사가 중단된 상태의 건물의 공정률

1) 기본공사항목

5.00% × 90%(가설공사) + 1.25% × 80%(기초 및 토공사) + 17.50%(철근콘크리트공사) + 1.25%(조적공사) + 2.50%(방수공사) = 26.75%

2) 제경비의 배분

$$16.25\% \times \frac{26.75\%}{77.50\%} \fallingdotseq 5.61\%$$

3) 설계비 등

1.50%(설계비) + 1.00% × 50%(감리비) = 2.00%(설비부문 미고려로 전기기본설비 미고려)

4) 공정률

26.75% + 5.61% + 2.00% = 34.36%

2. 공사가 중단된 건물의 평가액

1,600,000 × 34.36% × 1,000㎡ ≒ 550,000,000원

3. 토지만의 보정된 거래가격

1,400,000,000 − 550,000,000 = 850,000,000원

4. 토지단가

850,000,000 ÷ 500 = 1,700,000원/㎡

II. (물음 2) 거래사례 (2) − 저당대부조건

1. 저당지불액의 현가합

1) 대출원금

1,000,000,000 × 0.3 = 700,000,000원

2) 저당지불액 현가

700,000,000 × 0.1174(10%, 20년, 저당상수[79]) × 7.4694(12%, 20년, 연금현가계수)
≒ 613,835,000원

2. 보정된 거래가격

300,000,000 + 613,835,000 = 913,835,000원

3. 토지단가

913,835,000 ÷ 500 ≒ 1,827,670원/㎡

---

[79] 별도의 제시는 없으나, 연간 원리금 균등상황 조건임을 가정한다.

III. (물음 3) 거래사례 (3) - 경매 및 낙찰사례

1. 토지의 보정된 가격 등

1) 낙찰자 입장의 보정된 가격

경락금액과 별도로 명도비용이 소요될 것으로 예상되어 이를 가산한다.

500,000,000(경락가) + 150,000,000(명도비용) = 650,000,000원

2) 통계적 측면의 보정된 가격

1,000,000,000 × 75%(주거지역, 녹지지역 평균치) = 750,000,000원

3) 평균가격 및 단가 : 700,000,000원(1,750,000원/㎡)

2. 가격의 성격 및 보정방식별 특징

1) 낙찰사례 및 경매선례

경매평가는 해당 물건의 최저매각가격을 결정하기 위한 감정평가로서 개별적인 점유 등에 따른 제한을 고려하지 않은 최유효이용으로서의 감정평가액이다.

낙찰사례는 강제집행절차에서 다수의 입찰자 중 최고가격으로 입찰한 금액으로서 낙찰허가를 받고 소유권이전 등기가 된 사례를 말한다. 이는 제한된 수요자 및 공급자에 의하여 결정된 거래가격으로서 시장가치와 괴리될 수 있으며, 해당 물건의 사권상의 제한사항이 감안되어 입찰된 결과이다.

낙찰가액은 경매평가액(최저입찰금액)보다 높거나 낮을 수 있으나, 점유, 유치권 등 권리관계 문제나 적치물 등의 해소에 따른 금액으로 인하여 낙찰가액이 낮게 형성될 수 있다.

2) 보정방식별 특징

낙찰자 입장에서 보정된 금액은 해당 물건의 경락가액에 완전소유권을 취득하기 위하여 필요한 제경비 및 위험을 고려한 가격으로서 해당 물건의 개별적인 권리관계를 잘 반영할 수 있다. 통계적 측면의 보정된 단가는 지역별, 용도별 등의 기준으로 낙찰통계를 분석하는 방법으로서 해당 물건의 개별적인 상황을 반영하기는 어려우나, 일반적인 물건의 예상 낙찰가액을 구하기에는 용이한 방법이다.

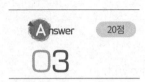

Answer 20점

03

I. 평가개요

– 본건은 토지의 장기임차권에 대한 일반거래 목적의 감정평가로서 기준시점은 2022년 7월 16 일이다.

– 건물에 대한 계약조건 및 임차기간을 고려 시 지상 건물 등으로 인한 영향을 고려치 않는다.

II. (물음 1) 대상 토지 장기임차권 매입금액 기준 시산가액

1. 현 시점의 매입금액 산정

1) 매입시점부터 현 시점까지의 지가변동률

장기임차권의 가격변동은 지가변동 수준과 유사하다고 보아 지가변동률로 시점수정하도록 한다.(2011.1.1 ~ 2022.7.16, A시 공업지역)

$1.05001 \times 1.06505 \times 1.06312 \times 1.07322 \times 1.08457 \times 1.05023 \times 1.04505 \times 1.03255 \times 1.02975 \times 1.02523 \times 1.02350 \times 1.01244 \times (1 + 0.00198 \times 46/31)$
$\fallingdotseq 1.72072$

2) 현 시점에서의 매입금액 산정

$120,000 \times 1.72072 \fallingdotseq 206,486$원/㎡

2. 잔존가치율

총개월수 600개월, 경과개월수 138개월, 잔존개월수 462개월이다.

$462 \div 600 \fallingdotseq 0.77$

3. 매입금액 기준 시산가액

$206,486 \times 0.77 \fallingdotseq 159,000$원/㎡

III. (물음 2) 거래사례를 기준으로 한 시산가액

1. 거래사례의 선정

– 임차권의 설정사례로서 최근에 설정된 사례를 기준으로 하며, 용도지역, 이용상황 및 계약 조건이 유사한 사례를 선정한다.

- 일반공업지역, 공업용이며, 임대차계약조건이 유사한 거래사례 나를 선정한다.
- 거래사례 가는 설정시점이 10여 년 경과하여 현 시점의 가치를 반영하기 어려우며, 거래사례 다는 이용상황 상이(상업용), 거래사례 라는 용도지역이 상이하여 배제한다.

2. 시점수정치(2022.7.1 ~ 2022.7.16, A시 공업지역)

$1 + 0.00198 \times 16/31 ≒ 1.00102$

3. 가치형성요인 비교치

개별적인 조건을 비교하며, 잔존가치율을 별도로 비교하도록 한다.

$1.02(\text{가로조건}) \times 1.01(\text{획지조건}) \times \dfrac{0.77}{1.00}(\text{잔존가치율}) ≒ 0.793$

4. 거래사례 기준 시산가액

$280,000 \times 1.000(\text{사정}) \times 1.00102 \times 0.793 ≒ 222,000원/㎡$

IV. (물음 3) 감정평가액 결정

1. 각 시산가액의 성격

- 대상 토지 장기임차권 매입금액 기준 가액은 해당 토지의 개별적인 계약조건을 잘 반영하나, 계약시점으로부터 11년 이상 경과하여 시점수정을 하더라도 현 시점에서의 토지가치를 적절하게 반영하지 못할 수 있으며, 지가변동률 수준이 임차권 가격변동분과 일치하지 않을 수 있다.
- 거래사례를 기준으로 한 가액은 현재의 토지 시가수준을 고려한 임차권 가치를 반영하나 개별적인 계약조건(지상 건축물 등의 처리조건 등)의 차이를 적절하게 보정하기 어려울 수 있다.

2. 감정평가액 결정

임대차 거래사례 등으로 보았을 때 계약조건이 유사한 것으로 보아 현 시점의 토지가치를 잘 반영할 수 있는 거래사례를 기준으로 한 가액을 기준으로 결정한다.(222,000원/㎡ × 2,000 = 444,000,000원)

V. (물음 4) 복수감정평가의 장단점

1. 복수평가의 개념

복수평가란 둘 이상의 감정평가법인 등이 동일한 물건에 대하여 수행하는 감정평가를 말한다. 주로 공정성이 필요한 보상평가, 공시업무 및 일부 시가평가에서 주로 활용되고 있다.

2. 복수평가의 장점

- 복수평가를 함으로써 감정평가액 및 가격결정과정에서 상호 견제하에 객관적인 감정평가가 가능하다.
- 수인의 이해관계인이 있는 경우 각 감정평가법인 등을 추천함으로써 이해관계인의 의견을 충분하게 수렴할 수 있다.
- 쌍방의 감정평가사 간 전문적인 지식을 서로 공유함으로써 최적의 결론에 도달할 수 있다.

3. 복수평가의 단점

- 의뢰인의 입장에서 비용이 과다하게 발생할 수 있다.
- 감정평가에 소요되는 시간이 더 오래 걸릴 수 있다.
- 감정평가법인 등 간의 이견(異見)이 좁혀지지 않는 경우 업무의 진행이 지연될 수 있다.

Answer 10점

04

Ⅰ. 평가개요

- 본건은 권리금에 대한 소송목적의 감정평가로서 기준시점은 2022년 7월 16일이다.
- 권리금이란 임대차 목적물인 상가건물에서 영업하는 자 또는 영업을 하려는 자가 영업시설·비품, 거래처, 영업상의 노하우, 상가건물의 위치에 따른 영업상의 이점 등 유형·무형의 재산적 가치의 양도 또는 이용대가로서 임대인, 임차인에게 보증금과 차임 이외에 지급하는 금전 등의 대가를 말한다.(상가건물 임대차보호법 제10조의3)

Ⅱ. 시설권리금의 평가액(유형자산가액)

1. 처리방침

인테리어의 가액을 원가법으로 평가하며, 유사 인테리어 사례가 제시되지 않은 바, 해당 인테리어 가격을 기준으로 평가한다.

2. 유형자산가액(기준시점 현재 5년 경과하였으며, 잔가율은 고려치 않는다)

600,000 × 1.313* × 5/10 ≒ 394,000원/㎡(×120 = 47,280,000원)

*) 건축공사비 지수 : $\dfrac{2022년 7월(기준시)}{2017년 1월(개업일)} = \dfrac{147}{112}$

III. 영업권리금의 평가액(무형자산가액)

1. 수정 후 영업이익

자가노력비를 공제하여 산정한다.

(23,000,000 − 19,000,000) × 0.5(무형자산 귀속비율) = 2,000,000원

2. 영업권리금 평가액

5년간 수정 후 영업이익의 현재가치 합을 산정한다.

2,000,000 × (0.899 + 0.808 + 0.726 + 0.653 + 0.587) = 7,346,000원

IV. 바닥권리금

해당 사업체가 속한 상권은 시설 및 영업권리금을 받을 수 있는 상가로서 별도의 바닥권리금은 존재하지 않는 것으로 판단한다.

V. 권리금의 감정평가액

47,280,000 + 7,346,000 = 54,626,000원

2023년 감정평가사 제34회

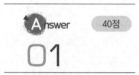

40점

01

I. 평가개요

- 토지, 건물에 대한 감정평가이다.
- 기준가치는 시장가치이며, 대상부동산 평가는 별도의 감정평가조건이 없으며, 최유효이용 부동산 평가는 지상의 최유효이용의 건축물이 준공되었음을 가정한 조건부감정평가이다.
- 물음 1~4는 현황 부동산 관련 물음이며, 물음 5는 최유효이용 부동산 관련 물음이다.

II. (물음 1) 공시지가기준법 및 원가법에 의한 평가액

1. 공시지가기준법에 의한 토지가치

(1) 표준지 선정 : 일반상업, 업무용으로서 유사한 표준지 5를 선정한다. (#1 : 주변환경 상이, #2,3,4 : 용도지역 차이, #6 : 용도지역 차이 및 유사지역, #7 : 유사지역 및 주변환경 차이)

(2) 시점수정치(K구 상업지역) : 1.01295 × (1+0.00150×15/30) ≒ 1.01371

(3) 지역요인 : 인근지역으로 대등(1.000)

(4) 개별요인 : 1.00 × 0.97 × 1.00 = 0.970

(5) 그 밖의 요인

1) 평가선례의 선택

일반상업, 업무용으로 선례 라 선정한다. (#가,마 : 도로교통 상이, #나 : 개별적 특성 차이, #다 : 시적격차)

2) 격차율 산정 및 결정

$$\frac{90,000,000 \times 1.00075 \times 1.000 \times 1.122}{90,000,000 \times 1.01371} ≒ 1.107(1.10으로\ 결정한다.)$$

(6) 토지평가액

90,000,000 × 1.01371 × 1.000 × 0.970 × 1.10 ≒ 97,300,000원/㎡
(×800 = 77,840,000,000원)

2. 원가법에 의한 건물평가

$$1,500,000 \times \frac{12}{50} = 360,000원/㎡(\times 2,700 = 972,000,000원)$$

3. 평가액

77,840,000,000 + 972,000,000 ≒ 78,800,000,000원(억단위 미만 절사)

III. (물음 2) 거래사례비교법에 의한 평가액[80]

1. 처리방침

노후화 건물 소재하는 토지, 건물의 거래사례비교법으로 토지면적당의 거래가격을 비교단위로 하여 비교한다.

2. 거래사례비교법에 의한 토지평가액

(1) 사례선택

일반상업, 업무용으로서 유사한 거래사례 #2를 선정한다.(#1, 4 : 도로교통, 주변환경 상이, #3 : 건부감가로 배분법 적용 곤란)

(2) 사례의 거래단가(토지면적 기준)

71,400,000,000 ÷ 840 = @85,000,000

(3) 비준가액

@85,000,000 × 1.000(사정) × 1.01165(시점)* × 1.040(개별)**

≒ @89,400,000(×800 = 71,520,000,000원)

*) 토지가격이 대부분으로서 지가변동률로 비교한다.
**) 가치형성요인 비교 : 104/100 × 100/100 × 100/100

3. 거래사례비교법에 의한 평가액

71,500,000,000원(억단위 미만 절사)

IV. (물음 3) 수익환원법에 의한 평가액

1. 표준적 임대료 결정

본건의 현재 임대차내역이 본건과 유사한 임대사례 #2와 유사한 수준인바, 본건의 임대차내역을 기준으로 평가한다.[81] (임대사례 1 : 건물연식차이, 임대사례 3 : 권역차이)

보증금	월임대료	월관리비
675,000,000	67,500,000*	32,400,000

*) @25,000 × 2,700㎡

---

80) 토지를 거래사례비교법, 건물을 원가법(물음 1)으로 평가하여 합산하는 방식도 가능할 것으로 보인다.
81) 임대사례 #2의 임대료를 기준으로 임대료를 결정하여도 무방하다.

2. 순수익 산정

(1) 가능총수익(PGI) : 675,000,000 × 0.03 + 67,500,000 × 12개월 + 32,400,000 ×
12개월 = 1,219,050,000원

(2) 유효총수익(EGI) : 1,219,050,000 × (1-0.05) = 1,158,097,500원

(3) 운영경비(OE) : 32,400,000 × 12개월 × (1-0.05) × 0.70 = 258,552,000원

(4) 순수익 : 1,158,097,500 − 258,552,000 = 899,545,500원

3. 수익환원법에 의한 시산가액

899,545,500 ÷ 0.045 ≒ 19,900,000,000원(억단위 미만 절사)

V. (물음 4) 대상 부동산 감정평가액 결정

1. 시산가액

원가법	거래사례비교법	수익환원법
78,800,000,000	71,500,000,000	19,900,000,000

2. 시산가액의 검토

- 최유효이용에 미달되는 부동산으로서 수익환원법에 의한 시산가액이 낮게 시산된 것으로 판단된다.
- 원가법은 개별물건의 가격을 잘 반영하나, 실제 거래관행 및 건부감가 반영에 한계가 있는 방법이다.
- 거래사례비교법은 본건과 유사한 거래사례가 있는 경우 시장성을 잘 반영한다.
- 수익환원법은 수익성 부동산에 적합한 방법이나, 최유효 이용에 미달하는 경우 시장가치에 미달된 시산가액이 산출될 수 있다.
- 제시된 가중치에 따라 가중평균한 일괄평가액으로 감정평가액을 결정한다.

3. 감정평가액 결정

78,800,000,000 × 0.4 + 71,500,000,000 × 0.3 + 19,900,000,000 × 0.3
= 58,940,000,000원

VI. (물음 5) 최유효이용 부동산 감정평가

1. 처리방법

지상에 최유효이용의 건물이 준공되었음을 가정한 감정평가로서 최유효이용 부동산의 예상임대
료는 임대사례 #5를 기준으로 추정한다. (임대사례 #4 : 권역차이, 임대사례 #6 : 연식차이[82])

2. 최유효이용 부동산의 표준적 임대료

보증금	월임대료	월관리비
2,880,000,000	288,000,000*	144,000,000

*) @30,000 × 9,600㎡

3. 1기 순수익

(1) PGI : 2,880,000,000 × 0.03 + 288,000,000 × 12개월 + 144,000,000 × 12개월
= 5,270,400,000원

(2) EGI : 5,270,400,000 × (1−0.05) = 5,006,880,000원

(3) OE : 144,000,000 × 12개월 × (1−0.05) × 0.6 = 984,960,000원

(4) NOI : 5,006,880,000 − 984,960,000 = 4,021,920,000원

4. 기말복귀가치

$$\frac{4,021,920,000 \times 1.02^5}{0.045} \times (1-0.02) ≒ 96,704,759,000원$$

5. 현금흐름표(매년 2% 순수익 증가)

구분	1	2	3	4	5	6
순수익	4,021,920	4,102,358	4,184,405	4,268,093	4,353,455	4,440,524
매도가액	–	–	–	–	96,704,759	–
현금흐름	4,021,920	4,102,358	4,184,405	4,268,093	101,058,214	–

6. 최유효이용 부동산 평가액

현가합(5%) : 93,800,000,000원(억단위 미만 절사)

VII. (물음 6) 최유효이용 미달가치

1. 처리방침

지상 건물의 철거비를 고려하지 않으므로, 최유효이용 부동산의 토지가치와 현황 부동산의 토지가치의 차이를 현황 건물이 소재함으로 인한 최유효이용에 미달하는 부분의 가치로 판단한다.

---

82) 임대사례 #6은 본건 최유효이용 부동산과 유사한 임대사례이나 임대사례 #5에 비하여 유사성이 떨어지는 것으로 보이는바, 선택에서 배제하였음.

2. 최유효이용 부동산의 토지가치

(1) 준공부동산 가치 : 93,800,000,000원

(2) 신축비 : 2,300,000 × 9,600 = 22,080,000,000원

(3) 최유효이용 부동산의 토지가치 : 71,720,000,000원

3. 현황 부동산 토지가치

(1) 대상부동산 가치 : 58,940,000,000원(물음 4)

(2) 건물가치 : 972,000,000원(물음 1)

(3) 현황 부동산 토지가치 : 57,968,000,000원

4. 최유효이용 미달부분 가치

71,720,000,000 − 57,968,000,000 = 13,752,000,000원

Answer 02 30점

Ⅰ. 평가개요

본건은 「빈집 및 소규모주택 정비에 관한 특례법」(소규모주택정비법)에 의한 종전자산 감정평가 및 조합원 분담금 산정 등에 관한 건이다.

Ⅱ. (물음 1) 종전자산 감정평가

1. 기준시점 등

법 제28조에 의하여 건축심의 결과를 통지받은 날인 2023년 5월 15일을 기준시점으로 한다. 감칙 제16조에 의하여 거래사례비교법에 의하여 평가하되, 다른 방식에 의한 합리성 검토는 생략한다.

2. 거래사례 선택

기준시점 이전에 거래된 사례로서 해당 단지의 상대적인 가격균형 평가에 적절하다고 판단되는

거래사례 (3)을 선정한다. (사례단가 : 300,000,000 ÷ 29.5 ≒ @10,169,492)
(사례 #1 : 시적격차, 사례 #2 : 최근 단지내 사례이나 인테리어비용이 포함되어 전체 종전자산 가액 균형을 위한 평가에 적절하지 않다고 판단됨, 사례 #4 : 다른 정비사업의 이익이 포함된 사례일 수 있으며, 전유면적 당 대지권면적 비율의 차이가 있어 평가목적 고려시 적정하지 않다고 판단됨, 사례 #5 : 기준시점 이후의 거래사례임)

3. 시점수정치 : 0.99209

4. 가치형성요인 비교치
   (1) 단지외부요인 : 1.05
   (2) 단지내부요인 : 0.97
   (3) 호별요인

호	층	향	형태	주거환경*	호별요인
가-101	0.95	1.04	1.05	0.95	0.99
가-102	0.95	1.04	1.05	0.96	1.00
가-201	1.00	1.04	1.05	0.98	1.07
가-202	1.00	1.04	1.05	0.99	1.08
가-301	0.98	1.04	1.05	1.01	1.08
가-302	0.98	1.04	1.05	1.02	1.09
나-101	0.95	1.02	1.05	0.97	0.99
나-102	0.95	1.02	1.05	0.98	1.00
나-201	1.00	1.02	1.05	1.00	1.07
나-202	1.00	1.02	1.05	1.03	1.10
나-301	0.98	1.02	1.05	1.05	1.10
나-302	0.98	1.02	1.05	1.08	1.13

*) 본건 주거환경영향지수 / 거래사례(3) 주거환경영향지수(0.97)

5. 세대별 종전자산가액

호	산출단가*	전유면적(㎡)	감정평가액
가-101	10,172,942	32.2	328,000,000
가-102	10,295,699	32.2[83]	331,000,000
가-201	10,994,998	32.2	354,000,000
가-202	11,097,755	32.2	357,000,000
가-301	11,097,755	32.2	357,000,000
가-302	11,200,512	32.2	361,000,000
나-101	10,172,942	32.8	334,000,000

나-102	10,275,699	32.8	338,000,000
나-201	10,994,998	32.8	361,000,000
나-202	11,303,269	32.8	371,000,000
나-301	11,303,269	32.8	371,000,000
나-302	11,611,540	32.8	381,000,000
소계	–	–	4,244,000,000

*) 산출단가 = 사례단가(@10,169,492) × 시점수정치(0.99209) × [단지외부요인(1.05) × 단지내부요인(0.97) × 세대별 호별요인]

III. (물음 2) F의 분담금 등

1. 비례율 산정

(1) 산식 등 : $\dfrac{총\ 종후자산가액 - 총\ 사업비}{총\ 종전자산가액}$ (총 종후자산가치는 조합원분양, 일반분양을 포함한 실질적인 가치인 것으로 보며, 총사업비는 분양대상 종전자산가액을 제외한 건축비를 포함한 총 사업비를 의미한다.)

(2) 비례율 = $\dfrac{11,323,000,000 - 6,635,000,000}{4,244,000,000}$ = 1.10

2. F의 권리가액

357,000,000(가동 301호 종전자산가) × 1.10 = 392,700,000원

3. 추정분담금 등

457,000,000원(종후자산가) – 392,700,000 = 64,300,000원(분담금 납부)

IV. (물음 3) 유의사항(종전, 종후자산 감정평가를 비교)

1. 실제 물건 존재 여부 차이 및 세대간 가격균형에 유의

- 종전자산의 감정평가시에는 실지조사를 통하여 각 물건별, 세대별 가치형성요인을 고려하여 상대적인 가격균형이 이루어지도록 해야 한다.
- 종후자산의 감정평가는 설계도서 등을 기준으로 완공된 부동산을 평가하는 조건부 감정평가로서 세대별 가치차이에 대한 시뮬레이션 자료를 면밀하게 검토하여 세대별 가격균형이 유지되도록 하여야 한다.

---

83) 공유의 경우 세대별 평가액을 산출한다. (조합원별 평가금액을 산출하여도 무방하다.)

2. 기준시점의 차이
   - 종전자산 감정평가는 도시정비법상으로는 사업시행인가고시일이며, 소규모주택정비법상으로는 건축심의 결과를 통지받은 날이다.
   - 종후자산 감정평가는 분양신청기간 만료일이다.
   - 각 평가별 기준시점은 조합으로부터 명확하게 제시받아 평가함을 원칙으로 한다.

Ⅰ. 처리방침

개발과 관련된 자문으로서 감칙 27조에 의한 조언 및 정보제공 업무이다.

Ⅱ. (물음 1) 해당 토지의 개발이 가능한 임대료 결정 등

1. 처리방침

개발가능임대료는 건물 준공시 투하된 금액의 요구수익률을 충족하는 임대료를 기준으로 한다.
(토지, 건물의 준공가치 × 귀속수익률)

2. 토지, 건물의 준공시 가치

(1) 토지 : 6,000,000 × 3,000 = 18,000,000,000원
(2) 건물 : 1,800,000 × 7,500* = 13,500,000,000원
   *) 용적률 기준의 건축을 예상한다.(3,000 × 250%)
(3) 소계 : 31,500,000,000원

3. 개발가능 임대료

귀속수익률은 할인율을 기준으로 한다. (7.0%)
31,500,000,000 × 0.07 = 2,205,000,000원

4. 준공시 예상 수입(전유면적 : 7,500 × 0.6 = 4,500㎡)

(1) PGI

(400,000 × 0.09 + 40,000 × 12) × 1.0375* × 4,500 = 2,403,000,000원

*) 9개월 후의 임대료 기준 : 1 + 0.05 × 9/12

(2) EGI : 2,403,000,000 × (1-0.06) = 2,258,820,000원

(3) OE

1) 조세공과 : 31,500,000,000 × 0.0025 = 78,750,000원

2) 보험료 : 13,500,000,000 × 0.002 = 27,000,000원

3) 변동비용 : 2,258,820,000 × 0.05 = 112,941,000원

4) 대체비(엘리베이터)[84] : 10,000,000원

5) 소계 : 228,691,000원

6) 9개월 후(준공시) OE : 228,691,000 × 1.015* ≒ 232,121,365원

*) 9개월 후 경비 : 1 + 0.02 × 9/12

(4) 준공시 순수익 : 2,258,820,000 − 232,121,365 ≒ 2,026,699,000원

5. 개발의 타당성

준공시 예상수입이 개발가능 임대료에 미치지 못하는 바, 개발의 타당성이 인정되지 않는다.

III. (물음 2) 착수가능시점 추정

1. 처리방침

인근의 시장이 성숙 중에 있어 해당 토지상의 예정 건축물의 예상임대료의 상승률이 비용의 상승률을 상회하는바, 일정기간(N년) 후의 순수익이 개발가능임대료를 초과하는 시점을 추정한다. (준공부동산 가치는 불변으로 개발가능 임대료는 시간의 흐름에 따라 변화가 없는 것으로 가정한다.)

2. 산식

$2,258,820,000 × 1.05^N − 232,121,365 × 1.02^N ≥ 2,205,000,000$원

3. 결과 및 검토

N ≒ 1.62로서 약 1년 7개월 후에 착공(준공은 2년 3개월 후)하면 상기 목표 수익을 실현할 수 있을 것으로 추정된다.

상기의 정량적인 판단 이외에도 개발시점 지연으로 인한 각종 금융비용 및 경비, 불확실성(사회, 경제, 행정적인 불확실성)을 고려할 필요가 있을 것이다.

---

84) 엘리베이터 비용은 감가상각비 성격으로 본다면 운영경비에서 제외할 수 있다.

04 Answer (10점)

Ⅰ. 평가개요

본건은 잔여지의 가치하락손실에 대한 감정평가로서 토지보상법 제73, 74조 및 동법 시행령 제39조, 동법 시행규칙 제32조에 의하여 평가한다.

Ⅱ. 잔여지 손실보상기준

1. 근거 규정

토지보상법 제73조(잔여지의 손실과 공사비 보상), 토지보상법 제74조(잔여지 등의 매수 및 수용청구), 토지보상법 시행령 제39조(잔여지의 판단), 토지보상법 시행규칙 제32조(잔여지의 손실 등에 대한 평가)

2. 잔여지 손실보상기준

잔여지의 가격이 하락한 경우 편입되기 전 잔여지 가격에서 편입된 후의 잔여지가격을 뺀 금액을 보상하며, 공사가 필요한 경우에는 공사비를 보상한다. 잔여지를 종래의 목적으로 사용하는 것이 현저히 곤란할 때에는 사업시행자에게 잔여지의 매수를 청구할 수 있다.

Ⅲ. 적정한 보상액 등

1. 처리방침

잔여지의 가치감소분과 공사비를 보상한다.

2. 잔여지 가치감소분

(1) 편입 전 잔여지 가액(전체토지 − 편입부분가액)

600,000 × (2,000 − 1,700) = 180,000,000원

(2) 편입 후 잔여지 가액

1) 처리방침

해당사업으로 인하여 불리해진 영향을 고려한다. 다만, 도로접면은 공사 후의 상황을 기준으로 하는 바, 세로(가)를 기준으로 한다.

2) 편입 후 잔여지 가액

@600,000 × (0.90$^{85)}$ × 0.94 × 0.90) = @456,600(×300 = 136,980,000원)

(3) 잔여지 가치감소분

180,000,000 − 136,980,000 = 43,020,000원

3. 공사비 보상

150,000,000원

4. 적정한 보상액

43,020,000 + 150,000,000 = 193,020,000원

5. 매수보상검토

잔여지에 대한 보상액(193,020,000원)이 편입 전의 잔여지가치(180,000,000원)를 상회하므로 잔여지에 대한 매수보상이 가능할 것으로 판단된다. (토지보상법 제73조 제1항 단서)

---

85) 공사 등이 필요한 경우 편입 후 잔여지 가치는 공사에 대한 사항을 고려한 가액으로 한다.

2024년 감정평가사 제35회

Answer 40점

01

I. 평가개요

– 본건은 중앙토지수용위원회 수용재결 보상감정평가(토지, 지장물)이다.
– 사업인정일 : 2015.12.30.
– 가격시점 : 2024.7.1.(수용재결일, 토지보상법 제67조 제1항)

II. (물음 1) 연도별(적용) 공시지가의 선정

1. 처리방침

토지보상법 제70조 제4항에 의하여 사업인정고시(2015.12.30.) 이전의 공시지가인 2015.1.1. 공시지가를 선정하여야 하나, 토지보상법 제70조제5항 및 동법 시행령 제38조의2에 의하여 해당공익사업의 면적이 20만 제곱미터 이상이며, 도로, 철도 또는 하천 관련 사업이 아닌바, 재생산업지구 지정 및 지형도면고시(2013.12.30.)으로 인하여 취득하여야 할 토지가치가 변동되었는지 여부를 검토한다.

2. 해당 공익사업지구 안에 있는 표준지 공시지가의 평균변동률

구분	표준지 1	표준지 2	표준지 3	표준지 4	표준지 5
2013.1.1	700,000	900,000	690,000	610,000	850,000
2015.1.1	850,000	1,030,000	840,000	750,000	990,000
변동률	21.43%	14.44%	21.74%	22.95%	16.47%
평균	19.41%				

3. 검토

(1) 사업구역 내 표준지 공시지가와 B구 표준지 공시지가 변동률이 3%포인트 이상인지 여부
    19.41% – 7.179% = 12.231%로서 3%p 이상이다.

(2) 격차율이 30% 이상인지 여부

$$\frac{19.41\%}{7.179\%} - 1 ≒ 170.37\%로서 \ 30\% \ 이상이다.$$

4. 적용공시지가 선정

재상산업지구 지정 및 지형도면고시에 의하여 취득하여야 할 토지가치가 변동된 것으로 인정되므로 지정 및 지형도면고시 이전의 최근 공시지가인 2013.1.1. 공시지가를 선정한다.

III. (물음 2) 지가변동률

1. 처리방침

토지보상법 시행령 제37조에 의하여 비교표준지가 소재하는 시군구(B구)의 용도지역별 지가변동률을 적용함이 원칙이나, 해당 공익사업으로 인하여 지가변동률이 변동되었는지 여부를 검토한다. 해당사업은 20만 제곱미터 이상의 사업으로 도로, 철도, 또는 하천 관련 사업이 아니다.

2. 요건검토

(1) 공고·고시일로부터 가격시점까지의 지가변동률이 5% 이상인지 여부

2013.12.30.부터 2024.7.1.까지의 B구 공업지역의 지가변동률은 36.158%로서 해당 요건을 충족한다.

(2) 사업인정일로부터 가격시점까지의 B구의 지가변동률이 A광역시의 지가변동률보다 30% 이상 높거나 낮은지 여부

2025.12.30.부터 2024.7.1.까지의 B구의 공업지역의 지가변동률은 19.450%이며, A광역시 공업지역의 지가변동률은 10.850%로서 격차율은 79.26%($\frac{19.450}{10.850} - 1$)으로서 30% 이상 높다.

3. 지가변동률 적용(2013.1.1.~2024.7.1.)

(1) 2013.1.1.~2013.12.29.(B구 공업지역) : 1.03795

(2) 2013.12.30.~2024.7.1.(인접시군구 지가변동률)

C구	D구	E구	평균
29.092%	15.355%	17.266%	20.571%

※ 해당 기간 동안 B구 공업지역의 지가변동률은 36.158%로서 인접시군구 지가변동률 평균을 적용한다.

(3) 지가변동률(시점수정치) : 1.03795 × 1.20571 ≒ 1.25147

IV. (물음 3) 대상토지의 보상평가액

1. 비교표준지 선정(토지보상법 시행규칙 제22조 제3항)

일반공업지역, 공업용으로서 평가대상토지와 지리적으로 가까운 표준지 1을 선정한다.
(표준지#2 : 실제이용상황 상이, 표준지 #3, 4, 5 : 지리적 이격)

2. 시점수정치 : 1.25147

3. 지역요인 비교치

인근지역에 위치하여 대등함(1.000)

4. 개별요인 비교치

1.00(용도) × 0.98(형상) × 0.95(도로접면) ≒ 0.931

5. 그 밖의 요인 보정치

(1) 사례선택

일반공업지역, 공업용으로서 해당사업의 영향을 받지 않은 최근의 사례인 사례 라를 선정한다
(인근지역에 적정한 사례가 없어 유사지역의 사례를 선정함).

(2) 사례 배제사유

- 사례 #가 : 시적격차, 양도세는 매도인 부담으로서 사정개입
- 사례 #나 : 시적격차, 특수관계인간 거래로 사정개입
- 사례 #다 : 해당사업에 의한 보상선례로 배제
- 사례 #마 : 유사지역, 담보평가선례로서 평가목적 상이

(3) 격차율 산정

$$\frac{1,400,000 \times 1.02495(시점) \times 1.260^* \times 1.050^{**}}{700,000 \times 1.25147} ≒ 2.167$$

*) 지역요인비교치 : 1.05(가로조건) × 1.20(접근조건)
**) 개별요인비교치 : 1.00(용도) × 1.00(형상) × 1.05(도로)

(4) 결정 : 상기 격차율 고려하여 2.16으로 결정하되, 인근의 실거래가 등에 의하여 그 합리성
이 지지된다.

6. 대상토지의 보상평가액

700,000 × 1.25147 × 1.000 × 0.931 × 2.16 ≒ @1,762,000(×990 = 1,744,380,000원)

V. (물음 4) 건물의 보상평가액

1. 평가방법

토지보상법 시행규칙 제33조에 의하여 이전비로 평가함이 원칙이나 이전이 불가하여 해당 물건의 가격으로 평가하며, 건축물의 가격은 원가법으로 평가한다.

2. 재조달원가

(1) 건설사례의 건축비 현가

1) 계약금액 : $630,000,000 \times 0.1 = 63,000,000$원

2) 중도금의 현가 : $630,000,000 \times 0.2 \times \dfrac{1}{1.005^6}$ ($\fallingdotseq 0.970518$) $\fallingdotseq 122,285,000$원

3) 잔금의 현가(잔금 : $630,000,000 \times 0.7 = 441,000,000$원)

① 매월원리금

$441,000,000 \times \dfrac{0.05/12 \times (1+0.05/12)^{120}}{(1+0.05/12)^{120}-1}$ ($\fallingdotseq 0.010607$) $\fallingdotseq 4,677,687$원

② 매월원리금현가합 : $4,677,687 \times \dfrac{1.005^{48}-1}{0.005 \times 1.005^{48}}$ ($\fallingdotseq 42.580318$) $\times \dfrac{1}{1.005^{12}}$

($\fallingdotseq 0.941905$) $\fallingdotseq 187,606,000$원

③ 잔금상환액의 현가

$441,000,000 \times (1 - \dfrac{(1+0.05/12)^{48}-1}{(1+0.05/12)^{120}-1}) \times \dfrac{1}{1.005^{60}}$ ($\fallingdotseq 0.741372$)

$\fallingdotseq 215,323,000$원

④ 잔금의 현가합 : $187,606,000 + 215,323,000 = 402,929,000$원

4) 건축사례의 건축비 현가

$63,000,000 + 122,285,000 + 402,929,000 = 588,214,000$원

(2) 본건의 재조달원가 결정

$588,214,000 \div 700 \fallingdotseq$ @$840,000(\times 660 = 554,400,000$원)

3. 감가수정액(관찰감가 병용)

(1) 물리적 감가 : $554,400,000 \times 12/40 = 166,320,000$원

(2) 기능적 감가(창고로서 치유불능) : $(50 \times 12월 \times 660㎡) \times 12 = 4,752,000$원

(3) 경제적(외부적)감가 : $(100 \times 12월 \times 660㎡ \times 0.2) \div 0.06 = 2,640,000$원

(4) 감가수정액 소계 : 173,712,000원

4. 건물의 평가액 : 554,400,000 - 173,712,000 = 380,688,000원

Answer 30점

02

Ⅰ. 평가개요

상업용부동산(토지, 건물)에 대한 감정평가로서 시산가액 조정 및 환원이율에 대하여 아래의 각 물음에 답한다(기준시점 : 2024년 7월 13일).

Ⅱ. (물음 1) 시산가액 조정기준 등

1. 시산가액 조정기준

감정평가에 관한 규칙 제12조에 의하여 주된 감정평가방법을 기준으로 결정하되 다른 방식에 의한 시산가액으로 그 합리성을 검토하여야 하며, 감정평가의 목적, 대상물건의 특수성, 수집한 자료의 신뢰성, 시장상황 등을 기준으로 시산가액을 조정하여 결정할 수 있다.

2. 본건의 시산가액 조정을 통한 평가액 결정의 적정성

(1) 본건 시산가액 조정방법

원가방식에 의한 감정평가액과 수익환원법에 의한 감정평가을 5 : 5로 시산가액조정하여 결정하였다.

(2) 시산가액조정의 적정성

본건은 현재 인근의 표준적 이용상황 및 건물의 연식을 고려할 때 최유효이용에 미달하는 상태로 판단된다. 최유효이용에 미달하는 부동산은 해당 물건의 자산가치대비 수익성이 낮게 형성되는 경향이 있으며, 수익환원법에 의한 시산가액은 해당 물건의 자산가치를 적정하게 반영하지 못한다. 따라서 원가방식과 수익방식에 의한 시산가액을 5 : 5로 평균하는 방법은 적절하지 못한 것으로 판단된다.

Ⅲ. (물음 2) 환원이율

1. 환원이율의 부적정 사유(제시자료 기준)

(1) 본건과 매매사례(시장추출사례)의 토지건물 가격구성비

구분	본건	사례#1	사례#2	사례#3
토지	95%	64%	60%	62%
건물	5%	36%	40%	38%

(2) 검토

시장추출률 선택 시 거래사례는 본건과 개별적인 유사성이 뛰어난 사례를 기준으로 산정하여야 하지만 선택된 사례는 본건과 품등조건(토지, 건물의 가격구성비)의 차이가 크게 나며, 이는 건물의 수익성, 연식, 최유효이용 정도와 연관되어 있다. 따라서 선택된 거래사례는 본건의 시장추출률을 결정함에 있어 부적정한 사례로 판단되며, 이로 인한 환원이율 역시 타당하지 못할 것이다.

2. 추가적인 부적정사유

(1) 표준적인 임대료 결정

본건은 현재 전체를 할인마트로 장기임대 중이며, 해당 임대료를 기준으로 수익환원법을 산정하였으나, 해당 임대차는 임대차형태나 임대기간 등의 특수성으로 보아 해당 부동산의 표준적 임대료와 괴리될 수 있다.

(2) 토지의 건부감가 반영

본건은 현재 최유효이용에 미달하여(건물의 연식, 현재의 용적률(서울특별시의 경우 제3종일 반주거지역의 용적률은 250% 내외이다.)

> ※ 참고 : 최근 거래가 되는 토지만의 거래에 비하여 지상 건축물로 인한 건부감가가 발생할 수 있다. 감정평가 시 원가방식으로 평가하더라도 토지, 건물 전체의 가격 측면에서 검토할 필요가 있다.

Ⅳ. (물음 3) 환원율 결정 등

1. 환원이율 산출

(1) 산식 : R(환원이율) = r(투자수익률) − g(가격 및 임대료 변동분)

(2) 환원이율 산출

8.0% − 3.0% = 5.0%

(3) 검토

해당 부동산이 속한 시장은 지속적인 지가상승이 예상되는 지역인바, 이는 환원이율을 감소시키는 요인으로 작용한다. 또한 해당 부동산의 실제이용상황을 고려하여 환원이율을 조정하여 결정할 필요가 있을 것이다.

2. 건물의 유효내용연수

(1) 수익방식에 의한 적정한 감정평가액(시장가치)

$459,000,000 \div 0.05 = 9,180,000,000$원

(2) 건물의 가격(배분법)

$9,180,000,000 - 9,000,000,000 = 180,000,000$원($\div 900㎡ = @200,000$)

(3) 유효잔존내용연수(n)

$@1,500,000 \times \dfrac{n}{45} = @200,000$ ∴ $n = 6$년

(4) 검토

해당 건물은 인근의 시장변화에 따라 실제경과연수인 30년보다 9년 더 경과한 39년이 실제유효경과연수일 것으로 판단되며, 이는 건물의 관찰감가 또는 토지의 건부감가를 통하여 부동산 가치에 반영될 수 있을 것이다.

Answer 20점

03

Ⅰ. 평가개요

도시개발법에 따른 도시개발사업(환지방식)구역 내 토지에 대한 아래의 물음에 답한다.

Ⅱ. (물음 1) 청산금이 정산된 상태

1. 토지의 사정면적 확정

현 시점은 사업의 종료가 임박한 시점으로 환지예정지 지정고시가 있으므로 환지 후 상태를 기준으로 한다.

기호 (1) 토지는 과도지정, 기호 (2) 토지는 부족도지정된 환지이나, 청산이 완료된 상태로서 환지면적을 기준으로 추정한다. 기호 (1) 토지는 권리면적(420㎡)보다 환지면적(460㎡)이 큰 과도지정 토지로서 40㎡(×200,000 = 8,000,000원)은 징수청산되었으며, 기호 (2) 토지는 권리면적(840㎡)에 비하여 환지면적(800㎡)이 작은 부족도지정 토지로서 40㎡(×200,000 = 8,000,000원)은 교부청산되었다.

2. 청산금 정산상태를 고려한 현재의 가격 추정

(1) 기호 (1) : 200,000원/㎡ × 460(환지면적) = 92,000,000원

(2) 기호 (2) : 200,000원/㎡ × 800(환지면적) = 160,000,000원

3. 면적의 차이 분석

구분	종전토지면적	권리면적	환지면적
기호 (1)	600㎡	420㎡	460㎡
기호 (2)	1,200㎡	840㎡	800㎡
면적비율 (기호(1)대비 기호 (2))	2배	2배	약 1.74배
의견	환지의 지정 및 이에 따른 정산금 확정에 따라 종전토지 및 권리면적에 비하여 기호(1)의 환지면적이 상대적으로 증가하였다.		

III. (물음 2) 청산금이 미정산된 상태

1. 토지의 사정면적 확정

(1) 과도 또는 부족면적 판정

기호 (1) 토지는 권리면적(420㎡)대비 환지면적(460㎡)이 과도지정된 토지로서 청산면적은 과도면적 40㎡이다.

기호 (2) 토지는 권리면적(840㎡)대비 환지면적(800㎡)이 부족도지정된 토지로서 청산면적은 부족도면적인 40㎡이다.

2. 청산금 미정산 상태를 고려한 현재의 가격

(1) 기호 (1) : 200,000원/㎡ × 420(권리면적) = 84,000,000원

(2) 기호 (2) : 200,000원/㎡ × 840(권리면적) = 168,000,000원

3. 면적의 차이 분석

(1) 해당사업의 비례율 분석

1) 산식

권리가액(정리전토지가액 × 비례율) ÷ 환지후토지가액(원/㎡) = 권리면적

비례율 = 권리면적 × 환지후토지가액(원/㎡) ÷ 정리전토지가액(원)

2) 해당사업의 비례율 판단

구분	기호(1)	기호(2)
정리전토지가액	100,000 × 600 = 60,000,000	100,000 × 1,200 = 120,000,000
정리후토지가액	200,000 × 460 = 92,000,000	200,000 × 800 = 160,000,000
권리면적	420	840
비례율	1.40	1.40
권리가액	84,000,000	168,000,000

3) 면적차이의 분석

청산금이 미정산된 상태에 있어서는 기호 (1) 토지와 기호 (2) 토지의 종전토지 면적과 권리면적의 격차는 2배로 동일하다.

 10점

04

I. (물음 1) 초과수익이 갖추어야 할 요건

1. 초과수익의 발생원인

해당기업의 신용, 지명도 등에 의하여 고객흡수력이 있으며, 해당회사의 시스템에 의하여 상대적으로 우수한 인재가 존재하고, 영업장소의 입지적인 우월성, 제조 및 판매기술의 비결, 행정적인 기득권 등 유리한 조건으로 인하여 초과수익이 발생할 수 있다.

2. 초과수익이 갖추어야 할 요건

(1) 초과수익의 계속성

계속기업을 전제하므로 초과수익도 계속될 것을 전제함이 타당하며, 경쟁자의 여부, 경쟁의 정도, 영업형태의 변화, 수요의 변화 등에 따라 지속가능성이 변경될 수 있다.

(2) 초과수익의 이전성

영업권을 계상한 자에게 초과수익력이 옮겨가는 정도를 말하며, 초과수익의 이전성이 높을수록 영업권의 가치는 높아짐.

II. (물음 2) 정상수익률 산정방법

1. 정상수익률의 성격

해당 기업의 규모(영업관련 투하자본) 대비 적정한 영업이익의 율을 의미한다.

2. 정상수익률 산정방법

(1) 유사기업이용법

본건과 유사한 기업의 영업관련 투하자본 대비 매출액 또는 영업이익의 비율을 산정한다.

(2) 투하자산별 요구수익률의 가중평균

해당회사가 보유한 영업관련 투하자산의 개별적 요구수익률을 산정하여 이를 투하자본의 가격을 기준으로 한 가중평균한 값으로 산정한다.

(3) 해당기업의 과거실적 참조

해당 기업의 초과수익이 발생되기 전의 영업이익과 초과수익이 발생된 이후의 영업이익을 비교하여 결정한다.

(4) 통계자료 검토

동종 유사 기업의 영업실적 정보나 재무비율 등을 검토하여 결정할 수 있을 것이다.

3. 정상수익률 결정의 어려움

이전이 불가능한 초과수익의 포함, 비영업자산이 포함된 기업, 투하자본의 구성이 개별기업별로 다르기 때문에 정상적인 영업이익을 결정하기 어려운 점 등이 있을 것이다.

박문각
감정평가사

유도은
S+ 감정평가실무연습

2차 | 기출문제 2권 예시답안편

제13판 인쇄 2024. 10. 25. | **제13판 발행** 2024. 10. 30. | **편저자** 유도은

발행인 박 용 | **발행처** (주)박문각출판 | **등록** 2015년 4월 29일 제2019-000137호

주소 06654 서울시 서초구 효령로 283 서경 B/D 4층 | **팩스** (02)584-2927

전화 교재 문의 (02)6466-7202

저자와의
협의하에
인지생략

이 책의 무단 전재 또는 복제 행위를 금합니다.

정가 46,000원
ISBN 979-11-7262-231-2(2권)
ISBN 979-11-7262-229-9(세트)